LA MALÉDICTION
DES HALE

DORIS MORTMAN

LA MALÉDICTION
DES HALE

Traduit de l'américain
par Franck Jouve

belfond

12, avenue d'Italie
75013 Paris

Titre original :
BEFORE AND AGAIN
publié par St. Martin's Press, New York.

Si vous souhaitez recevoir notre catalogue
et être tenu au courant de nos publications,
vous pouvez consulter notre site internet :
www.belfond.fr
ou envoyer vos nom et adresse, en citant ce livre,
aux Éditions Belfond,
12, avenue d'Italie, 75013 Paris.
Et, pour le Canada,
à Interforum Canada Inc.,
1050, bd René-Lévesque-Est,
Bureau 100,
Montréal, Québec, H2L 2L6.

ISBN 2-7144-4012-6

Prologue

Callie Jamieson avait huit ans quand elle vit sa mère quitter la maison dans une camisole de force.

Pétrifiée d'horreur derrière la fenêtre de sa chambre, la gamine regarda sa maman donner de grands coups de pied aux deux hommes en blanc qui la ceinturaient sans ménagement et se tordre dans tous les sens pour tenter de leur échapper. Elle entendit ses cris perçants, ses appels au secours à son mari, à sa fille, à Dieu, à qui pouvait l'entendre. Elle vit leurs voisins rassemblés sur leur pelouse, tendant le cou pour ne pas perdre une miette du spectacle, mais restant prudemment à l'écart comme si Mara Jamieson était une pestiférée.

Callie sursauta instinctivement quand les portes de l'ambulance se refermèrent brutalement sur leur proie, mais ses yeux restaient rivés à la scène. Ce fut seulement quand l'ambulance s'éloigna qu'elle s'arracha à la fenêtre pour se boucher les oreilles, refusant d'écouter le cri aigu de la sirène qui annonçait au monde que sa mère était si folle qu'il avait fallu l'interner en urgence.

Dans les minutes qui suivirent, ce fut comme si rien ne s'était passé. Le jour se levait. La foule des voyeurs s'était agglutinée en petits cercles pour échanger ses impressions à voix basse. À part ça, un calme presque surnaturel planait sur le théâtre du drame. De petites lumières s'allumaient dans les pavillons plus lointains. Les oiseaux gazouillaient dans les branches. La vie à Meadow Drive reprenait son cours normal.

Dans la maison des Jamieson, cependant, il régnait un silence tendu comme le fil d'un équilibriste. Même l'air semblait immobile, figé par la peur, stoppé net. Blottie dans l'embrasure de la fenêtre, Callie resta un temps infini à contempler fixement l'allée déserte.

Une moitié d'elle implorait le bon Dieu de rembobiner la bande, d'effacer la maudite scène qui venait de se dérouler, et de ramener Mara à la maison. L'autre moitié répondait aussitôt : À quoi bon ? Tôt ou tard, le même scénario se reproduirait. Dans une semaine, dans un mois, dans un an, Mara, de toute façon, se retrouverait derrière les murs d'un asile.

Quand Callie comprit qu'elle ne pouvait pas rester prostrée indéfiniment, elle prit sur elle et sortit de son coin pour s'aventurer dans le couloir.

La dernière fois qu'elle avait vu son père, il était en bas dans le jardin, le visage enfoui dans ses mains pour ne pas assister au départ de sa femme, sanglée dans sa camisole et se débattant comme une furie entre deux colosses pendant qu'un troisième tentait de la calmer avec une piqûre. Où était son papa à présent ? Callie ne l'avait pas entendu refermer la porte *après*, mais il avait dû le faire. Comme il avait dû remonter l'escalier.

Elle gagna la chambre de ses parents sur la pointe des pieds. La porte était ouverte. Bill se tenait au milieu du carnage provoqué par la dernière crise de sa femme, le dos secoué par des sanglots silencieux.

Callie écarquilla les yeux en découvrant les rideaux déchirés, les tringles pendantes et la chaise renversée, un barreau cassé, le tout gisant dans des éclats de verre. Le miroir de la coiffeuse avait éclaté en mille morceaux. Les vêtements, arrachés des cintres, avaient été lacérés. Les élégants flacons de cristal des parfums de Mara avaient fini fracassés contre le mur, y laissant des éclaboussures dégoulinant encore sur la moquette.

Et pour couronner le tout, il y avait du sang partout.

Son cœur battait à tout rompre dans sa poitrine tandis qu'elle suivait des yeux la trace des taches rouge foncé sur la moquette, sur les draps du lit et sur les bras de son père.

Comme s'il avait senti sa présence, Bill se retourna. Les larmes qui ruisselaient sur ses joues se mêlaient au sang de l'entaille qu'il portait au-dessus de l'œil gauche et des grif-fures qui le défiguraient.

Sans se soucier des éclats de verre qui blessaient ses pieds nus, Callie courut se jeter à son cou. Incapable de prononcer un seul mot, Bill la serra contre son cœur à l'étouffer avant de l'entraîner hors de cette pièce frappée par le malheur.

Callie et son père passèrent ce samedi noir de juin à essayer de mesurer l'impact de la folie de Mara sur leurs deux existences.

Bill tenta de tout expliquer à Callie, mais il était clair que lui-même ne comprenait pas entièrement ce qui était arrivé.

— Qu'est-ce qui a déclenché cette crise, papa ?

Elle ne parvenait pas à associer le spectacle de la chambre dévastée et l'image de la maman souriante qui, la veille au soir encore, était venue la border et lui lire une histoire.

Bill Jamieson haussa les épaules. Il y avait des mois et des mois qu'il s'efforçait vainement de sonder ce qui avait provoqué l'effondrement mental de sa femme. Mais cette fois, il craignait que son esprit n'ait bel et bien sombré...

— Voilà pourquoi j'ai pris la décision la plus difficile de toute ma vie, la faire interner. J'ai eu peur qu'elle se fasse du mal ou qu'elle t'en fasse à toi, avoua-t-il en pressant très fort la main de sa fille.

Callie protesta d'une voix aiguë.

— Jamais maman ne m'aurait fait de mal !

Mais ses yeux ne pouvaient se détacher des balafres qui zébraient le bras droit de son père. Elles témoignaient de la violence de Mara qui, dans son hystérie, s'était emparée de ciseaux pour attaquer son mari.

— Je ne blâme pas ta maman, ma chérie. Elle est très malade. Elle ne peut pas s'aider elle-même.

Il passa une main tremblante sur son front.

— Et malgré tout notre amour, nous ne pouvons pas l'aider non plus. Il lui faut des soins médicaux. Tu comprends cela, n'est-ce pas ? J'ai besoin que tu sois forte.

Du haut de ses huit ans, la gamine hocha bravement la tête, mais ses lèvres tremblaient quand elle demanda :

— Maman va aller mieux, dis ?

— Je l'espère, répondit honnêtement Bill.

Il vit la détresse de sa fille et ajouta précipitamment :

— Là-bas, à Stonehaven, on va bien la soigner, tu sais. C'est le Dr Freedberg qui a recommandé cet établissement. Tu le connais : il n'enverrait pas maman dans un endroit qui ne serait pas bon pour elle.

Callie renifla. Elle aimait bien le Dr Freedberg, leur médecin de famille. Il était gentil avec elle ; il n'y avait donc pas de raison qu'il soit méchant avec sa maman.

Bill continuait d'évoquer la tragédie qui les frappait, cette maladie mentale si difficile à soigner, si épouvantable à vivre pour celle qui en souffrait et pour ses proches... Callie percevait la tension dans sa voix, mais ne trouvait rien de réconfortant à lui dire.

Ces deux dernières années avaient été horriblement éprouvantes. Quand il pressentait une crise de sa femme, Bill n'allait pas travailler pour rester auprès d'elle et confiait la petite à Ruby, leur gouvernante, pour qu'elle l'éloigne de la maison. Il y avait des nuits où il n'avait pas fermé l'œil une seconde et des jours où il restait constamment sur ses gardes, scrutant la plus insignifiante manifestation du comportement maniaco-dépressif de Mara.

Même après ce qui s'était passé ce jour-là, Bill aimait toujours autant sa femme. Il assura à Callie que rien ne lui tenait plus à cœur que le retour de sa mère et qu'il ferait tout ce qui était en son pouvoir pour la faire revenir à la maison.

— Tu verras, un jour, tous les trois nous formerons à nouveau une famille normale, comme avant. Tu verras, Callie...

Elle ne demandait pas mieux que de le croire, mais elle tâtonnait dans le brouillard le plus épais. Aucun médecin ne comprenait de quelle maladie mentale souffrait Mara, personne ne trouvait de traitement efficace. Elle-même et son père, les deux êtres au monde qui la connaissaient le mieux, ne comprenaient rien aux bizarreries qui avaient peu à peu détraqué son cerveau. Ils ne pouvaient même pas dire quand elle était tombée malade. Où situer le début de la fin ?

Autrefois, ils formaient un heureux petit trio, menant une vie normale, sans histoires. Et puis, apparemment sans raison, le cours tranquille de leur existence s'était déréglé et tout avait basculé. Tout avait commencé par des insomnies. Quelque chose réveillait Mara en pleine nuit – un bruit étrange, le sentiment qu'on était entré dans sa chambre, un rêve effrayant – difficile à raconter mais assez horrible pour l'empêcher de se rendormir. Après plusieurs nuits troublées par ce même cauchemar, son humeur changea. Elle devint de plus en plus nerveuse, irritable, perturbée. Ensuite apparurent les phobies et les obsessions.

Et enfin ces angoissantes altérations de la personnalité.

Callie aurait peut-être mieux admis cette affreuse maladie si elle avait su d'où elle venait. Bill n'avait de cesse de lui assurer que le mal mystérieux dont souffrait sa mère n'avait pas eu de facteur déclenchant.

— Ce n'est la faute de personne, répétait-il.

Une autre chose troublait Callie. Pourquoi sa maman s'était-elle mis en tête de divorcer, alors qu'elle et son mari s'adoraient toujours ? À plusieurs reprises au cours de ces dernières semaines, Callie les avait entendus par hasard se disputer à ce sujet.

Mara exigeait le divorce. Bill s'y refusait. Il lui répétait qu'elle agissait irrationnellement, qu'elle l'aimait toujours, il le savait, comme il savait qu'elle adorait leur petite Callie. Mara ne le niait pas une seconde : oui, elle tenait de tout son cœur à sa fille et à son mari, et *c'était justement pour cela qu'elle devait absolument se séparer d'eux !* « Quelque chose ne tourne pas rond dans ma tête, il faut que je vous délivre de ma présence. »

Des heures durant, Callie se creusa la cervelle pour comprendre ce qu'elle avait voulu dire. Elle finit par conclure que ce n'était pas vraiment d'eux que sa mère voulait se libérer, mais sûrement de ces étranges êtres gris qui la hantaient.

Mara parlait rarement des sombres recoins de son esprit où l'entraînaient ses visions, mais, plusieurs mois auparavant, Callie l'avait surprise dans un moment de désespoir et d'abandon.

C'était au retour d'un rendez-vous chez son psychiatre. D'habitude, Mara en revenait si épuisée qu'elle montait s'allonger dans sa chambre pour un long somme réparateur.

Ce jour-là – Dieu sait ce qui s'était dit pendant la séance –, elle en était ressortie avide de parler à sa fille. Comme dans un éclair de lucidité, elle avait évoqué les Gens gris, ces ombres qui venaient la tourmenter malgré sa volonté...

— La nuit, quand tu dors ? murmura Callie, apeurée.

— Au début, oui. Mais ensuite..., révéla lugubrement Mara, *ils sont sortis de mes cauchemars pour me poursuivre même en plein jour. C'est leur faute à eux si je ne suis plus la même !*

Callie avait toujours été une enfant obéissante. Mais c'était avant que tout se détraque dans la maison. Avant que la raison de sa mère commence à vaciller et que son père dresse un mur entre lui et le reste du genre humain.

Bill continuait bien sûr à adorer sa petite fille, et à prier de toute son âme pour le rétablissement rapide de sa femme. Il rêvait désespérément d'une thérapie nouvelle qui ramènerait Mara à la raison et à la maison. Comme Callie, il fut anéanti quand il dut se rendre à l'évidence que rien de tel ne se produirait.

Bill se retrancha de plus en plus souvent dans sa tour d'ivoire, cachant ses sentiments, refusant de partager sa souffrance avec quiconque, occultant la détresse qui était devenue sa compagne de chaque jour. Il se focalisa sur son travail et son enfant, à l'exclusion de tout le reste. Lentement, péniblement, il affrontait l'impitoyable réalité : il avait fait subir à sa femme adorée un placement d'office dans un établissement psychiatrique où elle passerait probablement le restant de ses jours.

Il était devenu farouchement protecteur vis-à-vis de Callie. Craignant qu'elle ne sombre dans la dépression à force de ruminer de tristes pensées, il veillait à ce qu'elle soit perpétuellement occupée. Il sélectionnait ses activités, chaperonnait la moindre de ses sorties et, redoutant par-dessus tout qu'on ne la blesse par des allusions à l'état de sa mère, filtrait impitoyablement ses camarades de jeu.

Callie en souffrait mais le laissait faire. Leur seul sujet de dispute concernait les refus répétés de son père de lui permettre de rendre visite à sa mère.

Bill ne voyait pas l'intérêt d'exposer Callie au spectacle souvent hideux, toujours bouleversant, des malades internés à Stonehaven. Lui-même en revenait chaque fois démoli. Pas question qu'à l'âge tendre qui était le sien elle découvre l'abominable toile d'araignée que la folie tissait autour de ses victimes. La pauvre en resterait traumatisée à vie, se répétait-il sans comprendre qu'au lieu de protéger sa fille il ne faisait qu'accroître un peu plus son anxiété – et sa détermination à découvrir ce qu'on voulait lui cacher.

Au bout de six longs mois d'interdiction de visite, Callie entama une grève de la faim. Son père ne le remarqua pas tout de suite – il s'abrutissait de travail et rentrait après le dîner –, mais Ruby, elle, était aux premières loges et ne tarda pas à s'affoler.

Après avoir repoussé son assiette pendant deux jours sans rien avaler d'autre qu'un verre de lait, Callie gagna la bataille. Ruby céda : elle louerait une voiture et l'emmènerait dans le Connecticut, jusqu'à Stonehaven.

C'était un gigantesque manoir conçu sur le modèle du château de Blenheim en Angleterre. On aurait pu croire à un de ces relais de luxe où, le lendemain d'une réception aux chandelles avec orchestre baroque, des aristocrates organisaient une chasse à courre. À ceci près qu'il n'y avait ni orchestre, ni lévriers, ni invités de leur plein gré. Et, à en croire le directeur, aucun moyen pour une petite fille de huit ans, non accompagnée d'un de ses parents ou de son tuteur légal, de rendre visite à une « pensionnaire », fût-elle sa mère.

Après avoir demandé à Callie et Ruby de patienter une minute dans son bureau, il alerta aussitôt Bill Jamieson qui débarqua en catastrophe.

Ruby repartit seule dans la voiture de location. Callie rentra à la maison avec son père.

— Pourquoi m'as-tu désobéi ? gronda Bill en serrant le volant si fort que les jointures de ses doigts étaient toutes blanches.

— Je voulais voir maman.

— Mais puisque je t'ai expliqué que les médecins ne trouvent pas que ce soit une bonne idée.

— Je m'en fiche. Je veux voir ma maman !

Bill l'observa à la dérobée. Assise très droite sur son siège, bras croisés, mâchoire crispée, les yeux fixés loin devant elle, Callie était la statue de la détermination.

Depuis quand était-elle devenue si indépendante, si résolue à défier son autorité ?

— Ta mère est malade, Callie.

— Je sais.

— Alors pourquoi ne veux-tu pas nous écouter, moi et les docteurs qui ne voulons que son bien, et le tien ?

— C'est pas vrai ! Tu ne veux pas qu'elle aille mieux ! souffla Callie.

— Quoi ?

Bill en perdit presque le contrôle de la voiture.

— Comment peux-tu dire une chose pareille ?

— Parce que c'est vrai ! Tu voudrais que maman reste malade et enfermée parce que tu as peur qu'elle nous abandonne.

Bill Jamieson donna un coup de freins et se gara le long de la route avant de se tourner vers sa fille, très pâle.

— Tu penses vraiment ça de moi ?

— ...

— Callie, je te parle. Regarde-moi, s'il te plaît.

Callie finit par lever lentement la tête.

— Qu'est-ce qui te fait croire que ta maman voudrait nous abandonner ?

— Je vous ai entendus parler de divorce. Plein de fois.

— Nous en avons discuté, c'est vrai, mais seulement parce que Mara avait peur de ce que l'avenir lui réservait et qu'elle voulait éviter d'être un fardeau pour nous. C'était moins pour nous quitter que pour nous protéger, tu comprends cela ?

— Non ! Elle ne peut pas être un fardeau pour moi, gémit Callie. C'est impossible, jamais !

— Bien sûr que non, ma chérie. Et pour moi non plus, dit doucement Bill en lui caressant les cheveux. Si tu as écouté notre conversation, alors tu as dû m'entendre dire que je ne divorcerais jamais de ta mère.

Callie hocha la tête. Deux petites larmes coulaient le long de ses joues.

Bill l'attira farouchement contre lui et l'embrassa.

— Je l'ai dit cent fois à ta maman et je te le répète : Tous les trois ensemble, nous sommes plus forts que le malheur. Nous formons une équipe et nous allons gagner ce combat, bébé. Tu verras.

Callie hocha à nouveau la tête, mais quelque chose dans la voix de son père comme dans la rudesse de son étreinte lui disait qu'il ne croyait pas un mot de ce qu'il racontait.

— Tu ne vas pas être content, papa, lui chuchota-t-elle à l'oreille, mais tout à l'heure j'ai téléphoné à tatie Pennie du bureau du directeur. Elle m'a promis juré de m'emmener voir maman.

Bill ouvrit la bouche pour s'y opposer, mais Callie leva la main d'un geste d'adulte. Un geste qu'avait souvent sa mère.

— Si nous formons vraiment une équipe, il faut que tu me laisses participer. D'accord ?

Une boule de fierté paternelle au fond de la gorge, Bill ravala toutes ses objections et sourit. Son premier sourire depuis... Dieu sait quand.

Callie avait baptisé « tatie Pennie » Pénélope James, la jeune sœur de Bill. Pennie était aussi sa marraine, un titre – presque une mission – qu'elle prenait d'autant plus au sérieux qu'elle était célibataire et sans enfants, ayant, jusque-là tout au moins, sacrifié sa vie privée à sa carrière d'actrice.

Vedette de la télévision, héroïne d'une sitcom qui cartonnait en prime time, Pennie n'avait pas sa pareille pour placer un bon mot ou une anecdote piquante dans une interview. En cet instant, pourtant, elle avait un trac fou à la perspective de passer le casting le plus délicat et le plus pénible de toute son existence : rester parfaitement naturelle devant sa belle-sœur Mara, quelles que soient ses réactions, toujours imprévisibles.

Pennie consacra une bonne moitié du trajet vers le Connecticut à préparer Callie à ce qu'elle pourrait voir et entendre. En choisissant ses mots, elle lui dit qu'il ne faudrait pas

15

qu'elle soit étonnée de voir que sa maman avait beaucoup changé.

Selon Bill, Mara avait énormément maigri, mais plus que son apparence physique, c'étaient ses bizarreries qui étaient inquiétantes. Pennie expliqua à Callie que certains des malades de la maison de repos parlaient à des amis imaginaires...

— Parfois même, ils crient des choses étranges, mais il ne faut pas que cela t'effraie.

Callie l'écoutait sans faire de commentaire ni marquer la moindre surprise. Bill était muet comme une tombe sur ce qui s'était passé à la maison dans les mois qui avaient précédé l'enfermement de Mara, mais Pennie se doutait bien que sa nièce avait déjà assisté à des crises et entendu des horreurs qu'elle n'aurait jamais dû entendre.

Callie tenait sur ses genoux un panier qu'elle avait rempli elle-même de menues attentions pour sa maman : une boîte de ses petits-fours favoris, un nouveau flacon de Shalimar, un tube de son rouge à lèvres préféré, une tarte aux abricots que Ruby avait préparée pour elle, sa couverture blanche fraîchement lavée et repassée, son joli coussin repose-nuque... Callie avait voulu y ajouter sa chemise de nuit cerise, mais Pennie l'avait convaincue qu'on ne la lui laisserait probablement pas.

— Garde-la plutôt pour son retour à la maison, lui avait-elle gentiment recommandé tout en se demandant si cela se produirait un jour.

Quand elles se présentèrent à Stonehaven, le directeur salua Callie avec plus de bienveillance que la fois précédente. Son panier à la main, elle se cramponnait de l'autre au bras de sa tante, de peur que seule Pennie ne soit autorisée à franchir la porte. Mais non, le directeur lui assura qu'elle avait ce jour-là le droit de voir sa mère. Simplement, il demanda aux visiteuses de bien vouloir patienter un quart d'heure, le temps que Mara finisse de déjeuner.

Ces quinze minutes parurent une éternité à Callie. Enfin, une infirmière les escorta en silence le long de l'interminable couloir conduisant au solarium, où les pensionnaires recevaient leurs visiteurs. Cette vaste pièce, couverte d'une coupole en verre, donnait sur des jardins luxuriants. Une véritable oasis de verdure et de couleurs, après toutes ces cloisons blanches et capitonnées. Callie n'avait pourtant d'yeux que pour les gros boulons qui fixaient chaque élément de mobilier au plancher.

Au bout d'un dernier et bref moment d'attente, un surveillant fit entrer Mara. Pennie perçut la respiration saccadée de Callie à l'instant où elle découvrit sa mère dans l'embrasure de la porte.

Bill n'avait pas exagéré : Mara était d'une maigreur effrayante. Ses cheveux blonds ramenés vers l'arrière en queue de cheval faisaient ressortir l'aspect émacié de ses traits. Elle portait une robe en smocks informe qui tombait comme un sac, des chaussettes et une paire de pantoufles. Mara Jamieson n'avait que trente ans, mais en paraissait le double.

Pourtant, lorsqu'elle s'approcha avec appréhension, Callie et Pennie décelèrent dans son regard cette petite étincelle qui appartenait à la Mara dont elles avaient gardé le souvenir et qu'elles aimaient tant.

Tandis que Callie se jetait au cou de sa mère, Pennie essuya discrètement ses yeux emplis de larmes. À la minute où Bill avait introduit Mara dans la famille, Pennie l'avait aimée comme sa propre sœur.

Mara souriait pendant que Callie la menait d'autorité vers un canapé libre. Pennie resta un peu à l'écart pour que la mère et la fille puissent se retrouver un moment en tête à tête. Elle fronça les sourcils en voyant le surveillant se pencher sans gêne sur le panier d'où la petite sortait ses cadeaux. Il s'en désintéressa pour aller calmer un malade qui s'était mis à hurler des obscénités et qu'il fallut traîner de force hors de la pièce.

— Maman, il faut vraiment que tu restes dans cet endroit ? chuchotait Callie au moment où Pennie les rejoignait timidement. On ne pourrait pas te soigner à la maison ?

C'était une question que Pennie se posait aussi. Mara avait l'air si... normale.

— Je ne sais pas, mon petit cœur. Ils disent que je suis un danger pour moi-même.

— Et c'est vrai ?

17

Mara embrassa sa fille sur la joue et lui caressa les cheveux en baissant les yeux.

— Je ne sais pas, j'ai toujours ces rêves... Et ils sont si horribles...

— Et tous ces médecins n'arrivent toujours pas à les chasser ? s'énerva Callie.

Mara haussa les épaules.

— Pas jusqu'à présent.

— Alors, à quoi ils servent ? Je vais dire à papa qu'il te cherche une meilleure maison de repos.

Mara trouva la force de rire, mais Pennie vit les larmes qui perlaient au coin de ses yeux. Changeant rapidement de sujet, Mara pria Callie d'aller demander un verre d'eau.

— Tes petits-fours m'ont donné soif, prétexta-t-elle.

Callie se précipita, trop contente de lui faire plaisir.

— Que se passe-t-il, Mara ? demanda Pennie qui avait compris au quart de tour.

— Je compte sur toi pour convaincre Bill de signer les papiers du divorce.

Elle était calme, concise, parfaitement lucide.

— Pourquoi ?

— Parce que cette enfant a besoin d'une mère.

— Elle en a une, qu'elle adore.

Mara secoua tristement la tête.

— Non. La pauvre n'en a que le souvenir. Il lui faut une maman qui prenne soin d'elle, qui la console quand elle a un chagrin ou un petit bobo, qui l'aide à faire ses devoirs et à choisir ses vêtements pour l'école, qui veille à ce qu'elle dorme suffisamment et se nourrisse comme il faut... une vraie maman. Parles-en à Bill, je t'en supplie.

Elle pleurait doucement. Pennie avait la gorge nouée.

— Il t'aime, Mara.

— Moi aussi, je l'aime. C'est pour cela que je veux lui rendre sa liberté. Je veux qu'il se remarie et donne par la même occasion une nouvelle maman à ma Callie. Tous les deux, ils ont droit au bonheur.

— Et toi ? articula péniblement Pennie.

— Oh moi... Je suis plus morte que vivante, à présent.

Mara laissa errer son regard sur les murs capitonnés, les

malades qui s'agitaient autour d'elles, les surveillants prêts à intervenir au moindre incident, forçant Pennie à s'imprégner en même temps de la réalité de Stonehaven.

— Ils ne me laisseront jamais sortir d'ici.

— Tu ne peux pas dire ça...

— Je le sais. Bill ne mérite pas d'être enchaîné à vie à un boulet comme moi.

Elle agrippa les mains de sa belle-sœur.

— Je ne suis plus moi, Pennie. Si vous m'avez aimée, considérez-moi comme morte. Oubliez-moi, tous.

Les lèvres de Mara frémirent. Callie revenait en tenant à la main un gobelet qu'elle portait comme le Saint-Graal.

— Tiens, maman, elle est toute fraîche.

Mara but l'eau jusqu'à la dernière goutte et s'extasia à nouveau sur le contenu du panier apporté par sa fille. Elle effleura mélancoliquement le flacon de Shalimar et le tendit à Pennie.

— On ne voudra pas que je garde du verre dans ma chambre. À moins d'amadouer un surveillant pour qu'il trouve une bouteille en matière plastique où transvaser le parfum...

— C'est comme si c'était fait, annonça Pennie.

Le flacon à la main, elle alla faire son numéro de charme au cerbère de service.

Une fois seule avec sa fille, Mara l'interrogea sur l'école, ses copines, Ruby, et surtout Bill. Callie répondait à toutes les questions en essayant de se montrer enjouée, improvisant même des anecdotes amusantes dans l'espoir de distraire sa mère.

Elle fit seulement attention à ne pas mentionner que son père passait les trois quarts de ses journées au bureau et ne souriait plus jamais. Sa maman avait assez de soucis pour qu'elle n'en rajoute pas.

Mara l'écoutait intensément en la regardant au fond des yeux.

— C'est bien, ma chérie. Il faut que tu sois forte et très gentille avec ton papa. Je suis fière de toi.

Callie renifla, à deux doigts de fondre en larmes.

— Tu me manques tant, hoqueta-t-elle.

Mara l'embrassa et la serra très fort sur son cœur.

— Tu me manques aussi, ma puce.

Soudain, elle repoussa Callie et regarda nerveusement autour d'elle.

— Ça ne va pas, maman ?

— Chut ! Si je me montre trop émotive, ils vont encore me faire une de leurs satanées piqûres, articula Mara d'une voix rauque. Après, je serai tout engourdie et j'ai horreur de ça !

Callie se troubla. Sa mère se comportait à nouveau étrangement.

— Je ne suis pas comme leurs autres malades, tu sais...

Avec des regards de bête traquée, elle approcha sa bouche de l'oreille de Callie.

— Oh, ils le savent, mais ils sortent leurs aiguilles pour pouvoir me garder prisonnière ici !

Il y eut un lourd silence.

Mara contemplait le plafond en agitant les lèvres. Puis elle haussa les épaules et grommela :

— Je sais bien qu'ils croient que je suis folle – tout le monde le croit ! Mais c'est parce qu'ils ne voient pas ce que je vois ! Sinon, ils ne me feraient pas ces piqûres qui m'empêchent de me défendre contre *eux*...

Le cœur de Callie cognait à grands coups dans sa poitrine.

— Tu ne peux pas échapper aux piqûres ?

— Oh, pour ça, j'essaie ! grinça Mara en roulant des yeux. Mais comme ils ne m'aiment pas, ils ne veulent pas m'écouter.

Ses doigts cessèrent de pianoter sur ses cuisses pour se crisper sur le tissu de sa robe.

— Ils ne veulent pas non plus que je parle à mes visiteurs ! Tu sais bien, ceux que j'ai amenés avec moi de la maison, précisa-t-elle d'une voix cassée, méconnaissable.

Une petite veine palpitait follement à sa tempe gauche.

Callie hocha la tête tout en cherchant Pennie du coin de l'œil.

Mara était agitée de tics nerveux.

— Tss, ce sont pourtant mes seuls compagnons. Si j'en avais d'autres, peut-être partiraient-ils...

Callie avait envie de pleurer. « Il ne faut pas que cela t'effraie ! » avait dit tatie Pennie.

— Maman..., commença-t-elle en lui prenant la main.

20

Mara se figea brusquement.

— *Toi aussi, ils sont revenus te voir ?*

Le jour où sa mère lui avait raconté son rêve, Callie lui avait avoué qu'elle faisait le même. Mara en avait été si épouvantée qu'elles n'en avaient plus jamais reparlé. Jusqu'à ce jour.

Comme elle gardait le silence, Callie vit deux grosses larmes couler le long des joues de sa mère.

— Ma pauvre petite... *ils te rendent toujours visite ?*

— Ça arrive.

Mara lui saisit la tête à deux mains, violemment.

— Il faut que tu te débarrasses d'eux ! Fais-les partir !

— J'ai essayé, bredouilla Callie, terrorisée. Mais ils reviennent...

Mara inspira profondément et s'essuya les yeux du revers de sa manche.

— Il faut absolument que tu les chasses de ta tête, grondat-elle d'une voix torturée. Callie ! Jure-moi que tu essaieras encore et encore, de toutes tes forces. C'est très important.

— Je te le jure, maman.

Callie se mit à sangloter elle aussi.

— Mais si je n'y arrive pas ?

Mara la berça dans ses bras et lui glissa à l'oreille :

— Alors n'en parle jamais à personne. Jamais ! Tu m'entends ?

Deux jours plus tard, Mara Jamieson se pendait.

1

Le grill-room des *Quatre Saisons* bourdonnait des conversations des habitués. Les clients qui attendaient au bar qu'une table se libère priaient pour ne pas se retrouver placés dans la salle du rez-de-chaussée, celle des touristes. Installé à une table d'angle qui avait l'avantage de dominer l'ensemble de ce lieu sélect, Wilty Hale jouissait d'un panorama imprenable. Il voyait tout le monde et était vu de tous. Insigne privilège dû à son nom, on lui réservait « sa » table, même à cette heure d'affluence.

Treize heures trente... Son invitée tardait à se montrer. Pas étonnant : l'exquise créature partait du principe qu'il était inconvenant d'arriver à un rendez-vous avec moins d'une demi-heure de retard.

Un banquier qui gérait plusieurs des comptes de Wilty s'arrêta pour le saluer avant de gagner sa propre table. Des hommes d'affaires firent également un détour pour l'inviter à une partie de golf, lui raconter la dernière blague qui courait dans le Tout-Manhattan, ou lui donner simplement une chaleureuse poignée de main. À tous, Wilty adressait le même sourire automatique et un mot aimable, mais il n'était pas dupe de leur hypocrisie.

Curieux comme il se découvrait toujours plus d'amis dévoués depuis quelque temps ! Il y avait trente-quatre ans, bientôt trente-cinq, qu'on le courtisait pour son nom et sa fortune, mais encore jamais à ce point-là. Mais il ne fallait pas établir de rapport avec le 1er juin prochain ! railla Wilty en son for intérieur. Ce jour-là, en plus de s'appeler Hale et d'être fabuleusement riche, il aurait le pouvoir avec un P majuscule.

Wilty contempla la foule des clients du restaurant en se demandant combien d'entre eux l'enviaient. Probablement tous. *S'ils savaient !* songea-t-il.

Ces inconscients devaient penser que son nom était le meilleur des laissez-passer dans la vie. Ce qui n'était pas faux à bien des égards : naître Hale était déjà en soi un gage de réussite sociale, un passeport pour le monde du luxe. Et jamais de fins de mois difficiles ni de problèmes d'argent d'aucune sorte – on n'avait même pas à compter.

Mais plus la médaille est dorée, plus son revers est sombre. Sombre comme l'ombre gigantesque que projetait sur ses descendants le grand E. W. Hale, alias le père fondateur de la « dynastie des Hale », alias familièrement « le Vieux ». Être un Hale après lui, c'était admettre que, quoi qu'on fasse, on ne serait jamais à la hauteur de la légende.

Quand on est l'héritier d'une lignée, on n'a pas non plus de mérite aux yeux des autres, Wilty l'avait appris à ses dépens. Vous êtes né avec une cuiller en argent dans la bouche, votre nom suffit à vous ouvrir toutes les portes, et dès lors votre réussite est la moindre des choses. On vous demande simplement, au fond, de ne rien faire qui puisse ternir le précieux patronyme.

Wilty fronça les sourcils et fit cliqueter pensivement les glaçons de son cocktail.

Si jamais ce qu'il avait découvert était vrai...

Il vida son verre d'un coup. C'était très fort et amer – mais moins dur à avaler que l'éventualité qu'il ne soit pas ce qu'il avait toujours cru être.

Wilty se commanda une double vodka, sa troisième en plus du cocktail, et, se sentant observé, releva la tête. Il ne rencontra pas de regards faussement amicaux (les pires) ou franchement désapprobateurs (parce qu'il buvait trop). Non, juste des regards de femmes.

Wilty en avait l'habitude. Charmant et charmeur, il avait un succès fou auprès de la gent féminine, qui lui trouvait généralement un physique aussi intéressant que son compte en banque. Grand, mince, les épaules carrées, il portait des

costumes très chics, et les portait très bien. Son visage anguleux, son nez aquilin semblaient souligner un lignage patricien, et tout dans ses manières trahissait une éducation racée.
Mais il ne puait pas le fric comme tant d'autres et n'était pas
snob comme sa mère.

Ses admiratrices du jour étaient installées à une table sur sa
gauche ; deux gravures de mode qui battirent des (faux) cils à
la seconde où il posa les yeux sur elles. Presque machinalement, il leva son verre dans leur direction. Il ne savait que
trop bien ce qu'elles désiraient : qu'il leur offre quelque
chose, puis qu'il leur demande galamment leur numéro. Elles
voulaient toutes la même chose, c'était d'un lassant...

Toutes, sauf une.

Elle n'avait rien de ces *bimbos* sans cervelle qui tournaient
autour de lui comme des mouches autour d'un pot de miel.
La preuve : elle était partie ! Quand toutes ces gourdes ne
rêvaient que de devenir Mme Hale. Comme si ce n'était pas
le pire qui puisse arriver à une femme ! Il suffisait de regarder
sa mère pour...

— Quand on parle de la louve..., murmura-t-il en la
voyant paraître.

Blonde et mince, très belle encore, avec un long cou et
une classe folle, Carolyne Hale avait la soixantaine altière et
conquérante. Elle se déplaçait avec un port de reine qui
convenait parfaitement à sa position sociale. Il émanait de
toute sa personne une impression d'aisance souveraine et de
sophistication. Dommage qu'elle soit glaciale. Son veuvage
n'avait fait qu'ajouter à la distance qu'elle mettait entre elle et
le reste du monde, fils y compris.

Tous les regards se tournèrent vers elle sans qu'elle en soit
gênée le moins du monde. Carolyne accueillait ces hommages
muets comme un dû. Il faut avouer qu'elle en jette ! se dit
Wilty avec une sorte de fierté perverse.

Elle posa un baiser sur sa joue, se glissa sur la banquette en
face de lui, et envoya immédiatement le garçon lui chercher
un verre de château-d'yquem bien frais.

— Je vois que tu ne m'as pas attendue, attaqua-t-elle en
avisant sa vodka. Tu en es à combien de verres ?

— Bonjour, mère. Ravi que tu te joignes à moi.

— Le plaisir est pour moi, mon cher enfant.

Son air pincé démentait ses paroles. Avec méthode, elle rectifia l'alignement des fourchettes, couteaux et cuillers.

— Quel manque de savoir-vivre ! On pourrait espérer qu'avec leur clientèle huppée le service ne laisserait pas à désirer...

Wilty se frappa le front d'un geste théâtral.

— J'avais complètement oublié que nous étions mardi ! C'est le jour où la loi les oblige à laisser entrer un quota de roturiers...

Carolyne repoussa une mèche de ses cheveux sans esquisser l'ombre d'un sourire.

— Pas de remarques ironiques, s'il te plaît. C'est tout à fait déplacé.

Le maître d'hôtel vint prendre leur commande. Elle feignit d'hésiter avant d'opter pour sa sempiternelle salade composée, tandis que Wilty choisissait les filets de sole au champagne.

— Là aussi, il te faut de l'alcool, grommela Carolyne quand ils se retrouvèrent en tête à tête. Alors, combien de verres as-tu déjà avalés ?

— Autant qu'il m'en a fallu pour meubler ton absence. Tu étais en retard pour ne pas changer, et j'ai une sainte horreur d'attendre.

— Pourquoi faut-il que tu sois toujours si critique ?

— Désolé. C'est dans mes gènes, lâcha-t-il en riant.

Le garçon apporta son vin à Carolyne, qui leva son verre avec une grâce étudiée. Sa collection de bracelets en or tinta à son poignet.

— Je te demande d'arrêter, Wilty.

— Quoi ? mes gènes ?

— Ce n'est pas drôle. Tu vas finir alcoolique.

L'inquiétude qui transparaissait dans sa voix le surprit. Sa chère mère ne l'avait pas habitué à tant d'attentions à son égard...

— Ta sollicitude me touche, mais si tu t'étais donné la peine de voir ton fils unique un peu plus souvent, tu te serais aperçue depuis longtemps qu'il est alcoolique.

26

Cette déclaration prononcée d'une voix suprêmement décontractée jeta un froid.

Carolyne examina le panier de petits pains au sésame et au pavot comme si son contenu avait été importé clandestinement d'Afghanistan. Du coin de l'œil, elle épiait Wilty qui semblait perdu dans ses pensées.

Leur déjeuner commença dans un silence pesant. Elle chipotait sur chaque feuille de sa salade. Lui ne touchait pratiquement pas à sa sole. Il levait la main pour commander une autre double vodka quand sa mère l'arrêta d'un geste.

— S'il te plaît ! J'ai besoin de te parler et j'aimerais que tu sois assez sobre pour comprendre ce que j'ai à te dire.

Un sourire cynique fendit le visage de Wilty. Elle voulait de l'argent, bien sûr. Sinon, pourquoi aurait-elle accepté de déjeuner avec lui ?

— Combien ? lança-t-il sans ménagement.

— Wilton ! Tu me ferais passer pour une femme vénale ! gémit-elle en jetant un coup d'œil inquiet autour d'eux.

Il faillit s'en étouffer de rire. Les yeux bleu acier de sa mère lançaient des éclairs quand elle poursuivit :

— Si tu trouves que c'est amusant pour moi de devoir demander un chèque à mon fils chaque fois que je désire effectuer un placement... Cette situation est extrêmement déplaisante.

Là, il était bien d'accord, mais ce n'était pas sa faute à lui. Elle ne pouvait s'en prendre qu'au testament de E. W. Hale, mort en 1938.

— Ma chère maman, si je n'avais pas la charge de tenir les cordons de la bourse, aurais-je une fois dans l'année la joie de te voir ?

C'était une question dont Wilty n'espérait plus la réponse qu'il souhaitait depuis longtemps, mais qu'il ne pouvait s'empêcher de poser à sa mère.

— Est-ce que tu te soucierais même de savoir si je suis mort ou vivant ? ajouta-t-il d'une voix sourde.

Carolyne fronça les sourcils. Ce ton pressant, tendu... Petit garçon, il employait le même pour lui demander si elle se sentait seule sans son mari et si c'était dur d'être une maman quand il n'y avait pas de papa à la maison.

— Quelle idée ! marmonna-t-elle, choquée. Je te verrais *évidemment*. Que tu le croies ou non, je t'aime, Wilty. Tu es mon fils.

Elle s'agita sur sa banquette, pour une fois mal à l'aise. Carolyne détestait que l'on lave son linge sale en public. Et plus encore qu'on l'interroge sur ses sentiments intimes.

— Je n'ai jamais aimé ton père, je ne t'apprends rien. C'était une brute épaisse. Et je crois que je détestais plus encore ma belle-mère. Mais ce que j'ai pu éprouver pour cette famille n'a rien à voir avec ce que je ressens pour toi, mon enfant.

— Ton enfant...

Wilty marqua un temps, croisa les bras et lâcha :

— Je suis vraiment un enfant désiré ?

C'était bizarre d'entendre ces mots dans la bouche d'un homme de trente-quatre ans, mais Carolyne tenait Wilty pour quelqu'un de très bizarre.

Elle repoussa son assiette, écœurée.

— Comment peux-tu demander une telle chose à ta maman ?

Il la laissa se réfugier derrière cette réplique. De toute façon, quoi qu'elle dise, sa « maman » ne pourrait jamais le persuader qu'elle l'avait voulu pour la bonne raison qu'il ne se souvenait pas d'un jour, pas d'une heure, pas d'une seconde où il s'était senti aimé.

Soutenant son regard noir avec défi, il se commanda un martini-gin.

— Que ferais-tu si nous perdions tout notre argent ? Si la fortune des Hale s'envolait jusqu'au dernier centime ?

C'était une hypothèse d'école ridicule, mais Carolyne en eut froid dans le dos.

— Cela ne peut pas arriver, Wilty, tu le sais bien. On a raconté beaucoup de choses sur ton arrière-arrière-grand-père, mais personne ne peut nier qu'en matière de gestion financière il n'avait pas son pareil ! Nous ne risquons rien.

— Bon. Puisque tu le dis...

Sous son fond de teint, le visage de Carolyne pâlit. Elle avait remarqué la moue narquoise qui venait d'effleurer les lèvres de son fils. D'ordinaire, on ébauche ce genre de sourire quand on prend quelqu'un en défaut. Qu'avait-elle donc dit de risible ? Wilty était étrange, mais pas au point de la railler sans raison...

Alertée, elle se rappela qu'il avait une fois déjà évoqué une « découverte » qu'il aurait faite et qui aurait le pouvoir de bouleverser leurs vies. Même au conditionnel, c'était parfaitement grotesque. Elle l'avait vite fait taire, comme lorsque, petit, il l'importunait avec ses questions puériles.

— Pourquoi remets-tu ça sur le tapis ?

Wilty pourchassa l'olive qui flottait dans son martini-gin et la grignota.

— Tu parlais des erreurs du Vieux. Suppose qu'il en ait commis une assez grosse pour entraîner notre ruine...

Leur *ruine* ! Carolyne le foudroya du regard comme s'il venait de lâcher la pire des obscénités.

— Wilton, je n'apprécie pas du tout ce petit jeu. Ou tu me dis à quoi tu penses, ou je m'en vais !

Il pouvait sentir la colère de sa mère aussi fort que si elle lui serrait le cou de ses dix doigts.

— La dernière fois que je suis allé à Long House, j'ai passé mes soirées à feuilleter les Mémoires de E. W. Hale.

— Eh bien, tu as du temps à perdre ! siffla Carolyne.

— Ttt, ttt. Parfois, je me dis que nous oublions trop quel homme étonnant il a été. Son monumental journal est fascinant. Au fil des pages, on y découvre de drôles de choses, et un personnage !

— Continue, fit Carolyne sur le ton de « tu m'en diras tant ».

Elle avait fort peu d'indulgence – et aucun trésor de patience – pour les Hale en général. Il ne fallait pas compter sur elle pour chanter leurs louanges quand elle n'y était pas obligée en public. Elle avait déjà donné. En fait, Carolyne Hale détestait tout des Hale – tout sauf leur argent.

Wilty était bien placé pour le savoir, mais même si le mépris de sa mère pour son père et les Hale en général le choquait, il n'abrégerait pas son récit. Encore moins si celui-ci la rendait malade – ce qui ne tarderait pas.

— Figure-toi qu'en rangeant dans la bibliothèque un des volumes de ce journal ô combien édifiant j'ai fait une trouvaille. Un simple bout de papier qui dépassait du mur. Oui, du mur. En y regardant de plus près, j'ai compris que je venais ni plus ni moins de mettre le nez sur une de ces cachettes secrètes à la mode à l'époque victorienne.

Il marqua une pause, savourant les clignements d'yeux nerveux de sa mère.

— Tu ne devineras jamais sur quoi je suis tombé.

— Je ne vais même pas essayer.

— Tu as tort : c'est de la dynamite. La lettre de suicide du fils du Vieux, mon arrière-grand-père Charles Hale !

Carolyne haussa les épaules. De la dynamite, ça ?

— La belle affaire. Ce suicide n'est pas un secret de famille, encore moins une affaire d'État.

— Qu'en sais-tu ?

Elle se méprit sur le sens de sa question.

— Tout ce qu'il y a à en savoir. Cela remonte à 1900. Charles avait trente ans, il était en parfaite santé, heureux en ménage et confortablement installé dans la position d'héritier désigné de E. W. C'est alors que subitement, sans raison apparente, il s'est tiré une balle dans la tête. Après quoi son père a modifié son testament et fondé le Hale Trust. Tu connais la suite.

— Mmm. Cela s'est passé il y a plus de cent ans et, malgré tout ce temps, personne – ni la police, ni la famille, ni aucun biographe – n'a été capable d'expliquer *pourquoi* Charles avait mis fin à ses jours, ni *pourquoi* ce drame incompréhensible avait incité le Vieux à retirer le contrôle de tous ses biens à sa femme et à ses autres enfants pour le confier au Hale Trust.

— Par bonheur, toi, tu as découvert le pot aux roses. L'univers va pouvoir dormir en paix !

Wilty ignora son sarcasme.

Brûlant au fond d'entendre la suite, elle ne put s'empêcher d'insister :

— Alors, qu'est-ce qui a poussé Charles à se brûler la cervelle ? Je suppose qu'il le dit dans son mot d'adieu...

— Son message n'est malheureusement pas aussi explicite. J'ignore encore le mobile exact de son geste, mais ce qu'il y a d'écrit est une bombe à retardement...

30

— De grâce, ne t'arrête pas en si bon chemin. Qu'y a-t-il là-dedans de si explosif ?

Wilty baissa la voix.

— Charles prétend qu'il est un imposteur et que toute sa famille vit dans le mensonge. Il reproche textuellement à son père d'être responsable de cette situation invivable. Charles s'accuse aussi d'avoir laissé s'échapper le secret en ouvrant la boîte de Pandore.

— Quel secret ? Quel mensonge ? Quelle imposture ? Mais qu'est-ce que tu racontes ? s'énerva Carolyne.

— J'ignore le fin mot de l'affaire. Charles affirme qu'il a essayé d'arranger les choses mais qu'au bout du compte sa tentative a tourné au désastre.

Wilty plissa son front comme pour mieux se pénétrer du message d'outre-tombe de son bisaïeul.

— Un jour ou l'autre, a-t-il écrit, ils viendraient prendre ce qui leur appartenait – le nom des Hale, la fortune des Hale – et ils se vengeraient.

— *Ils* ? Qui ça, *ils* ?

— Je n'en sais pas plus que toi, mais ce qui est sûr, c'est que ses craintes étaient assez fortes pour qu'il s'enfonce un canon de revolver dans la bouche plutôt que de voir arriver ce qu'il pressentait.

Carolyne s'adossa à son siège, les bras croisés.

— Et après ? Quelles conséquences pour nous ?

— Si les confessions de Charles Hale ne sont que les divagations d'un déséquilibré... aucune.

— Je ne te le fais pas dire !

— Mais attention, poursuivit Wilty en haussant le ton, si le Vieux avait effectivement fait quelque chose qui pourrait entacher la régularité de sa succession, c'est toute la branche de sa descendance « officielle » qui serait remise en question. Autrement dit, nous deux, ma chère maman.

Ses yeux bleus se fixèrent sur ceux de sa mère tandis qu'il résumait froidement :

— Je suis le dernier de la lignée, mais *si je n'étais pas un Hale*, nous pourrions dire adieu à notre position.

Pétrifiée, Carolyne se laissa pénétrer par cette idée monstrueuse.

— Wilty, reprit-elle lentement, existe-t-il un document qui corroborerait cette... hypothèse ?

— S'il existe, je ne l'ai pas trouvé. Pourtant, fais-moi confiance, j'ai bien cherché.

Cette dernière remarque ne manqua pas de l'inquiéter. Aussi original et désinvolte qu'il puisse paraître, Wilty était foncièrement droit. S'il y avait quelque chose à déterrer, il le déterrerait et advienne que pourrait...

— Alors, affaire classée. Jette la dernière lettre de ce pauvre Charles dans les oubliettes d'où elle n'aurait jamais dû sortir.

— Je ne peux pas.

— Pardon ?

— Au cas où tu l'aurais oublié, mon trente-cinquième anniversaire tombe dans un mois.

Carolyne ne risquait pas d'oublier cette date cruciale. Le 1er juin, Wilty hériterait de centaines de millions de dollars. Conformément aux dispositions testamentaires, il recevrait les pleins pouvoirs du Hale Trust pour peu qu'il ait prouvé au conseil d'administration ses compétences et sa qualification pour occuper ses futures fonctions. Wilty était censé s'y préparer depuis sa naissance.

Selon les termes mêmes de E. W. Hale, il lui fallait « se montrer digne de son nom en matière de bonnes œuvres, de bonne gestion et de bonne moralité ».

— J'ai réalisé assez d'investissements fructueux et d'actions humanitaires pour répondre sans problème aux deux premières conditions. Mais comme nous le savons, je perds des points sur l'aspect « vertueux » requis par le Vieux...

Presque par réflexe, Wilty vida son verre. Carolyne se fit un plaisir d'enfoncer le clou.

— Trop de martini-gin et de vodka, ça coûte cher...

— Ce n'est pas ce qui m'inquiète, soupira-t-il. Mais imagine qu'il se produise un incident le 1er juin...

— Un incident ? Quoi, par exemple ?

— Une contestation.

— C'est ridicule, trancha Carolyne.

Décidément, cette histoire d'usurpation l'obnubilait. Il

fallait qu'il se sorte ça de la tête, dans son propre intérêt... dans celui de sa mère.

— D'accord, tu as découvert que le grand E. W. Hale n'était pas infaillible. Que son fils avait essayé de réparer un peu les dégâts paternels, pour ne réussir finalement qu'à faire empirer la situation. Et puis après ? C'est de l'histoire ancienne. Ça ne regarde personne. Surtout pas le conseil d'administration qui va te remettre les clefs du royaume. Clefs que tu accepteras bien gentiment en te gardant de parler de cette bêtise à qui que ce soit.

Comme il ouvrait la bouche pour mettre Dieu sait quel bémol à ces belles certitudes, elle se pencha vers lui et martela :

— C'est comme cela que ça doit se passer, et c'est comme cela que ça se passera.

— Qui vivra verra.

— C'est tout vu, Wilty. De quoi as-tu peur, à la fin ?

— À Long House, le journal du Vieux remplit à lui seul une bibliothèque. Il n'y a pas moins d'une cinquantaine de volumes, tous rangés par ordre chronologique. Quand j'y ai jeté un œil, quatre journaux manquaient à l'appel. J'en ai retrouvé trois, déclassés, mais pas le plus important... Inutile de te préciser lequel ?

— Le journal de l'an 1900, devina Carolyne. L'année où ton arrière-grand-père s'est tué.

— Précisément. Comme par hasard, celui qui aurait pu contenir de précieuses informations sur cette affaire, confirmant ou infirmant les allégations de Charles. Envolé... disparu.

— Conclusion ?

Elle était suspendue à ses lèvres ! Mais finalement, découvrit Wilty, ce n'était pas si réjouissant que ça. Peut-être parce qu'ils étaient embarqués dans la même galère.

— Conclusion, il s'est produit un événement assez grave pour pousser un homme à se supprimer et inciter son père à écarter des affaires le reste de sa famille. On dirait qu'il a monté le Hale Trust pour les punir et effacer les traces de la découverte de Charles.

« Ensuite, on ne m'ôtera pas de l'idée que la personne qui

a mis la main sur le journal manquant sait de quoi il retourne. Peut-être attend-elle le bon moment pour parler. Le 1ᵉʳ juin paraît tout indiqué pour des révélations fracassantes, tu ne crois pas ?

Wilty se tut, guettant la réaction de sa mère.

Elle observa un long silence, mais son visage parlait pour elle : elle prenait désormais l'affaire au sérieux et pesait, effarée, les conséquences d'une telle révélation. Puis elle termina son vin et parut reprendre du poil de la bête.

— Sans ce journal, la lettre d'adieu de Charles sème le doute, mais reste trop vague et confuse pour se révéler dangereuse. D'accord ?

— D'accord.

— Sans la lettre, les Mémoires de E. W. ne tiendront pas la route devant un tribunal. J'imagine mal qu'on puisse s'appuyer sur un journal intime pour lancer une action en justice, d'autant qu'il ne contient que ce que le Vieux a bien voulu lui confier. Toujours d'accord ?

— Oui, mais *ensemble*, la lettre et le journal pourraient faire chuter un empire. Le mien, en l'occurrence.

— Je suppose que tu vas continuer à chercher le volume manquant ?

— Évidemment.

— Et cette lettre compromettante, où se trouve-t-elle ?

— En lieu sûr.

Carolyne regarda son fils comme s'il était idiot, mais se garda de le blâmer. Ses doigts chassant les miettes sur la nappe, elle prit le temps d'envisager un million d'options. Quand elle y vit un peu plus clair, elle reprit la parole.

— Aucun lieu n'est assez sûr, mon pauvre garçon. Débarrasse-toi au plus vite de cette maudite lettre.

2

Tout dans le cabinet du Dr Peter Merrick avait été conçu pour inviter au calme et à la tranquillité d'esprit. Les murs lambrissés dans les tons miel empêchaient la pièce d'être trop sombre et impressionnante, même quand il baissait l'éclairage. Le tissu des sièges et des rideaux avait été choisi avec soin pour le plaisir des yeux et pour le bien-être. L'incontournable divan servant aux analyses était en cuir, couleur havane. Les persiennes filtraient harmonieusement la lumière du jour et les tapis moelleux semblaient absorber le moindre bruit.

Il n'y avait pas de bureau dans la pièce, ni d'affaires personnelles. On se serait cru dans une bibliothèque privée, à ceci près qu'on n'y voyait pas une seule photographie de famille ou de vacances. Et pas d'autres œuvres d'art que deux peintures à l'huile non figuratives, choisies simplement pour leurs couleurs en harmonie avec l'ensemble.

Peter ne croyait pas avoir besoin de jouer à fond la carte du mystère pour être pleinement efficace, mais une certaine dose d'anonymat n'était pas pour déplaire à cet homme réservé de nature.

On ne trouvait donc rien ici qui aurait pu révéler aux patients des traits de la personnalité de leur thérapeute, ses goûts ou des éléments de sa biographie. Même ses diplômes de psychanalyste avaient été relégués dans le secrétariat adjacent à la salle d'attente. C'était essentiel. Un médecin psychiatre se devait d'être un personnage vierge sur lequel les malades pourraient transférer des comportements et des sentiments susceptibles de l'éclairer sur leurs attitudes inconscientes, images préconçues et autres préjugés.

Peter aimait son travail parce que c'était un défi sans cesse renouvelé et que le jeu en valait la chandelle. Dans le clan des Merrick, on ne détestait rien plus que l'échec. Et la famille avait mis la barre très haut. Son père avait été l'un des pionniers de la transplantation d'organes ; sa mère, célèbre pédiatre, était l'auteur d'un ouvrage de référence sur la protection infantile ; son frère cadet, chirurgien, avait acquis une renommée mondiale dans sa spécialité ; son frère aîné était ni plus ni moins proposé pour le prix Nobel de physique nucléaire. Sa sœur n'avait pas non plus trop mal réussi puisqu'elle était en passe de devenir le prochain gouverneur du Connecticut.

Peter Merrick ne dépareillait pas dans l'illustre tribu. Psychanalyste de première force, il s'était spécialisé dans les rêves, ces voies d'accès direct à l'inconscient, avec l'idée qu'ils établissaient des connexions entre le passé et le présent, et qu'il fallait les explorer systématiquement. Dans de nombreux cas, hélas, cela se révélait plus facile à dire qu'à faire. Certains rêves résistaient farouchement à l'interprétation, comme ces terreurs nocturnes qui empoisonnaient l'existence de leurs victimes.

Ce qui passionnait particulièrement Merrick, c'étaient ces cauchemars épouvantables qui semblaient n'avoir aucun rapport avec le vécu de la personne, mais qui revenaient sans cesse, toujours identiques.

La plupart de ses confrères estimaient que les angoisses nocturnes résultaient d'une trop grande tension vécue à l'état diurne. Mais pour le non-conformiste Dr Peter Merrick, ces rêves récurrents, revenant telle une hantise, manifestaient en réalité *les souvenirs d'un autre, un legs de ses ancêtres, une survivance du passé.*

S'il n'était pas le premier à avoir élaboré la notion de *mémoire génétique*, Peter Merrick en était le plus ardent défenseur. Il avait d'ailleurs écrit un ouvrage sur ce sujet : *Le Présent antérieur*, et multipliait les conférences aux quatre coins de la planète pour mieux faire connaître ses théories.

Pour la majorité du grand public, l'idée que l'on puisse voir en rêve des images reçues en héritage, enregistrées par le cerveau d'un – ou de plusieurs – de ses ancêtres ne tenait pas debout. Cela relevait au mieux de la fantaisie, au pis de la supercherie. Beaucoup préféraient croire en la manifestation d'une vie antérieure, bien que la réincarnation ne soit pas plus fondée, scientifiquement parlant.

Peter n'était pas homme à se laisser troubler, a fortiori décourager par la controverse. Il partait d'un principe très simple : si l'on admettait la réalité de la transmission par les gènes de certains désordres comme l'anémie, la mucoviscidose, la maladie de Sachs... pourquoi ne pas admettre la transmission de souvenirs d'une génération à l'autre, la survie d'une certaine mémoire ?

Si nos expériences étaient conservées par les cellules de notre cerveau dans le compartiment « souvenirs », pourquoi ne seraient-elles pas imprimées dans notre ADN et transmises à nos enfants en même temps que notre patrimoine génétique ?

S'il était établi que certains individus sont capables de perception extrasensorielle, pourquoi d'autres ne seraient-ils pas capables de fureter dans les replis de leur cerveau et d'en rapporter des souvenirs cachés ? Que ce soit une idée peut-être difficile à admettre ne signifiait pas qu'il faille la repousser a priori.

Les mentalités avaient commencé à changer depuis que plusieurs institutions de biotechnologie hautement respectées s'étaient engagées dans un projet colossal visant à dresser une carte du génome humain.

La presse s'était emparée de l'Human Genome Project avec un enthousiasme réservé d'habitude aux scandales politiques ou aux événements sportifs majeurs. Le grand public avait suivi, parce que chacun se sentait concerné. Qui suis-je ? De quoi mon être est-il composé ? À quelles maladies suis-je prédisposé ? Quelles sont mes chances de survie ?...

Une fascinante aura de mystère entourait le projet. Quels secrets cachaient notre corps et notre esprit ? Quelle dimension jamais imaginée allions-nous atteindre ? Entre autres révélations, Peter était certain qu'une fois que les chercheurs auraient déchiffré le grand livre du code génétique ils trouveraient parmi les trois milliards d'informations récoltées l'élément qui non seulement contrôlait la mémoire, mais aussi détenait la clef du passé.

Ce serait la preuve qu'il avait vu juste. À lui alors la richesse et la gloire. Tous devraient reconnaître en lui le visionnaire de génie. Même sa famille.

Tout est gris. Un gris sale, sombre et brumeux.

Il fait si lourd... La lumière grise grandit, grandit, elle emplit tout ! Le manque d'air me serre la gorge.

Des silhouettes sortent de l'ombre. Un homme et une femme. Ils sont face à face. Dressés l'un contre l'autre. Leurs silhouettes deviennent de plus en plus nettes.

L'Étranger est grand. Maigre, le visage anguleux. Il est habillé comme un homme de la ville. Veste bien coupée, pantalon à pli.

La femme est plus petite, avenante, mais raide comme une statue. Ce n'est pas une dame de la ville, elle est mise très simplement. Le labeur lui a rendu les mains calleuses, elle les cache.

L'Homme gris se penche en avant, se rapproche... Elle ne recule pas, soutient son regard. Les veines de son cou se gonflent : elle crie.

J'ai peur pour elle. Je veux la défendre. Une explosion de lumière m'aveugle. Je reste dans mon coin à trembler.

J'ai si peur pour elle. Et pour moi.

— Je vais frapper dans mes mains ; au troisième claquement, vous vous réveillerez. Vous vous souviendrez de tout, mais tout ira bien, vous vous sentirez calme et soulagée.

Il frappa trois fois dans ses mains. Les paupières de la jeune femme recroquevillée sur le divan frémirent. Son corps crispé se détendit.

— C'était excellent, Callie.

Encore désorientée, Callie Jamieson cligna des yeux, et son regard erra des persiennes aux lambris des murs avant de s'arrêter sur Peter Merrick. Elle sentit des larmes sur ses joues et les essuya du dos de la main.

Peter Merrick l'étudiait avec attention pendant qu'elle émergeait. Il comptait Callie Jamieson au nombre de ses patients depuis presque six mois. Elle était venue chercher de l'aide auprès de lui parce qu'elle se sentait parvenue à un carrefour de sa vie.

Au fil de leurs séances de travail, elle lui avait avoué qu'une des raisons pour lesquelles elle l'avait choisi comme thérapeute était ses recherches dans le domaine des rêves. Elle souffrait depuis son enfance de cauchemars atroces qui la hantaient, la démolissaient, puis disparaissaient, parfois pendant des années, avant de resurgir avec une violence accrue. Elle lui confia ce qui la terrifiait le plus : sa mère avait fait exactement les mêmes rêves vingt ans plus tôt.

Aux yeux de Peter, le cas Callie Jamieson était mieux qu'une aubaine pour son étude sur la mémoire génétique : un vrai miracle. Il commençait à désespérer de trouver le candidat idéal pour une expérience de régression sous hypnose quand Callie s'était présentée à sa consultation. Sa souffrance, ses angoisses nocturnes étaient telles qu'elle avait consenti à cette expérience.

— Un excellent début, vraiment, insista Merrick d'une voix douce et apaisante. Très prometteur.

Callie s'agita sur le divan, en dépit de la suggestion de son thérapeute. Elle semblait avoir beaucoup de difficultés à sortir de son état antérieur.

— Je ne pouvais pas la protéger... Il lui a fait du mal ! Je sais qu'il l'a fait.

Merrick constata avec surprise que le rêve résistait à ses consignes d'éveil. Il fallait qu'il soit tenace !

— Qui est cet homme, Callie ?

Elle cilla plusieurs fois, très vite. Ses grands yeux turquoise exprimaient frustration et désespoir.

— C'est pour le découvrir que je suis ici. Je ne sais pas du tout qui il est, ajouta-t-elle d'une voix tremblante.

Merrick pouvait ressentir la peur intense qui émanait d'elle.

— Votre mère, elle, avait-elle reconnu ces deux personnages ?

— En tout cas, elle ne me l'a jamais dit.

— Est-ce que vous vivez une tension particulière à votre

travail en ce moment ? enchaîna Merrick en changeant de sujet pour éviter que l'émotion ne la submerge.

Journaliste au *City Courier*, Callie se voyait souvent chargée de mener à bien des enquêtes délicates dans des conditions difficiles et en un minimum de temps. Mais elle secoua la tête : même stressants, ses tracas professionnels ne pouvaient en aucun cas engendrer de pareils cauchemars.

— Je viens de couvrir un reportage qui m'a amenée à rencontrer des gens très douteux, certes, mais il n'y a pas de quoi s'angoisser. J'en ai vu d'autres !

— Pas de pression sociale ou familiale ? Un nouvel homme dans votre vie, peut-être ?

À leur premier entretien, six mois plus tôt, Merrick avait appris de Callie qu'elle venait de rompre. Callie le gratifia d'un petit sourire.

— Non... malheureusement.

— Mmm ! Dois-je en déduire que vous êtes ouverte à une nouvelle relation sentimentale ?

Elle eut envie de répondre oui, mais au fond elle n'en était pas persuadée.

— Je n'ai rien contre.

— Peut-être craignez-vous de vous engager en vous disant que cette nouvelle liaison...

— ... se terminera mal ? Ça se termine toujours mal.

— Par leur faute... ou la vôtre ?

— La mienne, en grande partie. J'ai peur que l'histoire se répète. Peur de finir comme ma mère et que mon compagnon vive ce qu'a vécu mon père.

Sa lèvre inférieure tremblait tandis que de noirs souvenirs remontaient à la surface.

— Callie, pensez-vous réellement que ses rêves aient provoqué la perte de votre mère ?

Après un instant de réflexion, elle répondit :

— Oui, sans doute. Mais comme j'ai les mêmes, c'est peut-être de l'autodéfense : je préfère penser que les rêves l'ont rendue folle et que ce n'est pas la folie qui a créé ces rêves.

Merrick hocha la tête. Bien raisonné.

— Votre grand-mère faisait-elle les mêmes cauchemars ?

Callie se figea, se redressa sur son siège et le regarda droit dans les yeux.

— Pourquoi me demandez-vous ça ?

— Parce qu'il est possible que ces terreurs nocturnes ne soient pas des rêves, mais des souvenirs d'un drame survenu des générations auparavant.

Il avait prononcé ces paroles le plus naturellement du monde, sachant combien cette hypothèse était provocatrice et souvent déstabilisante. D'un autre côté, Callie était venue le consulter, lui, à cause de son livre sur la mémoire génétique. Il pouvait donc supposer qu'elle n'était pas a priori hostile à ses théories.

— Ma grand-mère, commença lentement Callie après avoir tourné et retourné la question dans sa tête, était une femme extrêmement secrète. Bons ou mauvais, elle ne m'aurait jamais parlé de ses rêves.

Callie passa une main sur son front. Cette première séance d'hypnose l'avait visiblement épuisée.

— Vous en parlez au passé, releva doucement Peter.

— Elle nous a quittés six mois après ma mère.

— Comment est-elle morte ?

Les lèvres de la jeune femme dessinèrent une grimace douloureuse. Elle se frotta les yeux.

Merrick se leva de sa chaise et vint poser une main sur son épaule.

— C'est pénible à ce point, Callie ?

Elle leva vers lui un pauvre visage marqué par la peur.

— Elle s'est tuée en voiture. Un accident mystérieux. C'était une belle journée ensoleillée. Grand-mère roulait tranquillement sur une route large et droite, qu'elle connaissait par cœur. Il n'y avait même pas de circulation. Et puis, pour une raison incompréhensible, sa voiture est allée percuter un mur. Aucune défaillance du véhicule, les policiers ont vérifié. Ils ont conclu que quelque chose avait dû l'effrayer.

Callie fixait Merrick, les yeux humides.

— Je ne peux pas m'empêcher de penser que ma grand-mère faisait les mêmes cauchemars que ma mère. Les mêmes que les miens.

Son corps tremblait. Sa respiration était rapide et saccadée.

— Vous savez ce que je crois, docteur ? poursuivit-elle d'une voix si basse qu'elle en était presque inaudible.

— ...

— Les Gens gris... Ils ont très bien pu l'effrayer au point qu'elle perde le contrôle de son véhicule, ou même qu'elle se jette volontairement contre ce mur pour leur échapper !

Merrick resserra sa main sur l'épaule de la jeune femme.

— Ces Gens gris sont des visions, Callie. Ils vous terrorisent, mais ils ne sont pas réels. Ils ne peuvent pas vous faire de mal.

— Vous vous trompez !

Le visage de Callie s'était durci.

— Cauchemars, souvenirs, visions... quel que soit le nom que vous leur donniez, ils ont tué ma mère. Et très probablement ma grand-mère. Et si je ne découvre pas qui sont ces Gens gris et ce qu'ils me veulent, ils me tueront moi aussi !

3

Wilty Hale avait une armée d'avocats à sa disposition, les meilleurs qu'on puisse trouver. Mais pour le problème très particulier qui le taraudait, il ne fit pas appel à l'un de ces cabinets prestigieux à la clientèle haut de gamme.

Il contacta Dan Kalikow, un copain de collège qui avait quitté Sullivan & Cromwell pour s'associer avec plusieurs collègues également revenus de la bureaucratie des grands cabinets. Dan était non seulement très capable et discret, mais d'une loyauté à toute épreuve et trop intègre pour se prostituer en acceptant n'importe quel dossier. Exactement ce que recherchait Wilty.

Il lui avait fixé rendez-vous au bar du Yale Club pour le déjeuner. Dan connaissait l'élégant restaurant traditionnel du rez-de-chaussée, mais Wilty l'entraîna au sous-sol, dans une vaste salle au décor médiéval où il avait réservé une petite table à l'écart, dans une niche percée d'une fenêtre à peine plus large qu'une meurtrière. Avec ses épais murs de pierre, son sol en dalles et son éclairage aux chandelles, l'endroit était sombre comme une crypte.

Dès qu'on eut pris leur commande, Wilty tendit à Dan une enveloppe où il trouva une copie du testament de E. W. Hale.

— J'ai besoin que tu lises d'abord les paragraphes que j'ai cochés dans la marge.

— D'accord.

— Prends ton temps, c'est important.

Pour une fois, Wilty semblait sobre et concentré. Il n'avait d'ailleurs rien commandé d'alcoolisé, nota Dan avant de se plonger dans la lecture des passages indiqués par son ami.

E. W. avait fondé le Hale Trust en 1900 pour qu'il gère la totalité de ses biens, avoirs et actions. Parmi ceux-ci figuraient cinquante et un pour cent du *City Courier*, faisant des Hale les véritables propriétaires du journal. Les membres de la famille percevaient des allocations mensuelles. Ces dispositions étaient valables pour une durée de cent ans.

En l'an 2000, le Hale Trust avait entamé le processus qui verrait sa propre dissolution. Dans une première étape, on calculerait les parts des différents descendants Hale en vie, héritiers par le sang ou légalement adoptés. Cinq ans plus tard, ou au jour anniversaire des trente-cinq ans du premier des héritiers, le Hale Trust cesserait d'exister, la totalité des biens convertis en espèces serait partagée entre les héritiers reconnus selon les critères précités, le premier sur la liste des héritiers se voyant octroyer la part du lion en même temps que la présidence du conseil d'administration de la nouvelle structure économique montée pour gérer cette part d'héritage. S'il n'y avait pas d'héritier en vie à cette date, ou si sa qualité était mise en doute, l'héritage serait distribué à parts égales à des institutions culturelles et médicales.

Selon les estimations effectuées en l'an 2000, cette fortune se montait à presque cinq cents millions de dollars.

Dan leva le nez du document et contempla l'heureux homme en émettant un petit sifflement.

— Mon vieux Wilty, tu as toujours fait plus envie que pitié, mais là, ta chance dépasse tout !

— Je ne t'ai pas invité pour célébrer ma bonne fortune, lâcha Wilty en clignant nerveusement des yeux.

— Ta bonne fortune ? Ta mirifique fortune, oui ! Les chiffres sont astronomiques : du jour au lendemain, tu vas devenir riche au-delà de tout ce qu'on peut rêver !

L'heureux homme ébaucha un sourire mélancolique et, sans un mot, sortit de son portefeuille un autre document qu'il passa à Dan.

Intrigué, l'avocat s'empara d'une lettre manuscrite qui, à la simple vue de l'encre et du papier, ne datait manifestement pas de la veille. Il ne lui fallut pas quarante secondes pour comprendre l'origine de la nervosité de son ami.

— D'où tiens-tu ça ?

— Peu importe, dit rapidement Wilty. Qu'en penses-tu ?
Dan baissa la voix.

— Wilty, si je ne m'abuse, ce papier laisse entendre que toi et tes ascendants pourriez ne pas être légitimes. C'est... c'est incroyable !

— Mais si c'était vrai ? Qu'arriverait-il ?

Le verdict de Dan tomba avec une simplicité biblique : Wilty perdrait ipso facto tous ses droits sur son héritage. Quant à l'argent que lui avait déjà versé le Hale Trust, il devrait normalement le rembourser jusqu'au dernier sou.

— Bien sûr, reprit Dan, on pourrait produire d'autres documents qui réfuteraient celui-ci, mais, honnêtement, je ne crois pas que ça tiendrait devant un tribunal. Pas face à des pièces accablantes.

— Quelle sorte de pièces ?
Dan haussa les épaules.

— Prends le cas d'un couple riche qui découvre qu'il ne pourra jamais avoir d'enfants. Il en achète un, falsifie les papiers de naissance et prétend qu'il est le sien. Combien d'aristocrates ont ainsi acheté les enfants de leurs serviteurs !

Wilty frémit intérieurement à la pensée d'une famille inconnue se transmettant un pareil secret de bouche-à-oreille et de génération en génération. Qui sait s'il n'existait pas quelque part un « contrat de vente » de ce genre signé par E. W. Hale ? La production d'une telle pièce devant un tribunal, ou sa diffusion dans les médias, aurait un effet dévastateur !

Pour en avoir le cœur net, et malgré les signes avant-coureurs d'une nouvelle migraine à tout casser, il demanda à Dan ce qui se produirait si la justice était saisie d'une affaire d'enfant acheté, ou si un volume mystérieusement égaré du journal de E. W. Hale remontait comme par enchantement à la surface...

— ... et étayait la version de Charles Hale ? compléta Dan avec une grimace éloquente. Ça dépend. C'est aux plaignants de faire la preuve de leurs allégations. Sont-ils en mesure de fournir cette preuve ? Toute la question est là.

Le garçon leur apporta leur déjeuner. Wilty en profita pour ruminer l'information.

— Et si je faisais disparaître cette lettre ? demanda-t-il dès qu'ils se retrouvèrent seuls.

Au même moment, Dan se rendit compte que l'enveloppe que Wilty lui avait donnée contenait un chèque ; en payant ses services, Wilty s'assurait son silence – secret professionnel oblige.

— La détruire ne résoudrait rien, Wilty. Si le scandale doit éclater, il éclatera. Et ce serait pire encore, car il te faudrait expliquer ton geste. Et je ne connais pas de cour de justice qui voie d'un bon œil qu'on fasse disparaître un document aussi important que le message d'adieu d'un suicidé...

Wilty se mordillait la lèvre en silence, atterré. Dan eut envie de rassurer un peu son ami et client.

— Je me suis fait l'avocat du diable, mais si je ne te cache pas que la situation est grave, elle n'est pas catastrophique. Le moment venu, nous pourrions toujours faire valoir que cette lettre a été écrite par un désespéré à deux doigts de se brûler la cervelle. D'ailleurs, les termes de son message sont confus. Et puis, rien ne dit que quoi que ce soit de cette affaire ait transpiré... Si tu le veux, je peux te mettre en contact avec un bon détective privé qui pourrait discrètement...

— Merci, mais non. Fourrer son nez dans les affaires de la famille Hale nuit gravement à la santé.

— Raison de plus pour ne pas t'aventurer tout seul dans des eaux troubles infestées de requins, non ?

Wilty fronça les sourcils, mais secoua la tête.

— Tu te rends compte ? murmura-t-il. Si je n'étais pas le vrai prince de Hale ?

Il regardait son ami, mais ses yeux étaient ailleurs. Dan n'aurait su dire si Wilty s'inquiétait de ce qui risquait de se produire dans un avenir proche... ou de ce qui était sur le point de remonter d'un lointain passé.

Wilty avait l'impression que la musique était plus forte que d'habitude. Mais il pouvait difficilement en juger, étant aussi plus sobre qu'à l'accoutumée. Enfin, pour l'instant, car il avait bien l'intention d'y remédier.

Il trempa ses lèvres dans son martini-gin-vodka et claqua la langue de satisfaction. Le divin breuvage était dosé à la perfection et servi à la température idéale. Gus, le roi des barmans, avait encore frappé. C'était en grande partie grâce à l'art subtil de ce bienfaiteur de l'humanité souffrante que, parmi tous les bars du centre-ville, *L'Onyx* était devenu son quartier général.

— Comment allez-vous ce soir, Wilty ?

— Hum. Remets-moi ça, Gus, et j'irai déjà mieux.

Wilty aimait l'atmosphère tamisée de *L'Onyx*, sombre sans être sinistre, chic mais pas coincée. Comme son nom le suggérait, tout y était noir, des tentures des murs et des banquettes de cuir aux rideaux de velours qui séparaient les boxes, en passant par le comptoir de granit et la tenue des serveurs. Les esprits bornés pouvaient avoir l'impression d'être en visite aux pompes funèbres, mais pas Wilty pour qui le noir était du plus grand style.

Autre raison pour laquelle il se sentait particulièrement bien ici : personne ne s'y souciait du rang social ni de la « gloire immortelle de nos aïeux », comme on dit dans *Faust*. Si les gens l'appréciaient, c'était pour lui-même, et pas pour son nom ou son argent. Si quelqu'un ne l'aimait pas, c'était parce que sa tête ne lui revenait pas, aussi simple que ça. Wilty aimait ces rapports carrés, francs, sans arrière-pensées, bref reposants. Ça le changeait agréablement de son propre milieu.

— Je savais que je te trouverais ici.

Dan Kalikow lui tapa sur l'épaule et se jucha d'autorité sur le tabouret de bar à côté du sien.

Dan étant lui aussi un habitué, Gus ne se perdit pas en circonvolutions pour lui demander ce qu'il voulait boire : il lui servit d'office son scotch pur malt avec deux glaçons.

— Merci pour le déjeuner, Wilty, dit Dan en goûtant son whisky. Et pour le chèque. C'était très généreux.

Wilty lui tapa sur l'épaule.

— Encaisse-le tant que je suis solvable !

Dan éclata de rire.

— D'accord, mais tu n'avais pas besoin d'acheter mon silence.

— J'ai acheté ta sécurité, rectifia Wilty en redevenant

sérieux. Si les choses se corsent, ça risque d'éclabousser pas mal de gens. Ce chèque te couvre.

Dan s'inquiétait surtout pour Wilty : qui le couvrirait, lui, si le scandale éclatait ? Il serait la cible du ou des héritiers légitimes qui s'acharneraient sur lui. Les médias auraient tôt fait d'oublier qu'il était de bonne foi pour le traîner dans la boue et l'accuser d'avoir indûment confisqué l'argent, le prestige et le pouvoir d'un Hale. Ce serait la curée, et Wilty le savait.

Dan rapprocha son tabouret de celui de son ami.

— Tout à l'heure, à table, tu as insinué que tu pourrais... disons, te débarrasser de cette lettre. Tu tâtais le terrain, pas vrai ? Tu n'y songes pas réellement ?

— Bien vu, Dan. C'est une des raisons pour lesquelles je t'ai mis dans la confidence. J'avais grand besoin d'entendre confirmer tout haut ce que je pensais.

Wilty ajouta en riant :

— Je te garantis que tout le monde n'est pas de notre avis !

Sa chère mère l'avait relancé au moins trois fois par jour depuis leur déjeuner pour exiger qu'il détruise cette lettre compromettante.

— Tiens bon, quels que soient les arguments qu'ils mettent en avant, conseilla Dan.

— J'essaie.

— Bravo. C'est aussi une question d'éthique : on ne jette pas aux orties l'ultime confession d'un type qui s'est brûlé la cervelle.

Wilty était bien de cet avis, mais Dan n'avait pas idée de la pression que pouvait exercer une Carolyne Hale dès lors qu'elle croyait sa belle rente à vie menacée !

Les deux amis restèrent accoudés côte à côte au bar à siroter leur boisson en silence. Puis Dan jeta un œil à sa montre et deux billets sur le comptoir.

— Tu t'en vas déjà ?

Wilty semblait désolé. Il avait manifestement envie de compagnie.

— Navré, mon vieux, le devoir m'appelle.

— Elle est jolie ?

— Très jolie, répondit Dan en le gratifiant d'une bonne bourrade. Je t'aurais bien demandé de te joindre à nous pour le dîner, mais tu sais ce que c'est...

Wilty sourit, espérant que l'envie ne se lisait pas trop sur son visage.

— Amuse-toi bien !

— Je t'appelle la semaine prochaine, promit Dan.

Wilty le suivit des yeux jusqu'à la porte et une vague de solitude le submergea. Il se réfugia au fond de son verre, où dansait l'image de la créature de rêve qu'il avait laissée s'envoler. Elle était merveilleusement belle, mais au-delà de ça, c'était la seule femme qui ait jamais pris le temps de chercher à connaître l'homme derrière le nom.

Quel pauvre idiot il avait été ! Elle l'aimait... Elle avait tout essayé pour l'empêcher de boire, pour le rassurer sur son aptitude à assumer son futur héritage, mais...

— *Hé, Hale !*

Un grand escogriffe avec des yeux injectés de sang et une veste couleur framboise écrasée toute tachée avançait vers Wilty. Un petit trapu bâti comme un lutteur de foire marchait sur les talons de l'excité.

— On a à te causer !

Tous les visages se tournèrent dans leur direction. *L'Onyx* n'avait rien d'un pince-fesse, mais ce type de guignols n'était pas le genre de la maison.

— Je vous demande pardon ? fit Wilty en haussant un sourcil.

— Faut qu'on parle, et illico ! aboya l'affreux.

À en juger par sa voix de stentor et son ton provocant, ils avaient gardé les cochons ensemble. Dommage pour lui, Wilty ne s'en souvenait pas.

— Vous avez rendez-vous ? demanda-t-il avec un calme patricien.

— Tu te fous de notre gueule ?

— Ma foi, maintenant que vous me le dites...

Les quelques clients du bar pouffèrent, mais un roulement d'épaules du catcheur eut vite fait de les ramener à la contemplation de leurs cocktails. Quant aux yeux du petit teigneux, ils n'étaient plus que deux fentes d'où jaillissaient des éclairs jaunâtres.

— Tu devais me remettre ça il y a trois semaines ! J'attends toujours.

Wilty avait vidé son verre. Gus lui en apporta aussitôt un autre. Comme il le posait devant lui, le barman lui demanda du regard s'il avait besoin d'aide.

Wilty lui fit signe que non.

— Vous m'en voyez navré, monsieur... monsieur ? Si vous vouliez avoir l'amabilité de me rafraîchir la mémoire. Comment voulez-vous que je vous remette « ça » si je ne vous remets pas ?

Gus s'éloigna en rigolant. Le teint du maigrichon vira du blanc cassé au vert pâle.

— C'est pas possible que tu te rappelles pas notre petit arrangement !

— Un « arrangement » ? tiqua Wilty en fixant la tache de graisse en forme de papillon sur sa veste abominable. Hum, je n'aime pas beaucoup cela.

— On était pourtant d'accord, au bar du *Module* !

— Première nouvelle. Mais mes avocats seront ravis d'entendre de quoi il retourne. Alors, de quoi s'agit-il ?

L'autre battit instantanément en retraite.

— C'est que... heu, se troubla-t-il en coulant un regard contrarié sur les clients dont les oreilles traînaient. Je ne peux pas entrer dans les détails maintenant... enfin, pas ici...

— Tiens donc. J'aurais cru le contraire, ironisa Wilty. Autrement, pourquoi avoir envahi mon espace en débarquant ici avec un gorille à la traîne ? À présent, si vous êtes venus pour bavarder...

Le visage maussade de son interlocuteur s'éclaira.

— Ouais, on pourrait bavarder gentiment.

— Navré, je ne suis pas d'humeur. Alors, si vous n'y voyez pas d'objection, remettons ce passionnant entretien à une autre fois. Sur ce, je ne vous retiens pas.

Wilty pivota sur son tabouret de bar pour mieux leur tourner le dos. Il entendit les deux hommes échanger quelques mots à voix basse et les vit du coin de l'œil esquisser un pas vers la sortie.

— On se retrouvera, Hale ! Tu ne vas pas t'en tirer comme ça, c'est moi qui te le dis ! grinça l'affreux pour sauver les apparences.

— C'est ça, bon vent, lança Wilty avec un signe de la main qui les congédiait.

Il commanda tranquillement un autre martini-gin-vodka pendant que la porte se refermait sur eux. Il avait mis un point d'honneur à rester impassible, mais au fond de lui l'incident l'avait perturbé plus qu'il n'y paraissait. Oh, ce n'était pas ces deux rigolos qui lui avaient fait peur – Wilty était courageux, et puis il savait se défendre –, mais ses propres réactions.

Ce n'était pas la première fois qu'un parfait inconnu surgissait devant lui, mais généralement tout sourires, pour évoquer une conversation que lui-même avait complètement oubliée. Ce type n'avait sûrement pas inventé leur rencontre au *Module*. Un bar où Wilty allait parfois terminer une soirée déjà bien arrosée ailleurs. Cette nuit-là, il était probablement ivre et avait dû proposer à son compagnon de beuverie une aide quelconque, un prêt d'argent ou carrément un don mirobolant – ce fameux « arrangement » qui ne regardait pas les avocats. Wilty était généreux de nature, et plus encore quand il avait bu.

Promesses d'ivrogne, noms oubliés, visages effacés... Bon sang ! ce genre de mésaventure lui arrivait de plus en plus souvent depuis un certain temps.

Depuis que l'anniversaire de ses trente-cinq ans était en vue.

Depuis que le mot d'adieu d'un suicidé avait ébranlé les fondements de son univers.

Depuis qu'elle était sortie de sa vie.

Ça commençait à faire beaucoup...

4

À présent, la lumière est moins aveuglante.

Je vois quelqu'un d'autre dans l'embrasure de la porte. C'est un Homme gris. Il marche à grandes enjambées, et chacun de ses pas résonne et soulève un nuage de poussière ; il porte des bottes.

L'Homme gris a l'air un peu plus vieux que l'Étranger. Il vient se placer juste devant la femme, comme pour la protéger. Et il crie quelque chose.

L'autre, l'Étranger bien habillé, s'avance. Le nouveau venu le repousse. Ils se mesurent du regard. La femme essaie de les séparer, mais ils ne l'écoutent pas.

Ils sont plus jeunes qu'elle, plus forts, et plus énervés. J'ai de plus en plus peur...

Maintenant, ils s'insultent et s'accusent de toutes sortes de choses. Le ton monte encore. Ils sont très en colère.

L'Étranger s'est tourné vers moi. Il me lance un regard furieux. L'autre le frappe du poing à la tempe. Le premier ne me quitte pas des yeux, mais il est étourdi par le coup. La Femme grise me crie de me sauver. Je ne veux pas, mais elle hurle et j'obéis.

Les deux hommes se battent sauvagement. L'Étranger est fou de rage. La Femme grise saute sur lui pour défendre l'Homme gris. Il se dégage et la projette violemment loin de lui. Elle pousse un cri de douleur en tombant sur un tas de bûches.

Un bruit mat. Un objet dur vient de rouler aux pieds de l'Étranger. C'est une bûche. Il la voit. Tout en continuant à se défendre furieusement d'une main, il attrape la bûche de l'autre et l'abat de toutes ses forces sur le crâne de son adversaire.

L'Homme gris gémit, sa tête bascule sur le côté. Il s'est écroulé, il ne bouge plus. Ses cheveux bruns baignent dans une flaque rouge.

Je m'élance, mais un énorme coup de tonnerre orange me cloue sur place. Comme si on avait ouvert la porte d'une fournaise. Mes yeux piquent et me brûlent. Je ne vois plus rien. Mes mains refusent de bouger. Je n'arrive plus à respirer.

J'ai besoin d'aide, mais je suis prise au piège.

L'orange pâlit. J'y vois à nouveau.

Le feu a presque tout dévoré. Il reste juste un tas de cendres fumantes.

L'Étranger a disparu. Les Gens gris sont toujours par terre, immobiles à côté des braises. Il est à plat ventre, le crâne ouvert. Couchée sur le dos, les yeux grands ouverts, elle a le regard horriblement fixe. Une écharpe rouge est enroulée autour de son cou. Elle ne la portait pas avant..

Callie tremblait dans le noir. Elle souleva les paupières, et son regard terrorisé fouilla la pièce où elle se tenait. Là où elle redoutait de trouver les ombres malveillantes, elle ne vit que des formes familières, rassurantes. D'une main, elle repoussa les mèches de cheveux collées sur son front perlé de sueur ; de l'autre, elle essuya ses joues trempées de larmes.

Une petite veine palpitait follement à sa tempe gauche. *Les Gens gris étaient de retour et ils ne la lâcheraient pas.*

Elle aurait dû le savoir. Leurs expéditions punitives dans son sommeil se produisaient toujours par vagues, la torturant nuit après nuit jusqu'à ce qu'elle soit à deux doigts de perdre la tête. Alors, ils disparaissaient... juste assez longtemps pour qu'elle croie en être libérée. Et ils revenaient à la charge avec encore plus de perversité et de cruauté, inlassables, inépuisables, indestructibles.

Callie s'humecta les lèvres. Vingt-trois ans que ce supplice durait. Elle en avait sept quand l'horreur avait commencé.

L'éternel retour... elle avait lu quelque part que cette idée avait conduit Nietzsche aux confins de la folie. Elle pouvait le comprendre. Le pire de tout, c'était la répétition. Le même cauchemar, la même fin et, au réveil, le même goût de cendres dans la bouche... La vision était plus ou moins nette, plus ou moins intense selon les nuits, mais le scénario ne variait pas d'un pouce. Rien ne changeait jamais. Chaque fois que ses tourmenteurs étaient revenus, elle s'était réveillée non seulement terrifiée, mais en proie à une horrible sensation de malheur, d'abominable gâchis, de... de *deuil*.

Callie exhala un soupir. Le jour où elle arrêterait de souffrir à la pensée de la tragédie qui s'était jouée entre ces trois personnages, elle ferait un grand pas vers la lumière. Peut-être échapperait-elle alors à son supplice nocturne.

Malheureusement, l'aube de ce jour n'était pas près de poindre. Callie tremblait toujours pour l'homme au crâne défoncé. Son cœur se serrait toujours pour la femme qui l'avait si vaillamment défendue. Et elle enrageait toujours contre l'Étranger qui avait apporté le malheur.

Callie jeta un coup d'œil au radio-réveil posé sur sa table de nuit. Cinq heures du matin. Trop tôt pour entamer la journée, surtout avec cette migraine qui montait ; trop tard pour songer à se rendormir – si tant est qu'elle arrive à trouver le sommeil avec les images de mort qui restaient imprimées dans son esprit.

Callie ouvrit le tiroir de la table de nuit et prit deux comprimés qu'elle avala avec un peu d'eau d'une bouteille qu'elle gardait près de son lit pour les occasions comme celles-ci. Il n'y avait plus qu'à prier pour que la douleur s'en aille vite.

Au bout de quelques minutes, elle se leva en soupirant pour se préparer un café, puis se dirigea vers la douche. Faute de se rendormir ou de percer le sens de ce rêve complètement fou, autant terminer son prochain article : son rédacteur en chef l'attendait sur son bureau ce matin même à la première heure.

Comme elle se séchait les cheveux, la serviette de bain qu'elle avait nouée autour de sa taille glissa à terre. Elle se baissait pour la ramasser quand le fil du séchoir s'enroula autour de son cou. Le miroir lui renvoya *l'image de la femme étranglée avec une écharpe rouge*.

Callie s'appuya des deux mains sur le lavabo, le cœur cognant à grands coups dans sa poitrine. Elle débrancha le séchoir et porta des doigts glacés à sa gorge.

La sonnerie du téléphone la fit sursauter. À six heures du matin, ce n'était sûrement pas une bonne nouvelle...

Le cœur étreint d'un sombre pressentiment, elle courut décrocher.

— Callie ? C'est Luke.

Luke Crocker était le rédacteur en chef du *City Courier*.

— Il vient de se produire un accident mortel à deux pas de chez toi. J'ai besoin que tu couvres l'événement.

Callie avait débuté au journal comme simple pigiste. Mais son joli brin de plume, sa ténacité et surtout son « nez » (elle avait un don pour déterrer les affaires et renifler les scoops, affirmaient ses collègues) lui avaient rapidement fait gravir les échelons. Depuis que ses dernières enquêtes lui avaient taillé une solide réputation de journaliste d'investigation, elle ne s'occupait plus des faits divers. Mais si Luke avait besoin d'elle...

— Je peux être sur place dans quinze minutes.

— Parfait, je t'en donne dix.

— Ça marche. Dis-moi seulement où ça s'est passé.

— Fonce dans ton ascenseur et laisse-toi guider par ton nez, répondit Luke en riant.

L'appartement de Callie se trouvait sur la 84e Rue, entre Park Avenue et Lexington Avenue. En prenant la première à droite en sortant de chez elle, elle aperçut un rassemblement devant un immeuble résidentiel situé entre la 84e et la 85e. Une voiture de police, une ambulance et déjà plusieurs camions de chaînes TV obstruaient l'accès au bâtiment.

Elle fendit le petit groupe de badauds et rejoignit au premier rang Mike O'Connell. Elle connaissait vaguement ce *paparazzo* qui travaillait pour un tabloïd plus connu pour ses gros titres à sensation et ses articles à scandale que pour son éthique journalistique.

— Salut, Callie. Tu es sur le coup, toi aussi ?

— Salut, Mike. Qu'est-ce qu'on a ? lança-t-elle en utilisant machinalement la formule rituelle.

Elle devait tendre le cou pour essayer de voir quelque chose. Le corps de la victime avait été découvert dans l'allée étroite qui séparait les deux pâtés de maisons. Un cordon de police gardait le périmètre.

— Suicide. Défenestration. Dix-neuf étages, répondit laconiquement Mike.

— Circulez ! Y a rien à voir ! s'égosilla un flic qui ne mentait pas vraiment.

Il salua et laissa passer deux hommes qui se frayèrent un chemin dans l'allée. Callie les identifia à leur tenue : des inspecteurs de la criminelle. Elle savait que les suicides étaient traités comme des homicides jusqu'à preuve du contraire.

En moins de temps qu'il n'en faut pour le dire, le théâtre du drame avait été délimité et isolé à l'aide d'un ruban jaune, et la silhouette du corps dessinée à la craie blanche. Le photographe s'activait. Dix-neuf étages plus haut, toute l'équipe de la police scientifique et technique devait déjà être à l'œuvre dans l'appartement de la victime.

Pendant que le duo de la criminelle procédait aux premiers constats, Callie commença à interviewer tout témoin (ou prétendu tel) disposé à lui parler.

Ce faisant, elle se rapprocha discrètement de l'inspecteur le plus proche, un brun de type latino répondant au nom d'Alvarez, qui interrogeait les habitants de l'immeuble descendus en robe de chambre et pantoufles.

Aucun d'eux n'avait rien vu, ni rien entendu.

C'était une curiosité morbide (et l'irrésistible attrait des caméras de télévision) qui les avait tirés du lit, conclut Callie.

Elle ne pouvait s'empêcher de penser à l'attroupement de ses voisins quand des infirmiers psychiatriques avaient emmené sa mère par un petit matin blafard comme celui-ci.

L'équipier d'Alvarez en avait terminé avec le gardien de l'immeuble. Il se dirigeait vers l'allée quand O'Connell l'arrêta au passage.

— Une petite idée du nom de la victime, inspecteur ?

Il se tourna vers Mike et Callie. Ses yeux les scrutèrent rapidement, mais Callie eut l'impression qu'elle venait de passer aux rayons X.

— D'après nos sources, il s'agit de Wilton Hale.

Callie suffoqua et s'appuya sur le capot d'une voiture pour ne pas tomber. Les deux hommes la dévisagèrent, surpris.

— Vous vous sentez bien, mademoiselle ? demanda l'inspecteur.

La lèvre supérieure de Mike se souleva dans un rictus à mi-chemin entre l'apitoiement et le ricanement.

— Elle travaille pour le *City* qui appartient justement à la famille Hale. D'une certaine façon, ce macchabée était son patron...

... et c'était mon amant, compléta mentalement Callie.

Callie avait fait la connaissance de Wilty à un cocktail de fin d'année organisé au *City Courier*, deux ans auparavant.

Elle se tenait devant le buffet, un canapé au beurre de crevette dans une main et une flûte de champagne dans l'autre, quand il l'avait abordée. Comme il devait aborder toutes les journalistes un tant soit peu mignonnes présentes à cette soirée, s'était-elle dit. Mais Wilton (elle ne l'appelait pas encore Wilty) ne l'avait pas quittée d'une semelle, au risque de passer pour un mufle aux yeux de toutes les autres jeunes femmes qui papillonnaient autour de lui.

Wilty traînait une réputation de coureur de jupons, et le fait est qu'il l'avait sacrément draguée, mais pas lourdement comme la majorité des hommes. Il s'était même montré très spirituel. Et comme il avait une classe folle, et qu'il était très bien fait de sa personne, Callie avait presque immédiatement succombé au charme du PHCH (le prince héritier de la couronne Hale, ainsi qu'on l'avait surnommé au journal).

Cela tombait bien, car le lendemain matin à la première heure il l'avait rappelée au bureau pour l'inviter à dîner au *Cirque*.

Callie était aussi nerveuse qu'un petit rat de l'Opéra débutant à une soirée de gala. Résultat : elle faillit deux fois rater une marche dans l'escalier du restaurant, buta sur le pied d'une chaise dans la petite salle à manger, et manqua d'entraîner la nappe avec tous les couverts en se glissant sur la banquette. Aussi rouge que le velours des fauteuils, elle avait souhaité que la terre s'entrouvre sous ses pieds.

Elle en souriait à présent, fondant au souvenir d'un détail : au moment où le serveur lui présentait cérémonieusement ses écrevisses à la nage, Wilty s'était emparé de sa serviette pour s'en faire un bouclier, accusant le garçon médusé de mise en danger de la vie d'autrui.

Elle ne se rappelait plus exactement si PHCH l'avait traitée de « femme dangereuse » ou de « miss Catastrophe », mais ses yeux bleus riaient, et cela avait suffi à la rendre follement amoureuse de lui à la minute même.

Au début de leur idylle, Callie n'arrivait pas à croire à son bonheur. Ils se complétaient merveilleusement et semblaient se stimuler l'un l'autre. Wilty l'avait initiée à la cuisine raffinée des quatre ou cinq grands restaurants qui constituaient son quotidien culinaire ; elle-même lui avait révélé un New York bohème dont il ignorait tout : celui des petits troquets où l'on mange – très bien – sur le pouce et sans forcément se ruiner, des librairies-salons de thé, des cinémas d'art et d'essai, des endroits pas snobs pour un sou où l'on peut écouter de la bonne musique et parler littérature sans être forcément sapé comme un milord...

Wilty l'accompagnait aux conférences de journalistes célèbres ; elle assistait avec lui à des matches qui, à vrai dire, ne la passionnaient guère – mais il lui plaisait de voir cet homme qui avait sa loge réservée à l'année dans les stades s'enthousiasmer comme un gamin face aux exploits d'une équipe qu'il aurait pu s'offrir sur un coup de tête !

Wilty commença à changer juste après avoir fêté son trente-quatrième anniversaire.

Il était officiellement entré dans l'année de son héritage. Il se mit à boire davantage et à moins dormir. Au lieu de disputer une partie de tennis de quatre heures ou d'aller au théâtre, il s'enfermait dans un bureau pour développer les compétences requises par le Hale Trust. Il en ressortait, déprimé, pour annoncer qu'il avait trop longtemps attendu avant de se préparer à diriger un empire et que sa chute était écrite dans les astres.

De toutes ses forces, de tout son cœur, Callie tenta de l'empêcher de sombrer. Elle lui exposa par le menu ses talents naturels, les réussites dont il pouvait s'enorgueillir et qui étaient autant de gages de sa valeur. Elle n'avait pas à forcer la note : Wilty se montrait réellement doué dans tout ce qu'il entreprenait. Elle lui expliqua aussi que le moment venu il ne serait pas seul au gouvernail puisqu'il saurait s'entourer de conseillers techniques spécialisés dans les domaines où il se sentirait moins à l'aise. Peine perdue : les craintes de Wilty étaient beaucoup plus fortes que la voix de la raison... plus fortes aussi que son amour.

Il buvait de plus en plus, devenait irritable, trouvait de moins en moins de temps à lui consacrer. Les jours où ils se voyaient, ils se disputaient pour des broutilles. Quant aux nuits... ils ne les partageaient presque plus. Lorsque Callie découvrit que Wilty couchait à droite et à gauche avec des filles rencontrées dans des bars, elle jeta l'éponge.

Elle avait trop aimé cet homme pour accepter d'aimer son contraire, et préférait garder de leur courte mais belle romance une image pas trop dégradée, ni dégradante.

À regret, elle signifia à Wilty qu'il valait mieux qu'ils ne se revoient plus jusqu'à ce qu'il ait arrêté de boire et digéré son héritage. Ce à quoi il lui répondit qu'elle devait l'accepter tel qu'il était ou aller se faire voir ailleurs.

Ce furent les derniers mots qu'ils échangèrent.

— Quand est-ce arrivé ? balbutia Callie en s'arrachant à sa rêverie mélancolique.

— À vue de nez, entre deux et cinq heures du matin, heure à laquelle les éboueurs ont découvert le cadavre, répondit l'inspecteur. Bien sûr, il faudra attendre la confirmation du médecin légiste.

Pauvre Wilty, il allait subir une autopsie... lui qui détestait plus que tout qu'on l'observe, songea-t-elle en sentant son cœur se serrer.

Une idée la frappa : tout comme ses propres visions maléfiques lui pourrissaient l'existence, les mauvais démons de Wilty avaient dû le pousser à se tuer...

Mais non ! Pourquoi aurait-il fait une chose pareille ?

— Connaissiez-vous personnellement le défunt, mademoiselle... ?

Trop absorbée par ses pensées pour parler, Callie le laissa lire son nom sur son badge.

— ... Jamieson ?

L'inspecteur attendit une réponse qui ne vint pas, et il réitéra sa question.

Callie reprit ses esprits. Mike O'Connell dansait d'un pied sur l'autre, brûlant de se faire mousser en éclairant la lanterne de la police. Attaché à une feuille de chou vivant de potins sur les célébrités, il n'ignorait sûrement rien de sa liaison passée avec un homme en vue comme Wilton Hale. Mais pour une fois Mike tint sa langue, et Callie lui en sut gré.

— Oui, je connaissais le défunt, lâcha-t-elle enfin en butant sur le dernier mot.

— Quel type de relation entreteniez-vous ?

Fort heureusement, l'arrivée du véhicule du médecin légiste fit diversion.

Trois hommes en uniforme bleu marine sortirent un brancard et une housse mortuaire. Les deux inspecteurs suspendirent leur recueil de dépositions pour s'entretenir brièvement avec l'équipe, pendant que le cerbère qui barrait l'allée laissait passer les brancardiers.

O'Connell se précipita pour bénéficier d'un bon point de vue pour ses photos. En temps ordinaire, Callie l'aurait sans doute imité, mais là elle s'approcha lentement et resta pétrifiée pendant qu'on étendait la housse à côté de la victime.

Callie aperçut des cheveux blonds tachés de sang et un corps disloqué gisant entre deux bennes à ordures. Elle étouffa un cri, mais ne put retenir ses larmes.

Au moment où le zip de l'horrible housse se referma sur le cadavre mutilé de l'homme qu'elle avait failli épouser, Callie éclata en sanglots, sans remarquer que le deuxième inspecteur ne la quittait pas des yeux.

Autour d'elle, les gens grouillaient comme des mouches sur un morceau de viande. Le flash de O'Connell crépitait pour immortaliser la scène. Un cameraman de la télévision zooma comme un malade sur le brancard qui transportait la dépouille de Wilty dans l'ambulance. « Vite ! On fonce à la morgue ! » entendit-elle répéter ici et là.

Écœurée, elle s'essuya les yeux et fit taire son chagrin. Elle avait une mission à accomplir.

Vaillamment, elle reprit ses interviews, essayant de synthétiser ce qu'elle recueillait çà et là afin de se faire une idée de ce qui s'était passé.

Première information : Wilty avait emménagé dans cet immeuble depuis peu – six ou sept mois. Callie était bien placée pour savoir que ce n'était pas sept, puisque à cette époque il habitait encore le fabuleux six pièces de Sutton Place qui avait si souvent abrité leurs ébats. Wilty avait donc déménagé juste après leur rupture, histoire sans doute de quitter leur ancien « nid d'amour »... Elle avait fait la même chose en venant s'installer dans ce quartier, l'un et l'autre ignorant qu'ils étaient voisins. Le destin était étrange.

Un élément ressortait clairement des commentaires des voisins de Wilty : aucun d'eux ne semblait étonné outre mesure qu'il se soit jeté par la fenêtre... On le tenait en gros pour un « excentrique », charmant à ses heures, mais « complètement folingue ». (« Forcément : avec tout son argent ! » expliqua une vieille dame.)

La charité chrétienne n'étant plus ce qu'elle était, plus les langues se déliaient, plus on lui trouvait de défauts. Avec un refrain malheureusement authentifié par Callie : Wilton Hale était porté sur la boisson. (« Et sur les poules, si vous voyez ce que je veux dire », ajouta aigrement la même vieille dame.) Curieusement, plusieurs personnes évoquèrent son supposé goût du risque et des sports extrêmes... comme si Wilty avait oublié son élastique avant d'enjamber son balcon.

Quand Callie mit fin à ses questions, le portrait de la victime qu'elle avait obtenu n'était guère reluisant. En résumé : un tordu éthylique et égocentrique. Ça lui faisait mal d'entendre ça, même si c'était vrai, parce qu'elle savait bien, elle, que Wilty avait aussi été un être humain très attachant, drôle et aimant. Or personne n'avait rien trouvé de positif à dire de lui. Quelle tristesse.

Avait-il changé à ce point ?

Un homme derrière elle demanda à la cantonade :

— Quelqu'un sait quel âge il avait ?

Un autre répondit :

— Dans les trente-cinq ans, je pense.

— C'est jeune pour mourir, commenta une femme.

L'estomac de Callie se noua.

Wilty savait qu'il ne ferait pas de vieux os.

Elle se souvint subitement d'un jour où elle lui avait demandé s'il se voyait plutôt finir ses jours en ville ou à la campagne ; Wilty lui avait répondu, mi-figue, mi-raisin, qu'il n'aurait jamais ce genre de dilemme : à part son arrière-arrière-grand-père E. W. Hale, aucun Hale mâle n'avait depuis dépassé les quarante ans.

— Mademoiselle Jamieson...

C'était encore ce policier.

— Si vous n'y voyez pas d'inconvénient, j'aimerais reprendre notre petite discussion sur vos rapports avec M. Hale.

Callie consulta sa montre et esquissa une grimace significative.

— Je suis désolée, inspecteur, mais le jour se lève et j'ai un rendez-vous très important. Je suis sûre que vous comprendrez.

Elle pivota sur ses talons, mais il la rattrapa aussitôt par le bras.

— Vous savez ce que c'est, mademoiselle Jamieson, nous avons tous un travail à accomplir, c'est la vie. Le mien concerne un malheureux qui vient de la perdre et pour qui le jour ne se lèvera plus. Je crois qu'il passe en priorité.

Callie avala sa salive et hocha la tête, mal à l'aise.

— Ainsi donc, reprit posément l'inspecteur, vous avez déclaré connaître la victime. Comme j'ai cru remarquer que vous sembliez gênée d'évoquer vos liens devant votre confrère, je n'ai pas insisté. Mais maintenant que nous sommes seuls, parlons un peu, voulez-vous ?

— Volontiers, mais je ne vois vraiment pas ce que je pourrais apporter à votre enquête.

— Dites toujours.

— J'ai effectivement connu M. Hale à une époque, mais je ne l'ai pas revu ni n'ai entendu parler de lui depuis des mois. J'ignorais même qu'il habitait ici.

— Et... ?

— C'est tout.

Elle se tut. Il n'était pas satisfait, manifestement certain qu'elle avait des révélations à faire.

— Il faudrait que l'on discute calmement de tout ça. Tenez.

Il lui déposa sa carte dans la main. Elle lut « *Inspecteur Ezra Chapin, police criminelle* » et l'adresse de son bureau à New York.

— Écoutez, je ne sais pas si...

— Je vous y attends. Aujourd'hui, sans faute.

Outrée, Callie glissa la carte dans sa poche et s'éloigna sans un mot.

— Si vous ne venez pas, lança-t-il de loin, c'est moi qui viendrai vous voir.

5

Les bureaux du *City Courier*, le seul quotidien new-yorkais qui pouvait rivaliser avec le *New York Times*, occupaient vingt étages du Hale Building à l'angle de la 6ᵉ Avenue et de la 52ᵉ Rue.

Le reste de cette tour de verre et d'acier – splendide réussite architecturale – était divisé entre les différentes holdings Hale : les bureaux des autres journaux de la chaîne Courier Tribune appartenant aux Hale ; la station de radio FM consacrée à la musique classique et financée par les Hale ; le département des Livres Hale, une des plus grosses maisons d'édition de la ville ; et celui de la papeterie Hale, mère de tout l'empire Hale.

Il était à peine huit heures quand Callie sortit de l'ascenseur au douzième étage. Pourtant Amy, la stagiaire qu'elle partageait avec deux autres journalistes, était déjà arrivée. Elle accueillit Callie avec un café et la première édition du *Times*. Lire ce journal rival au bureau pouvait paraître politiquement incorrect, mais tout le monde le faisait. La compétition nécessitait de se tenir informé, non ?

— Tu as entendu la nouvelle ? lança Amy.

— Laquelle ? marmonna Callie en branchant son ordinateur.

— Wilton Hale s'est suicidé. On ne parle que de ça !

Amy plissa le visage de dégoût pour expliquer :

— Il s'est jeté par la fenêtre du dix-neuvième étage. Brrr ! Tu arrives à imaginer ça ?

— Pas besoin, je l'ai vu de mes yeux. Crocker m'a appelée à six heures pour que je couvre l'affaire.

Amy fit pivoter son siège vers Callie, bouche bée.

— Raconte ! Ça devait être horrible !

Callie revit l'image de Wilty fracassé sur le trottoir, le corps tordu dans une position qui laissait penser que sa colonne vertébrale avait éclaté en morceaux.

— Ce n'était pas beau à voir, murmura-t-elle.

— Toutes les radios en parlent en boucle. La Veuve doit donc être au courant...

Elles émirent toutes les deux le même grognement. Carolyne Hale, alias la Veuve Hale pour ses admirateurs comme pour ses détracteurs, ne laissait personne indifférent. Cette femme semblait forcer les gens à prendre parti pour ou contre elle.

Ses admirateurs estimaient que son long veuvage conférait une grande noblesse à la pauvre Carolyne, et ils s'émerveillaient de l'inébranlable résolution de cette femme admirable, si belle et encore jeune, de rester fidèle par-delà la mort à son défunt mari bien-aimé Huntington Hale. Ils versaient une larme en entendant cette Mère Courage confier aux médias combien il était important pour son cher disparu que leur unique enfant, Wilton, soit élevé comme un Hale dans la tradition de ses ancêtres. Pour elle, la maman et le fils devaient porter le même nom.

Ses détracteurs ne voyaient dans tout ça que « magouille et compagnie ». La touchante fidélité de l'épouse inconsolable les faisait doucement rigoler. C'est tout juste si ces mauvaises langues ne lui prêtaient pas un amant caché dans chaque placard... Son refus obstiné de se remarier ? Rien qu'une affaire de gros sous, puisque aux termes du testament de feu son époux elle perdrait son argent en perdant son nom. Une veuve éplorée, *elle* ? Une veuve joyeuse, oui ! qui passait son temps à voyager aux quatre coins du globe. Quant au cliché de la Mère Courage... Ils la prenaient plus volontiers pour une mère indigne, si souvent absente de la maison qu'elle n'aurait pas repéré son fils au milieu d'une foule d'inconnus !

Où se cachait la véritable Carolyne Hale ? Wilty n'en avait presque jamais parlé à Callie. Sauf pour lui dire qu'aller voir sa mère, c'était comme se faire arracher une dent. On ne le faisait que lorsque c'était inévitable.

— Je ne suis pas membre du fan-club de la Veuve, déclara Amy, mais Wilty était son fils unique. Et il s'est suicidé. J'imagine ce qu'elle doit ressentir. Ce doit être épouvantable d'avoir à se demander le restant de ses jours si on n'aurait pas pu faire quelque chose pour l'en empêcher...

Callie pâlit et baissa les yeux.

— Oui, c'est affreux, dit-elle à mi-voix.

Wilty se serait-il tué si elle avait été à ses côtés pour le soutenir ?

Voilà une question qui n'aurait jamais de réponse. Mais comment aurait-elle pu le protéger contre lui-même alors qu'elle n'était pas capable de venir à bout de ses propres démons ?

Amy la regardait d'un drôle d'air.

— Tu as une mine à faire peur ! Je parie que tu n'as rien avalé avant de foncer sur place, ce matin ?

— Pas eu le temps.

— Bon, je vais te chercher quelque chose.

— Tu es gentille. Si tu pouvais en profiter pour passer à la documentation et me rapporter ce que tu trouveras sur Wilton...

— C'est comme si c'était fait.

Callie la remercia et se tourna vers son ordinateur pour écrire en vitesse son papier sur « la disparition tragique de l'héritier des Hale ».

C'était une sensation étrange que de relater la mort de quelqu'un qu'on avait connu aussi intimement, et Callie dut faire appel à tout son professionnalisme pour rapporter les faits sans laisser transparaître ses émotions.

Quand elle relut son premier jet, elle eut envie de le jeter au panier. Comment reconnaître l'homme qu'elle avait aimé dans ce compte rendu sec et rapide qui se résumait à un simple exposé de faits bruts : qui, quoi, quand, où et comment ? Quant au pourquoi, pas l'ombre d'une piste à offrir à ses lecteurs, pour la bonne raison qu'elle ne parvenait pas elle-même à s'expliquer le geste insensé de Wilty.

Une vague de tristesse l'envahit. Wilty avait fait partie de sa vie pendant plus d'un an. Elle ne l'aimait plus, du moins plus comme avant, mais, dans le secret de son cœur, elle avait toujours gardé l'espoir qu'il changerait et qu'il lui reviendrait. C'était maintenant impossible ; jamais plus elle ne le reverrait, jamais...

Elle enfouit son visage dans ses mains et pleura.

Quand Amy revint avec un petit déjeuner complet, Callie avait eu le temps de sécher ses larmes et de se refaire une tête.

— J'ai mis du temps, s'excusa Amy, mais je t'ai trouvé de la doc et j'ai croisé M. Herring. Il m'a demandé de te prévenir qu'il t'attend dans son bureau.

Callie haussa un sourcil. Brad Herring était le directeur de la publication, le big boss en fait, même si elle travaillait plus directement sous les ordres de Luke Crocker.

— Il t'a dit pourquoi ?

— *Niet.* Mais comme je n'ai pas décelé de bave ni de grincements de dents, je présume que tu peux y aller sans ton armure.

— Bon à savoir. À quelle heure ?

— Dix heures et demie.

— Parfait, ça me laisse un peu de temps.

Elle le mit à profit pour faire honneur au petit déjeuner apporté par Amy, puis ouvrit le classeur étiqueté *W. Hale*. Malgré la notoriété et le statut de l'intéressé, il ne contenait que quelques feuillets. C'était déprimant de penser que la vie d'un être humain pouvait se réduire à un dossier aussi ridiculement mince.

Sur la première page, elle découvrit une biographie très succincte : *Wilton Colfax Hale, 34 ans. Né à Memphis, Tennessee. Seul enfant de Huntington Albert Hale et Carolyne Faessler Hale. Études à Exeter, puis à Yale. Unique héritier de la fortune de la dynastie Hale.*

Rien de nouveau dans tout cela.

Amy avait heureusement complété cette bio squelettique par une compilation d'entretiens recueillis au fil des ans auprès de différentes personnes. Des plus anciens se dégageait le portrait d'un jeune homme brillant, créatif, remarquablement doué, foncièrement droit, et d'une incroyable générosité.

Rien de neuf là-dedans non plus.

Les documents les plus récents donnaient un autre son de cloche, amplifié par toute une collection de plaintes pour ivresse publique, tapage nocturne et conduite en état d'ébriété. C'était le Wilty Hale qu'évoquaient ses voisins. Le Wilty qu'elle n'avait plus voulu fréquenter.

Callie avait espéré trouver plus d'éléments, ne serait-ce que des anecdotes, voire de simples allusions, qui lui auraient fourni des noms de nouvelles relations de Wilty – des noms de femmes notamment. Elle aurait aimé savoir s'il avait vécu avec quelqu'un après son départ. Mais il n'y avait rien. La raison en était simple : Wilty avait dû passer un accord avec la presse à scandale : il leur réserverait la primeur d'une révélation importante, en échange de quoi les *paparazzi* respecteraient sa vie privée. Voilà pourquoi il n'y avait pas non plus une seule ligne sur leur idylle à tous les deux, pas même une photo.

Déçue, elle refermait le dossier avec l'impression de tirer un trait sur une vie trop courte quand une phrase lui revint en mémoire. Où l'avait-elle entendue ? Ah oui, ce matin même, quand elle avait interviewé le gardien d'immeuble. « C'est pas Dieu possible de mourir si jeune, avait-il dit. C'est comme une erreur de la nature, une anomalie ! »

— Une *anomalie*..., articula pensivement Callie.

— Tu as trouvé un truc intéressant ? demanda Amy.

— Peut-être...

Il y avait cette fameuse rumeur qui courait sur les Hale – Wilty lui en avait parlé une fois : *après E. W. Hale, aucun Hale mâle n'avait dépassé les quarante ans.* Cela avait suffi pour que naisse la légende de la « famille maudite ».

Callie savait que pour qu'une légende prenne corps il fallait un minimum de vérité et un maximum de drame. Or il n'en manquait pas chez les Hale ! Leur progéniture mâle avait été victime d'une invraisemblable série noire. Pas une mort naturelle, rien que des morts violentes.

Fouillant sa mémoire, Callie les passa en revue : une chute d'une falaise, un coup de revolver, une électrocution. Quant au père de Wilty, Huntington, il avait fini la tête coupée en rondelles par l'hélice de son bateau. Certaines de ces morts étaient du reste très suspectes. Et il y avait deux suicides – trois avec la défenestration de Wilty.

Un grand froid enveloppa les épaules de Callie comme un châle. Elle serra son mug de café entre ses paumes, avide de sentir sa chaleur.

Était-il possible qu'une malédiction plane réellement sur la famille Hale ? Wilty en était-il la dernière victime ?

L'idée d'un sort qui scellerait notre destin à la naissance terrifiait Callie.

— Tu vas rater ton rendez-vous avec Brad Herring...

Le rappel très terre à terre d'Amy lui fit du bien.

Avant d'aller voir le big boss, Callie sortit de son tiroir un petit miroir et vérifia de quoi elle avait l'air.

Ses cheveux coiffés à la Jeanne d'Arc avaient la blondeur du sable des Antilles, et ses yeux, le turquoise de leurs eaux. Elle ne se maquillait jamais beaucoup, et l'était ce jour-là encore moins que d'habitude : juste une légère touche d'eyeliner et de mascara, et à peine de rouge à lèvres rose. Sa peau était laiteuse, ses joues pleines avec de hautes pommettes, son nez petit et mince, constellé de taches de rousseur qu'elle n'essayait pas de dissimuler.

Comme elle rangeait le miroir, ses doigts cherchèrent le petit cadre argenté qui ne quittait pas son tiroir. Elle l'amena à la lumière et contempla le visage qui lui faisait face. La ressemblance était sidérante. Les mêmes yeux turquoise, les mêmes pommettes, le même nez... et le même sourire triste. Callie porta l'index à ses lèvres puis sur la photographie, qu'elle remit à sa place avec la tendresse que méritait sa maman.

Vingt-deux ans... Vingt-deux ans avaient passé, et Callie souffrait pour sa mère aussi vivement que lorsqu'on la lui avait arrachée quand elle avait huit ans.

Vingt-deux autres années pourraient s'écouler, rien n'y ferait, Callie en était certaine. Elle ressentirait toujours le même vide dans son cœur. Et dans sa tête le même refus d'admettre que c'était la même femme qui avait pu être aimante, drôle, curieuse de tout, cultivée, toujours gentille... et folle à lier.

Un léger déclic signala que la serrure de sécurité était désactivée. Callie poussa la porte donnant sur le couloir tapissé de moquette qui conduisait au saint des saints. Un jour, se dit-elle, elle aimerait se promener au vingt-cinquième étage sans ressentir une crampe nerveuse à l'estomac.

Brad Herring était un grand bonhomme, dans tous les sens du terme, ce qu'elle vérifia quand il se déplia pour la saluer. Il avait un sourire engageant, un regard pétillant d'intelligence, et se servait des deux à son avantage. Il aurait pu donner des cours de maintien et d'élégance au prince de Galles.

— Bienvenue, Callie. Je ne vous présente pas Luke... il ne tarit pas d'éloges sur vous.

Crocker assistait à la réunion. Callie les salua tous les deux et prit place dans un fauteuil moelleux propre à endormir toute résistance. Après quelques civilités d'usage, Brad Herring en vint au fait.

— Nous vous avons demandé de venir, Callie, car nous aimerions consacrer un grand reportage à Wilton Hale. Nous avons pensé que personne n'était mieux qualifié que vous pour cette tâche.

— Ton enquête ferait la une du *Courier Week-end,* ajouta Luke. À moins qu'on ne la sorte en feuilleton dans *Événements.*

Un feuilleton dans le nouvel hebdomadaire du groupe ! C'était en soi une consécration : la reconnaissance de sa valeur par ses employeurs et un bond en avant qui la catapulterait dans l'élite journalistique. Le genre d'offre qui ne se refuse pas. Mais...

Mais il s'agissait de Wilty. Le cerveau de Callie étudiait à toute vitesse la manière de le présenter au grand public sans le crucifier et sans compromettre sa propre intégrité professionnelle en roulant pour lui. En d'autres termes, comment n'être ni angélique ni cynique, mais impartiale.

70

Les deux hommes la dévisageaient avec intérêt. Un peu surpris qu'elle hésite, mais pas mécontents. Il était bon de peser le pour et le contre dans un travail de cette importance.

— Je pense que je dois vous informer que j'ai reçu un appel de Carolyne Hale ce matin, dit Brad Herring. Elle se préoccupe de la manière dont nous allons couvrir la mort de son fils dans *son* journal. C'est bien normal...

Il avait appuyé sur les derniers mots, une manière de signifier « à bon entendeur... ». Callie hocha la tête. Message reçu. Il n'y avait rien de surprenant à ce que la Veuve tienne à protéger la réputation de Wilty – et, ce faisant, la sienne. Après la disparition de son fils, elle restait la seule survivante de la famille. Cependant, ce simple coup de fil ne présageait-il pas des pressions à venir ? Bien sûr, la rédaction du *City* défendait farouchement son indépendance, mais le poids des Hale était tel...

— Je n'aime pas que l'objectivité de mes journalistes soit mise en cause, grommela Luke comme s'il lisait dans ses pensées. Personne ici n'a envie de salir la réputation de ce pauvre Wilton.

Callie s'était toujours demandé si Luke n'avait pas une grande indulgence pour Wilty parce qu'il était lui-même un ancien alcoolique. Elle ne lui poserait jamais la question, mais force était de constater que plusieurs entrefilets sur les frasques de l'héritier des Hale (les plaintes portées contre lui, par exemple) avaient disparu des colonnes du journal avant publication. Luke n'avait pas forcément eu besoin de cette piqûre de rappel de la Veuve.

— Bon, parlons peu, mais parlons bien, Callie.

Brad Herring cessa de se balancer dans son fauteuil pour se pencher vers elle.

— J'ai deux inquiétudes. Avant toute chose, j'ai besoin de savoir où en sont, enfin où en étaient vos rapports avec le regretté M. Hale. Je crois que vous avez eu une aventure ensemble. C'est exact ?

Callie avait eu beau s'attendre à la question, elle rougit jusqu'aux oreilles. Elle se sentait gênée, pas offensée. Brad n'était pas une pipelette. Il essayait simplement de vérifier si la journaliste à qui il confiait un gros morceau n'était pas en conflit avec le « héros » de son reportage.

— Plus qu'une aventure, une liaison, répondit-elle franchement. Mais c'était déjà de l'histoire ancienne. Wilty et moi n'étions plus ensemble depuis un peu plus de six mois.

— Vous vous étiez séparés en bons termes ?

Elle haussa les épaules. Ils s'étaient quittés sur des mots, mais le temps avait coulé, elle ne lui en voulait pas. Et elle était convaincue que Wilty s'en était remis.

— Peu de relations romantiques s'achèvent sur une note vraiment amicale. Mais nous n'étions pas à couteaux tirés, si cela peut vous rassurer.

Elle se redressa dans son fauteuil et enchaîna :

— Je ne vais pas vous mentir en vous racontant que mon passé avec Wilty n'aura aucune incidence sur mon reportage. Au contraire, il va m'aider à dresser de lui un portrait honnête et fidèle, loin des caricatures habituelles. Je suis peut-être celle qui l'a le mieux connu.

Brad hocha la tête avec satisfaction. C'était ce qu'il voulait entendre.

— Ma seconde inquiétude a trait à l'apparent lien de cause à effet entre les énormes responsabilités qui attendaient Hale et son fort penchant pour la bouteille. Même si c'est vrai, je ne vois pas l'intérêt, ni pour nous ni pour la mémoire du défunt, d'insinuer qu'il avait plongé dans l'alcool avant de plonger dans le vide plutôt que d'assumer la présidence de l'entreprise familiale.

Même si c'est vrai...

Callie était heureuse de constater qu'elle n'était pas la seule à ne pas être totalement convaincue que Wilty s'était détruit par peur de ne pas se montrer à la hauteur. *Quelque chose ne tournait pas rond dans cette histoire.* Son nez le lui disait et il ne se trompait jamais.

Quand elle avait quitté Wilty, il buvait déjà comme un trou, il faisait l'imbécile, il était sur un toboggan... – elle le lui avait assez dit, d'accord – mais *il n'était pas suicidaire.*

Évidemment, chaque jour qui passait le rapprochait de l'échéance redoutée : son accession à la présidence du Hale Trust. La pression avait dû continuer à monter, monter...

mais *pourquoi se tuer* ? Il aurait pu renoncer à la présidence, engager un millier de conseillers... tout, mais pas en arriver à cette extrémité.

Ce matin même, Callie avait entendu un type de l'équipe du légiste dire que Wilty puait l'alcool, mais elle commençait à se demander s'il n'y avait pas eu autre chose dans son verre.

— Les autres journalistes, commença-t-elle lentement, vont certainement axer leurs papiers sur « la vie dissolue du prince héritier des Hale » et ses excentricités-qui-lui-auront-coûté-la-vie, je vois ça d'ici.

— C'est probable, acquiesça Luke. Et alors ?

— Avec tout le respect que je vous dois, messieurs, je n'ai pas envie de prendre pour angle d'attaque le style de vie peu conventionnel de Wilty. Moi, j'opterais plutôt pour le style de mort peu conventionnel de sa famille.

Les deux hommes la regardèrent

— « La malédiction des Hale », lâcha-t-elle. Voilà le fil conducteur que je vous propose.

Et elle leur expliqua son plan.

Quand elle se tut, Brad et Luke n'avaient toujours pas prononcé un mot. Les deux hommes échangèrent un regard, puis le big boss se leva et tendit la main à Callie.

— Vous avez un mois. Six semaines, au plus. Ça ira ?

Callie déglutit avec difficulté.

— Je ferai de mon mieux, monsieur.

Elle devait bien ça à Wilty.

6

Les matinées de Carolyne Hale suivaient un rituel réglé comme du papier à musique. Lourdes, sa gouvernante, la réveillait à sept heures pile, trois minutes avant de lui apporter, sur un plateau en teck, un petit pot de *Café de Paris* (importé de chez Fauchon), une tasse en porcelaine fine, un verre de jus de pamplemousse fraîchement pressé et une tranche de pain complet non beurrée. Sans oublier l'édition du matin du *City Courier*.

Après avoir glissé ses deux oreillers dans le dos de Madame et posé le plateau sur le lit, Lourdes pressait un bouton qui ouvrait silencieusement les rideaux de brocart pour laisser la lumière du jour pénétrer dans la chambre aux tentures murales pêche. Sauf contrordre, elle s'éclipsait sur la pointe des pieds.

Carolyne buvait son café à petites gorgées, en survolant les gros titres. Plus tard, elle reprendrait les articles qui l'intéressaient. Elle ne prenait aucun appel téléphonique avant neuf heures. Quant à recevoir qui que ce soit avant dix heures quarante-cinq, il n'en était pas question. Il fallait être d'une impolitesse extravagante pour oser se présenter plus tôt.

C'est pourquoi elle se dressa dans son lit, offusquée, quand un rustre se permit de sonner chez elle à... huit heures une ! Incroyable ! Quel scandaleux manquement aux convenances !

Lourdes tapa humblement à la porte de la chambre et annonça en fixant le plancher que le lieutenant de police Caleb Green demandait à lui parler.

— Je l'ai prévenu... que vous ne receviez personne, Madame... mais il insiste...

74

La malheureuse en bégayait presque, tant elle redoutait de contrarier sa maîtresse.

Carolyne fronça les sourcils. Une visite de la police à pareille heure n'annonçait rien de bon.

— Dites-lui que je vais faire une exception.

Lourdes, soulagée, referma vite la porte derrière elle.

Quelques minutes plus tard, Carolyne fit son apparition en robe de soie écrue et mules assorties. Elle s'était juste donné un coup de peigne à la hâte, et son visage tendu exprimait à la fois l'inquiétude et le mécontentement.

Non pas un mais deux policiers lui présentèrent leurs cartes.

— Madame Hale, je suis le lieutenant Caleb Green. Et voici l'inspecteur Ezra Chapin. Nous sommes désolés de nous imposer ainsi, mais la gravité de la situation ne nous laisse guère le choix... Nous sommes malheureusement porteurs d'une triste nouvelle...

Aucun muscle du visage de Carolyne ne bougea. Elle resta coite. Le lieutenant interpréta son silence comme la permission de poursuivre.

— Ce matin, entre trois heures et cinq heures, votre fils s'est donné la mort.

— Pardon ?

Carolyne eut un étourdissement. Elle tituba, blanche comme un linge. Le plus jeune des policiers, le dénommé Chapin, la soutint par le bras. À peine eut-elle retrouvé son équilibre, et un peu de son sang-froid, qu'elle se dégagea et se tourna vers son supérieur.

— Vous êtes certain qu'il s'agit de Wilty ?

— Hélas oui, madame. Mais nous aurons néanmoins besoin que vous procédiez à... l'identification légale.

Carolyne accepta d'un signe du menton, écouta Green lui exposer à mots choisis ce qui s'était passé sans poser de questions, après quoi elle mit fin à l'entretien en déclarant qu'elle souhaitait qu'on la laisse seule.

Le lieutenant s'inclina, lui présenta ses condoléances, puis, comme il était sur le point de se retirer, l'informa que l'inspecteur Chapin ici présent l'accompagnerait à l'institut médico-légal – à l'heure de son choix, bien entendu. Il fut convenu qu'il passerait la chercher à midi.

Aussitôt après leur départ, Carolyne regagna son lit. Elle se sentait lasse et émotionnellement secouée. Lourdes avait laissé une nouvelle tasse de café sur la table de nuit. Elle la but lentement tandis que les mots du lieutenant Green tournoyaient dans sa tête.

Votre fils, Wilton Colfax Hale, est tombé du balcon de son appartement... tué sur le coup... un grand malheur...

Sa tasse vide à la main, Carolyne fixa le sucrier comme une boule de cristal où elle aurait pu lire le drame. *Wilty était mort...* Mort ! Cela semblait inconcevable. Elle avait déjeuné avec lui aux *Quatre Saisons* quelques jours plus tôt et, ensuite, ils s'étaient encore parlé plusieurs fois au téléphone. « Querellé » serait plus exact, mais rien de neuf ni de grave : les disputes étaient leur mode de communication habituel.

La dernière fois, c'est vrai, Wilty s'était permis de lui raccrocher au nez. Mais, cette grossièreté mise à part, il ne lui avait pas paru aux cent coups, ni à cran ni à bout. Elle y réfléchit encore, mais non, qui aurait pu supposer qu'il était sur le point de se suicider ?

Elle-même, sa propre mère, ne l'aurait pas cru assez désespéré – ni assez courageux – pour se jeter dans le vide du dix-neuvième étage. C'était une triste surprise qu'il lui avait faite là...

L'image de Wilty s'écrasant sur le pavé lui arracha une grimace d'horreur. Mais la tendresse maternelle n'était pas une qualité dominante chez Carolyne. Une fois qu'elle eut assimilé la nouvelle et déploré les circonstances de cette mort prématurée, elle rangea ses émotions dans un fichier « à traiter plus tard » pour passer aux questions pratiques et urgentes.

Primo : Wilty étant un Hale, son service funèbre devait être absolument grandiose. Un événement médiatique de cette ampleur ne s'improvisait pas et exigeait qu'elle surveille elle-même les préparatifs.

Secundo : la disparition aussi subite qu'imprévue de Wilty n'allait pas manquer de créer de graves complications juridiques et financières. Voilà qui exigeait qu'elle veille au grain et s'entoure de toutes les précautions.

Carolyne sonna Lourdes pour qu'elle lui prépare une toilette de circonstance et se dirigea vers la salle de bains sans perdre une seconde.

Elle avait du pain sur la planche.

L'inspecteur Chapin se représenta comme convenu à midi pour conduire Carolyne Hale à l'institut médico-légal. Il la trouva au téléphone, occupée à donner ses instructions à Arthur, le valet de chambre de Wilty, pour qu'il prépare l'habit mortuaire : chemise blanche Turnbull & Asser, costume de Zegna bleu nuit, cravate en soie assortie signée Charvet...

— ... et pensez aussi à apporter ses souliers préférés, les Lobb. Ah, et aussi et surtout les boutons de manchettes en or frappés aux initiales de E. W. Hale.

Ces boutons de manchettes s'étaient transmis de père en fils depuis le grand aïeul. Puisque Wilty était le dernier de la lignée, Carolyne trouvait assez beau qu'il soit enterré avec un objet ayant appartenu au père fondateur. Une façon de boucler la boucle, en quelque sorte.

Et cela ferait bien dans la presse.

Carolyne reporta son attention sur l'inspecteur, à qui elle signifia d'emblée qu'elle n'entendait répondre présentement à aucune question. Elle refusa catégoriquement de faire le trajet dans une voiture de police. Ce serait sa limousine ou rien.

Elle s'installa sur la banquette arrière, laissant Chapin s'asseoir à côté du chauffeur, et maintint fermée la vitre qui les séparait.

Elle le laissa aussi écarter les journalistes agglutinés devant l'entrée de la morgue pour obtenir une déclaration de la Veuve. À l'intérieur, il n'y avait ni micro ni caméra et elle se détendit un peu. Jusqu'à ce qu'un barbu en blouse blanche lui dise de lui faire signe quand elle serait prête. Elle hocha la tête.

L'homme retira le drap et découvrit la tête du cadavre.

Carolyne détourna vivement les yeux.

Elle sentit la main de l'inspecteur se poser sur son coude et entendit sa voix lui demander si elle allait bien. Elle marmonna que oui. Il attendit un instant, puis la pria doucement de dire si le corps allongé sur la table était celui de son fils.

Elle tourna lentement la tête vers le mort et le regarda. Ses cheveux blonds étaient emmêlés, son teint grisâtre et ses traits défigurés par de hideuses ombres violacées. Il avait les paupières closes, la bouche tordue dans une grimace éternelle.

Surtout, ce visage qui avait tant plu aux femmes, mais qui n'avait plus grand-chose d'humain, exprimait une telle désolation, une telle solitude...

La voix de Wilty résonna cruellement à ses oreilles. « *Est-ce que tu te soucierais même de savoir si je suis mort ou vivant ?* » Carolyne tressaillit, fixa les lèvres exsangues qui ne prononceraient plus jamais aucun mot, et détourna définitivement les yeux. Elle versa une larme. L'indicible, l'insondable tristesse qui émanait de ce masque pétrifié la troublait plus que le silence de la mort et son effrayante immobilité.

Elle entendit un long grincement suivi du bruit sourd d'une porte qu'on claque. C'était son fils qu'on rangeait comme ça dans un tiroir métallique réfrigéré. Un Hale, stocké comme un vulgaire morceau de viande.

— Mademoiselle Jamieson... merci d'être venue.

Callie serra du bout des doigts la main que lui tendait l'inspecteur Ezra Chapin, en s'abstenant de lui rappeler qu'il ne lui avait pas vraiment laissé le choix.

— Je vous présente mon équipier, l'inspecteur Alvarez, poursuivit-il en désignant l'homme qui se tenait à son côté. Jorge, voici Callie Jamieson du *City Courier*.

Plus petit que Chapin, aussi sec et nerveux qu'un fox, Alvarez la salua d'un rapide signe du menton en marmonnant une banalité du genre « ravi de vous connaître ».

Les civilités expédiées, Callie prit le siège qu'on lui offrait, posa son sac à dos sur ses genoux, et ses mains à plat sur le bureau en métal qui lui faisait face, en se demandant quand il avait été nettoyé, s'il l'avait jamais été.

Chapin lui proposa une boisson.

Pendant qu'il lui tendait une bouteille d'eau et que son collègue la fixait de ses yeux perçants, elle les observa à son tour. Ezra Chapin était doté d'un physique de héros de western : un bon mètre quatre-vingts, avec de larges épaules et un beau visage viril de justicier qui-en-a-beaucoup-vu-dans-sa-garce-de-vie. Un peu Gary Cooper dans *Le train sifflera trois fois*, en plus jeune. Bref, il était très bien.

Dommage qu'il leur fasse perdre leur temps à tous les deux en s'obstinant à vouloir l'interroger dans ce bureau moisi de New York au lieu d'aller régler des comptes à O.K. Corral.

Jorge Alvarez faisait, lui, dans le flic de film noir, style *Les Incorruptibles*. Il émanait de toute sa personne une rude vigilance qui soufflait à Callie qu'il valait mieux l'avoir avec soi que contre soi. Il lui donnait l'impression de regarder le monde à travers un prisme très sombre. Comme si son travail l'avait rendu cynique et sans illusions sur la nature humaine.

Crucifiée par le regard ténébreux de l'inspecteur numéro deux, Callie prit la bouteille et le verre que lui tendait le numéro un en le remerciant des yeux.

— Alors… on peut savoir quelles étaient vos relations avec Wilton Hale ? attaqua au même instant Alvarez.

— Puisque vous me le demandez si gentiment, Wilty et moi sommes sortis ensemble pendant presque un an, répondit-elle du tac au tac.

Callie détestait déballer sa vie privée devant des étrangers, mais, dans le cas présent, l'honnêteté était la seule politique possible.

— Juste une aventure comme ça, en passant, ou cela dépassait le stade de la simple amourette ? insista-t-il.

Quel mufle !

— Les passades, ce n'est pas mon style. Nous étions très attachés l'un à l'autre.

Chapin n'en était pas étonné. Pas après les larmes qu'il lui avait vues verser le matin même. Il laissa Jorge, « le Tank » comme on l'appelait ici, poursuivre l'offensive :

— Quand avez-vous arrêté de vous fréquenter ?

— Il y a environ six mois.

— Il vous a laissé tomber ou c'est le contraire ?

— Quelle importance ? repartit-elle en refusant de mordre à l'appât. Nous étions arrivés au bout de notre histoire, voilà tout.

— À laquelle de ces images véhiculées par la presse ressemblait Wilton Hale ? intervint Chapin. L'enfant gâté ? le fils à papa ? le tombeur de ces dames ? le milliardaire poivrot ? à toutes à la fois ?

Le visage de Callie s'enflamma.

— À aucune. Oubliez ce que vous avez pu lire dans ces torchons, Wilty était un homme formidable !

— Ah bon. Ce n'est pourtant pas ce qu'on...

— Écoutez, en dépit des apparences, je peux vous dire qu'être un Hale n'était pas drôle tous les jours, c'était lourd à porter. Fils à papa ? Wilty a perdu son père très jeune, et si vous connaissiez sa mère, vous ne pourriez pas l'imaginer en enfant gâté ! Un don Juan, et alors ? Il avait tout pour lui : la beauté et le charme. Plaire est illégal ? Quant à l'alcool, c'était récent. Du temps où nous étions ensemble, je ne l'ai vu s'enivrer qu'à la fin. Wilty possédait quelque chose de rare : la classe, avec un grand C !

Elle s'interrompit, hors d'haleine. Les deux inspecteurs paraissaient on ne peut plus intéressés par sa tirade.

— C'est drôle, commenta Alvarez. Selon nos sources, votre saint Wilton avait tout le temps un coup dans le nez, avec un grand C.

Cette caricature d'un Wilty perpétuellement éméché avait le don d'exaspérer Callie.

— Il avait changé du tout au tout depuis un an, admit-elle.

— En quoi l'avez-vous trouvé changé ?

Chapin nota son hésitation à dire du mal de lui. Il se demanda si elle se souciait de sa propre réputation, ou de celle de son ex. Ce ne serait pas la première à refuser de reconnaître qu'elle avait partagé la vie d'un alcoolique.

— Il s'est mis à boire de plus en plus, avoua Callie. En même temps, il a cessé de voir ses vieux amis comme de fréquenter ses « repaires » préférés. À la place, il a commencé à devenir un pilier de bar dans des clubs du centre-ville. Et il a laissé tomber plusieurs de ses activités philanthropiques.

Elle soupira et ajouta à mi-voix, comme pour elle-même :

— Tout ça lui ressemblait si peu... C'était le jour et la nuit, je ne le reconnaissais plus.

— Des activités philanthropiques, disiez-vous ? la relança Ezra Chapin après un silence.

— Oui. Il consacrait beaucoup de temps et d'argent aux enfants malades et défavorisés. Il prenait à sa charge les soins des premiers et allait les voir à l'hôpital. Pour les autres, il avait fait construire des terrains de base-ball dans les quartiers difficiles et payait tout, des rencontres entre équipes invitées aux équipements des gosses. Et je ne vous parle que de ce que je connais, car Wilty n'était pas du genre à se vanter de sa générosité. La preuve : vous n'étiez visiblement pas au courant !

Elle n'était pas fâchée de noter que les deux inspecteurs avaient l'air étonné en découvrant cet aspect de la personnalité de Wilty, mais était chagrinée en même temps de leurs préjugés négatifs contre lui.

— Et il a arrêté de jouer les bons Samaritains du jour au lendemain ? Pouf, comme ça ?

Alvarez se balançait sur sa chaise en l'examinant d'un œil goguenard.

— Presque.

— Dites, mademoiselle Jamieson, qu'est-ce que vous lui avez fait pour le démolir ? Tous les hommes que vous plaquez se mettent à boire, ou c'est juste lui qui ne s'en est pas remis ?

Callie le mitrailla des yeux, mais malgré la grossièreté des mots la question valait d'être posée. Elle se l'était posée elle-même toute la journée.

Dès la minute où elle avait appris que la victime n'était autre que Wilty, elle s'était interrogée sur le rôle qu'elle avait pu jouer dans son suicide. Si elle était restée deux ou trois mois de plus à ses côtés, si elle ne l'avait pas abandonné à son vice, si elle l'avait mieux aidé à affronter ce qui l'attendait à ses trente-cinq ans, aurait-on retrouvé son corps disloqué sur le pavé d'une allée noire, entre deux poubelles ? Il lui faudrait vivre avec ce doute horrible.

— Le déclin de Wilty ne date pas de notre rupture, il avait commencé un peu avant, dit-elle d'une voix blanche.

— Pourriez-vous être un peu plus explicite ? demanda Chapin.

Callie détestait révéler les secrets de Wilty, mais elle s'exécuta pour les besoins de l'enquête.

— Le 1ᵉʳ juin prochain, date anniversaire de ses trente-cinq ans, Wilty allait disposer de toute la fortune Hale et devenir le seul maître de cet empire. Il m'a expliqué que cela représentait, je crois, cinq cents millions de dollars.

Alvarez émit un petit sifflement.

— Impressionnant !

— Oui, c'était bien le problème. Cette perspective le remplissait à la fois de fierté et de crainte. Foncièrement honnête avec lui-même comme avec les autres, Wilty n'était pas sûr de pouvoir gérer parfaitement une machine aussi monstrueuse que l'ensemble des holdings Hale.

— Je peux comprendre ça, commenta Alvarez avec une soudaine bouffée de compassion.

— Si je vous suis bien, enchaîna Chapin, Wilton Hale, de peur de ne pas être à la hauteur, se réfugie dans la bouteille et vous le quittez. C'est aussi simple que ça ?

Ce résumé juste dans le fond mais extrêmement abrupt désarçonna Callie. Les deux hommes le sentirent-ils ? Toujours est-il que Chapin ne lui laissa pas le temps de souffler :

— C'était important pour vous de faire partie de la famille Hale ?

Callie n'apprécia pas du tout le sous-entendu.

— Vous voulez savoir s'il était important à mes yeux que *lui* soit un Hale ? Ou que *moi* j'en devienne une ?

Il sourit, comme s'il venait d'avoir sa réponse, et ce sourire la hérissa.

— Puisque vous avez apparemment raté un épisode, inspecteur Chapin, je me permets de le répéter : de loin, être un Hale peut sembler quelque chose de merveilleux, mais au bout du compte, cela apporte plus d'ennuis que de plaisir. Je ne suis jamais sortie avec Wilty dans l'espoir qu'il m'épouserait. C'est assez clair, cette fois ? Plus de questions ?

— Une seule. Pourquoi vous a-t-il appelée la nuit où il est mort ?

— Qu'est-ce que vous racontez ? Wilty ne m'a jamais appelée.

— Si. Deux fois, même. Inutile de nier, nous avons ses relevés téléphoniques.

Callie se demanda si Chapin avait pris des cours pour se montrer odieux ou si ça lui venait naturellement.

— Au nom de quoi me parlez-vous sur ce ton ? Je suis rentrée à minuit ce soir-là, et quand j'ai écouté mon répondeur, je n'avais que des appels sans message. Comment aurais-je pu imaginer qu'il s'agissait de Wilty ?

Alvarez calma le jeu.

— Personne ne dit le contraire. Peut-être avez-vous une idée de la raison de ces deux appels inattendus ?

— Aucune.

— Cherchez bien, insista-t-il en lui mettant sous le nez les relevés de la compagnie du téléphone. Votre ex a cherché à vous joindre à vingt-trois heures trente et vingt-trois heures quarante et une. Vraiment pas la plus petite idée du motif de ces appels tardifs ?

— Pas la moindre. Wilty ne m'avait pas donné signe de vie depuis des mois.

— Portait-il des lunettes ?

Callie se tourna vers Chapin, déconcertée. Sans doute voulaient-ils tous les deux la déstabiliser en la mitraillant de questions décousues. Mais en même temps, elle prit conscience de l'étrange tension qui régnait subitement dans le bureau.

— Wilty portait des verres de contact. Il ne mettait ses lunettes que quand ses yeux étaient fatigués. Pourquoi ?

— Une paire de lunettes lui appartenant a été retrouvée à côté de sa dépouille. Ça colle mal avec un suicide par défenestration. Généralement, on ne chausse pas ses lunettes pour faire le grand saut.

Callie frissonna en imaginant les dernières sensations qu'avait dû éprouver Wilty en tombant d'aussi haut ; ses yeux agrandis d'horreur avaient vu le sol tournoyer et monter, monter à sa rencontre...

Avec un temps de retard, elle prit la mesure de ce que venait de dire l'inspecteur.

— Vous insinuez que la chute de Wilty pourrait être accidentelle ?

— Je n'insinue rien, mademoiselle Jamieson. Je me pose des questions, alors j'en pose et j'écoute les réponses en essayant d'y voir clair. C'est un peu aussi ce que vous faites pour votre canard, pas vrai ?

Un pas en avant, deux pas en arrière... Mais pour qui se prenaient-ils à la fin, à souffler le chaud et le froid... à prêcher le faux pour savoir le vrai... ? Cela avait assez duré. Callie saisit la balle au bond pour mettre un terme à cet interrogatoire qui ne voulait pas dire son nom.

Elle se dressa de sa chaise et attrapa son sac à main.

— Puisque vous en parlez, je vais justement y retourner de ce pas, à mon « canard ». Parce que j'ai assez perdu de temps à répondre à vos questions déplacées. Vous essayez d'y voir clair ? Eh bien, vous me ferez signe quand vous serez arrivés à la lumière ! Et si je ne vous revois pas, ce ne sera pas la fin du monde !

Sur ce, elle quitta la pièce en claquant la porte. Ezra Chapin se gratta le menton, puis lança à son équipier ·

— Bon ! Ça s'est plutôt pas mal passé, non ?

7

Peter Merrick arpentait son bureau de long en large en écoutant l'enregistrement de sa dernière séance de travail avec Callie Jamieson.

« *Il est habillé comme un homme de la ville. Veste bien coupée et pantalon à pli.* »

— *Comme un homme de la ville*, répéta Merrick en pressant la touche « pause ».

Ces mots désuets sonnaient étrangement dans la bouche d'une jeune femme moderne. Cela fleurait la campagne – et encore, autrefois... Or Callie avait toujours été une citadine. Intéressant.

Il appuya sur « retour en arrière » et réécouta la bande.

« *Ce n'est pas une dame de la ville.* »

C'était bien la même image.

« *Elle est mise très simplement.* »

Encore une expression « datée ».

« *Le labeur lui a rendu les mains calleuses.* »

Pourquoi cette tournure alambiquée quand on dirait couramment « elle a les mains abîmées par les travaux ménagers » ?

De plus en plus intrigué, Merrick rembobina l'intégralité de la bande et se la repassa pour la énième fois. Il savait le texte par cœur, mais il augmenta le volume pour ne pas perdre la plus petite inflexion vocale, mesurant chaque mot, soupesant chaque hésitation, tentant de pénétrer le sens de ce rêve comme on cherche la combinaison d'un coffre-fort.

C'était le ciel qui lui avait envoyé cette patiente ! Callie Jamieson était *le* cas dont il rêvait.

Le bar circulaire du *Royalton* était si bondé que Callie faillit renoncer à repérer Paula. Autant chercher une aiguille dans une botte de foin. Par chance, aux abords du comptoir central, une main émergea de la marée humaine et s'agita vaillamment. Les yeux rivés sur cet index pointé vers le ciel, Callie parvint à se frayer un chemin jusqu'au reste du corps de son amie.

Grande, un peu massive, les cheveux noir corbeau, la bouche soulignée de cet éternel rouge à lèvres violet qui était sa signature, Paula Stein sauta de son tabouret de bar pour accueillir sa copine d'enfance.

Elles s'étaient rencontrées à dix ans. Bill, le père de Callie, s'était remarié et la nouvelle famille Jamieson avait emménagé à Pennington Road, juste à côté du petit pavillon des Stein. Dès leur arrivée, Paula – plantée derrière les carreaux de la cuisine – avait inspecté ses nouveaux voisins. Chouette, il y avait des enfants ! Parmi eux, elle avait immédiatement repéré la blondinette un peu à l'écart qui avait, à vue de nez, le même âge et la même taille qu'elle.

Le lendemain matin, Paula sonnait à sa porte pour lui demander si elle avait envie de venir faire du vélo avec elle. Le courant était tout de suite passé entre les fillettes. Vingt ans s'étaient écoulés, et elles n'avaient jamais dû être séparées plus de deux ou trois semaines.

Callie et Paula se ressemblaient moins qu'elles ne se complétaient. Petite, Callie avait eu beaucoup de chance de pouvoir compter sur une amie pareille. Le remariage de son père lui avait apporté une belle-mère, Séréna, un frère et une sœur, mais personne qui lui soit particulièrement cher.

Elle avait supporté Séréna et ses deux petits monstres parce qu'elle adorait son père et qu'elle voulait qu'il soit heureux. Mais il ne l'était pas, et Callie le soupçonnait même de s'être remarié pour qu'elle ait une maman à la maison. Un comble !

— Harry le British réussit le meilleur Cosmopolitan de tous les temps, annonça Paula. Je t'en ai commandé un d'office. Tu vas voir ce que tu vas voir !

Elle poussa le verre devant Callie qui, sans cesse bousculée par le coude de son voisin, essaya de le porter à ses lèvres sans en renverser la moitié sur son chemisier.

— Tu as bien fait, j'avais une de ces soifs. Ooooh ! c'est génial ! Qu'est-ce que la reine attend pour anoblir ce Harry ?

Les lèvres violettes de Paula affichèrent un sourire triomphal.

— Je me suis laissé dire qu'il le prépare avec de la vodka des monts Tatra !

— Alors ! fit gaiement Callie en se délectant d'une autre gorgée.

Paula connaissait tous les bons coins et les petits secrets des meilleurs établissements de New York. Cela faisait d'ailleurs partie de son métier puisqu'elle était depuis peu critique gastronomique au *City Courier*.

Le fait de se retrouver vaguement collègues, en tout cas de travailler dans la même tour pour le même journal, sans les rapprocher davantage (c'était difficile), leur avait du moins donné l'occasion de se rencontrer plus facilement pour le déjeuner ou le dîner, comme ce soir-là.

Après avoir bu jusqu'à la dernière goutte le cocktail *made by Harry*, Callie se déclara prête à passer à table.

— J'ai besoin de me sustenter !

— Je ne comprends pas comment tu peux avoir encore faim ! Tu viens de gober toutes les cacahuètes, il ne m'en reste pas une !

— Fais-moi un procès. Mais avec la journée que j'ai eue, le jury m'accordera les circonstances atténuantes...

Paula cilla, vida son verre à son tour et régla d'autorité l'addition.

— Je suis au courant pour Wilty, commença-t-elle en prenant le bras de son amie tandis qu'elles attendaient de récupérer leurs manteaux au vestiaire. Je sais que ce doit être... très dur pour toi. Si tu veux qu'on en parle... Vous avez été si proches, tous les deux. Finir comme ça...

Callie essaya vainement de chasser l'image de Wilty fourré dans une housse mortuaire comme dans un vulgaire sac-poubelle.

— Oui, se contenta-t-elle de confirmer, la colonne vertébrale parcourue de frissons.

Elle s'enveloppa dans son manteau léger comme pour y puiser un peu de chaleur. Quelqu'un lui effleura l'épaule. Elle se retourna. Personne.

Callie secoua la tête, fronça les sourcils – et c'est alors qu'*elle le vit*.

L'Homme gris se dressait juste devant elle.

Lui, ici ? Non, c'était impossible. Il n'avait pas sa place en ce monde. Il appartenait à la nuit et à ses pires cauchemars. Terrifiée, Callie sentit ses jambes se dérober sous elle.

— Tout va bien ? s'écria Paula en se précipitant pour la retenir.

Callie hocha la tête, incapable d'articuler un son. Son cœur battait la chamade, elle suffoquait.

Les Gens gris ne venaient la hanter que la nuit.

Livide, elle scruta avec angoisse l'espace où venait d'apparaître l'Étranger. L'Homme de la ville.

Pourquoi l'avait-il suivie jusqu'ici ? D'où venait-il ?

— Tu as besoin de prendre l'air, viens...

Elle entendit comme dans un brouillard la voix de Paula, et sentit vaguement le bras qui l'enlaçait par la taille pour l'entraîner dehors.

Hébétée, Callie se remémorait avec épouvante ce que lui avait jadis confié sa mère : « *Ils sont sortis de mes cauchemars pour me poursuivre même en plein jour.* »

Paula la poussa dans un taxi et donna au chauffeur l'adresse de Callie.

— Qu'est-ce que tu fais ? balbutia Callie.

— À ton avis ? Je te ramène chez toi.

— Je ne veux pas rentrer !

— Non !

La voix de Callie était stridente.

Il pouvait l'attendre là-bas...

— Mais, voyons...

— Écoute, ce Cosmopolitan m'a tourné la tête. Dès que j'aurai avalé quelque chose, ça ira mieux. D'ailleurs, ça va déjà mieux.

— Tu es *sûre* ?

— Absolument, mentit Callie avec un grand sourire. Nous

devions dîner au restaurant, et c'était à toi de m'inviter, si je ne m'abuse ! Tu ne vas pas t'en sortir comme ça !

— Pour qui me prends-tu ?

Plutôt que de chercher à la dissuader, Paula indiqua leur nouvelle destination au chauffeur, mais elle n'était pas rassurée.

Le trajet s'effectua dans un silence gêné.

— Tu te sens un peu mieux ?

Paula nota avec soulagement que le visage de Callie avait retrouvé un semblant de couleur. Après tout, elle avait peut-être vraiment besoin de manger.

— Bien mieux. Ces blinis de saumon étaient délicieux.

— Parfait. Je suis passée à ton bureau cet après-midi. Je me demandais comment tu allais...

— J'étais au poste, figure-toi.

— Quelle drôle d'idée. Pour quoi faire ?

Callie afficha une moue sarcastique.

— L'inspecteur Manitou m'avait « invitée » à une petite séance de torture !

— Aïe ! Et... pourquoi Manitou ? Il sait tout ?

— Tu parles ! Il *manie* tout, à sa guise. Si tu avais vu comme il a essayé de m'entortiller ! Lui et son bourreau adjoint, l'inspecteur Mufle, voulaient tout savoir de mes relations avec Wilty. Je te passe les détails.

— Ah bon ? fit Paula, déçue, mais compréhensive.

Callie ne tenait pas plus à reparler de son interrogatoire que de la fin macabre de Wilty ou de ses fantômes. À la place, elle raconta à Paula son entretien avec le big boss. Au moins, il y avait là quelque chose de positif.

Mais quand elle eut expliqué son intention d'axer son enquête sur « la malédiction des Hale », Paula fronça les sourcils.

— Qu'est-ce qui t'a donné cette idée ?

— Tu ne la trouves pas bonne ?

— Si, la question n'est pas là. Mais pourquoi, Callie ?

— Eh bien, parce que...

Elle ouvrait la bouche pour expliquer que trop d'hommes

de cette famille étaient morts trop jeunes de mort violente, et que ça commençait à faire un peu trop de coïncidences, quand elle se découvrit avec stupeur une autre motivation.

— Parce que au fond du cœur, répondit-elle lentement, je me suis souvent demandé si ma propre famille n'était pas maudite...

— Ah, fit simplement Paula. Revoilà les cauchemars.

Callie s'humecta les lèvres. Elle eut envie de lui crier : « Si c'était une malédiction qui frappait les femmes de ma famille, comme la malédiction des Hale frappe les hommes... ? » Mais elle respira un grand coup et domina la peur qui l'étreignait.

— Je fais ce rêve horrible. Ma mère le faisait. Hier, quelqu'un m'a demandé si ma grand-mère le faisait.

— Et c'était le cas ?

— Je ne sais pas, mais suppose que oui... Une famille qui se transmettrait le même cauchemar de génération en génération... tu appelles ça une bénédiction ?

— Pas précisément !

Depuis le temps qu'elles se connaissaient, Paula avait eu l'occasion à plusieurs reprises de voir – et d'entendre ! – Callie se réveiller en sursaut au beau milieu de la nuit. On n'oubliait pas facilement une telle scène. La pauvre hurlait comme une folle, hallucinée, les pupilles dilatées par l'épouvante, le corps inondé de sueur et glacé en même temps, parcouru de frissons et de violents tremblements. L'image même de la terreur.

— Ça recommence ? chuchota Paula, sachant toute l'horreur que recouvraient ces seuls mots.

— Ils sont revenus l'autre nuit.

— Les mêmes ? Encore pires ?

À peine cette question formulée, Paula s'en voulut. Que pouvait-il y avoir de pire que d'être perpétuellement tourmentée par ses rêves ? On ne peut pas se défendre d'un cauchemar. Il dispose totalement de nous, on est son prisonnier, à sa merci. Et Callie supportait cet enfer depuis plus de vingt ans. En comparaison, sa pauvre mère avait craqué beaucoup plus vite.

Une ombre passa dans les yeux turquoise de Callie.

— Je peux bien te le dire à présent, chuchota-t-elle pour

que les autres clients du restaurant n'entendent pas. Tu te souviens… tout à l'heure, au vestiaire ? Eh bien, il était là-bas.

— Qui ça, « il » ?

— L'Étranger. L'Homme gris. Il se tenait juste devant moi.

Elle ne put s'empêcher de vérifier autour d'elle que l'apparition ne l'avait pas suivie jusqu'ici et ne s'apprêtait pas à la punir d'avoir révélé son existence.

— Il était là-bas, répéta-t-elle dans un souffle. Je l'ai vu, de mes yeux vu.

— Je te crois, ma chérie.

Elle dit ça pour ne pas me contrarier, mais elle n'y croit pas, songea Callie. Paula n'avait rien remarqué d'anormal au vestiaire, et devait plutôt estimer que Harry avait eu la main lourde en dosant son Cosmopolitan. Pour elle, l'alcool conjugué à une journée difficile expliquait certainement hallucination et malaise.

Paula secoua la tête comme si elle avait lu dans ses pensées.

— Callie… je te crois, répéta-t-elle. Vraiment. Ne le prends pas mal, mais il est peut-être temps de… de parler de tout ce qui t'arrive à un… un spécialiste. Quelqu'un qui pourrait…

Elle marchait sur des œufs ; Callie eut pitié d'elle.

— Un psychiatre ? Un psychanalyste ? Je n'ai pas attendu ton conseil, je suis en analyse depuis près de six mois.

— Cachottière ! s'exclama Paula, ravie. Qui te suit ?

— Peter Merrick. Un expert dans les rêves récurrents. Il a écrit un livre, *Le Présent antérieur*, où il avance des théories très… surprenantes. De toute façon, je n'ai pas grand-chose à perdre, pas vrai ?

Le serveur interrompit un instant leur conversation en apportant la suite du dîner. Il leur servit leurs plats et le vin blanc frais.

— Bravo ! Je suis fière de toi, affirma Paula en levant son verre. Ça n'a pas dû être facile de commencer une thérapie, n'est-ce pas ?

— Tu sais, dans ma situation, c'était encore plus difficile de ne rien faire du tout. Je suis allée consulter le Dr Merrick peu après ma rupture avec Wilty et – oh, mon Dieu…

Sous l'œil consterné de Paula, Callie se mordit la lèvre et poursuivit d'une voix hachée par l'émotion :

— Wilty était en train de se détruire à petit feu et au lieu de rester à ses côtés jusqu'au bout, comme mon père l'a fait pour ma mère, je lui ai tourné le dos. Et regarde le résultat...

Paula reposa son verre et secoua la tête.

— Ce qui lui est arrivé est terrible, Callie, mais tu n'en es absolument pas responsable. Tu n'aurais pas pu le sauver.

— Papa au moins est resté fidèle...

— D'accord, ton père a soutenu sa femme jusqu'à la fin, mais qu'est-ce que ça a changé ? Rien. Il n'a pas pu la sauver parce que personne ne le pouvait.

Paula étendit le bras et posa sa main sur celle de Callie.

— Tu as essayé d'aider Wilty, mais ses problèmes étaient plus forts que toi. Pleure-le. Plains-le. Regrette la vie qui vous aura séparés. Mais ne t'estime pas coupable, tu ne l'es pas.

Callie serra ses doigts entre les siens.

— Si seulement je pouvais être sûre qu'il ne s'est pas suicidé, que c'était un accident...

Elle rapporta à son amie la petite phrase de Chapin au sujet des lunettes retrouvées près du corps. « *Généralement, on ne chausse pas ses lunettes pour faire le grand saut.* »

— Si c'était un accident, répéta pensivement Paula, ça changerait tout. Pas pour le pauvre Wilty, hélas, mais toi tu échapperais aux doutes qui te rongent et tu te sentirais plus forte pour...

— ... échapper aux rêves qui me dévorent, acheva Callie avec un rire amer. Alors ça, c'est une autre histoire. J'ai si peur de ce qui est peut-être en train de détruire ma raison – peur de finir comme ma mère !

— Cela n'arrivera pas, affirma vivement Paula. Tu vas remonter la pente.

— Pour le moment, j'ai plutôt l'impression de sombrer. Tu te rends compte de ce qui s'est passé tout à l'heure au vestiaire ? Si les Gens gris sortent de mes rêves pour me hanter aussi le jour, c'est la fin de tout.

Paula balaya la crainte de Callie d'un geste de la main.

— Ne dis pas ça ! Ton psy va t'aider.

— ...

— Tu vas lui en parler, au moins ?

— La prochaine fois que je le verrai, marmonna Callie en se demandant s'il y aurait une prochaine fois. Si nous goûtions cette lotte à l'américaine ?

— L'*armo*ricaine, rectifia machinalement la critique gastronomique, l'appétit coupé.

Elles mangèrent un moment en silence. C'était très fin, mais déjà un peu froid, et il fallait bien dire qu'elles avaient l'esprit ailleurs. Du côté du Dr Merrick pour Paula, qui demanda

— À propos du bouquin de ton psy, que signifie son titre *Le Présent antérieur* ?

— Merrick prétend avoir beaucoup travaillé avec des personnes qui croient avoir vécu une vie antérieure...

Callie résuma dans les grandes lignes ses théories sur la mémoire génétique et la transmission d'un patrimoine génétique de souvenirs. Paula l'écouta avec beaucoup d'intérêt et un peu d'étonnement.

Elles avaient souvent parlé de la réincarnation et Callie s'était toujours montrée plutôt sceptique : « Quand on est mort, on est mort. » Elle n'ajoutait pas « point final », car elle voulait bien admettre que l'âme du défunt quittait son corps pour aller au paradis, en enfer, enfin Dieu sait où, mais une fois arrivée à destination, elle n'en bougeait plus.

À l'inverse, Paula trouvait l'idée de recommencer une autre vie dans un autre corps réconfortante, et même très excitante.

— Ton Merrick me plaît bien. Je t'ai toujours dit que tu étais une vieille âme !

— Ça, j'ai l'impression de vieillir à la vitesse grand V !

Elles rirent toutes les deux, mais sans réussir à alléger longtemps l'atmosphère.

— Dis, il t'a fait revenir en arrière ? demanda Paula, dévorée par la curiosité.

— L'autre jour, nous avons essayé une régression par hypnose.

Callie commençait à lui raconter la séance quand son visage perdit toute couleur.

— C'était la première fois... et c'est aussi la première fois que l'Homme gris a osé sortir de mes rêves, constata-t-elle. Et s'il ne s'agissait pas d'une coïncidence ? Si l'hypnose avait déclenché quelque chose ?

— À quoi penses-tu ? murmura Paula en frissonnant.

Les yeux de Callie la traversèrent comme si elle était transparente, pour se perdre dans un monde peuplé de spectres grisâtres visibles par elle seule.

— J'espère que je n'ai pas touché quelque chose qu'il valait mieux ne pas toucher...

Il était tard quand Callie regagna son appartement. Elle remarqua immédiatement le signal rouge qui clignotait sur son répondeur téléphonique. Un seul message, indiquait le voyant.

Peut-être l'inspecteur Manitou avait-il du nouveau...

« Callie, c'est le Dr Merrick. »

Elle se figea.

« Je ne vois pas votre nom dans mon carnet de rendez-vous. J'espère que ce n'est qu'un oubli. Si vous aviez le moindre problème d'emploi du temps, n'hésitez pas à m'en parler : je m'arrangerai pour vous recevoir au jour et à l'heure de votre choix. Faites-moi signe. »

Callie resta un moment immobile, puis elle appuya sur le bouton d'effacement des messages.

Il lui sembla que la bande se rembobinait avec un petit sifflement de protestation.

Tant pis si elle gâchait ses bonnes relations avec Peter Merrick. Tant pis pour le travail qu'ils avaient commencé ensemble. Elle ne voulait plus qu'il l'hypnotise. Elle n'était même pas sûre de vouloir continuer son analyse.

— Je trouverai un autre moyen, murmura-t-elle. Je ne peux pas retourner *là-bas*.

Parce qu'une fois qu'on y était entré on n'en ressortait pas.

8

Relié plein cuir, le magnifique registre des signatures (censées tenir lieu de condoléances) venait de chez Cartier ; le porte-plume était bien évidemment un Montblanc. La maison Slatkine avait fourni les bougies qui conféraient à la pièce cette suave austérité, et les artistes de chez Remy avaient réalisé la décoration florale. Vraiment, Carolyne pouvait se montrer satisfaite. Tout était parfait : sa robe Chanel, sa coiffure signée Fekkai, ses bijoux Boucheron et jusqu'au mouchoir de chez Frette dont elle se tamponnait les yeux. Pas une seule fausse note.

La seule chose en toc, c'était le chagrin de Carolyne Hale.

Assise sur une chaise haute en chêne, elle subissait avec une patience stoïque l'épuisant rituel des condoléances. Quelle plaie ! Pourquoi chacun se sentait-il obligé d'y aller de son petit couplet sur les dons du « cher disparu » trop tôt arraché à l'affection de ses amis, à l'amour de sa mère, et cætera ? Noblesse oblige, Carolyne hochait la tête d'un air pénétré à cette affligeante litanie de lieux communs.

Au bout d'une heure, la grande salle était quasi pleine. Les visiteurs formaient de petits groupes, comme dans n'importe quel cocktail, sauf qu'ils parlaient à voix basse, tels des conspirateurs. Carolyne n'avait pas besoin de les entendre pour deviner qu'ils n'avaient qu'un sujet à la bouche : pourquoi l'héritier des Hale avait-il choisi de se donner la mort ? Et une mort aussi peu correcte, avait-elle envie d'ajouter. Avait-on idée d'aller s'écraser du côté des poubelles, pour être trouvé par des éboueurs ! C'était *déplacé*.

Quand elle sentit qu'elle pourrait difficilement supporter

un « Mourir si jeune... quelle tragédie ! » ou un « Hélas ! ce sont toujours les meilleurs qui partent les premiers... » de plus, Carolyne se leva de son trône. Elle alla rejoindre dans leur coin Peter Merrick et Guy Hoffman. Ils étaient probablement les seuls ici à ne pas cancaner sur Wilty et, par ricochet, sur elle.

Carolyne siégeait au conseil d'administration de GenTec Sciences, la société de Hoffman qui travaillait à établir la carte du génome humain. Ses conseillers financiers lui avaient fait valoir qu'un investissement dans cet organisme serait très rentable.

Quant à Peter, il lui faisait souvent office de cavalier et aussi, de temps à autre, d'amant.

C'est elle qui les avait mis en relation quelques mois plus tôt, à l'occasion d'un grand dîner. Elle connaissait l'intérêt de Merrick pour la mémoire génétique et savait que Hoffman pensait avoir réussi à isoler le gène de la mémoire humaine. Leur rencontre s'imposait, comme elle l'avait décrété sur un ton mondain en les présentant l'un à l'autre. Le fait est que les deux hommes s'étaient immédiatement trouvés sur la même longueur d'onde, et en avaient su gré à leur hôtesse. Or Carolyne Hale adorait qu'on lui soit redevable de quelque chose : ça la flattait, et cela pouvait toujours servir à quelque chose.

— Messieurs, je tenais à vous remercier encore de m'entourer en ce jour cruel. Votre présence me touche infiniment, assura-t-elle en pressant son mouchoir entre ses doigts.

Ils s'inclinèrent d'un même mouvement devant elle et lui renouvelèrent leurs condoléances, sans oublier de rendre un vibrant hommage à sa force de caractère et à sa dignité dans le malheur qui la frappait. Nul ici n'ignorait le besoin de Carolyne d'être perpétuellement encensée.

Merrick était sincèrement attristé par la mort de Wilty. Il ne l'avait pas bien connu, mais assez tout de même pour beaucoup l'apprécier – ce qui plongeait Carolyne dans des abîmes de perplexité. Elle avait parfaitement conscience du pouvoir de séduction de son fils, mais n'aurait pas cru que sa curieuse tournure d'esprit et ses extravagances plairaient à un scientifique rigoureux comme le Dr Merrick.

« J'apprécie sa façon tordue de regarder le monde et ses contemporains, lui avait expliqué Peter un jour où elle s'était étonnée qu'il prenne la défense de Wilty. Votre fils est imaginatif, amusant, très attachant... »

Carolyne avait songé que c'était plutôt ce qu'elle aurait dit d'un cocker, mais elle avait gardé cette réflexion pour elle. Cela aurait nui à son image de mère aimante – et désormais de mère éplorée.

— Je n'arrive pas à comprendre pourquoi il a commis cette folie, se lamenta-t-elle en tapotant son mouchoir sur son œil sec.

Merrick suggéra délicatement les raisons qui pouvaient pousser un être fragilisé à chercher l'apaisement et l'oubli dans le repos éternel – mais Carolyne ne l'écoutait plus. Elle venait de remarquer l'arrivée de Harlan Whiteside, tout de noir vêtu et arborant une mine de circonstance.

— Peter, Guy, voulez-vous m'excuser ? Le devoir m'appelle, affirma-t-elle après un soupir en les gratifiant d'une moue pathétique.

Et elle les abandonna. Elle n'allait pas prendre racine à les entendre ressasser les malheurs de Wilty. Il y avait des priorités dans la vie ! Et Harlan Whiteside en faisait partie.

Harlan était un ténor du barreau et, accessoirement, un ex-amant – ce qui ne gâtait rien, même si elle l'avait moins relancé pour ses prouesses au lit que pour ses exploits juridiques. Avec les risques d'une contestation d'héritage évoqués par Wilty, on ne se montrait jamais trop prudent. Harlan avait le bras long, la conscience courte et l'éthique professionnelle à géométrie variable. Retors en diable, il étouffait comme personne un scandale et savait plonger une sale affaire dans les oubliettes en un rien de temps. Bref, il était l'homme de la situation.

Malheureusement, Carolyne n'avait pas encore réussi à mettre la main sur les documents compromettants évoqués par Wilty. Et ce n'était pas faute d'avoir cherché...

Merrick et Hoffman avaient repris leur conversation à voix basse. Ils comparaient les avancées de leurs recherches respectives.

Guy Hoffman était le type même du savant à lunettes rondes, aux cheveux fous et aux idées géniales cher à l'imagerie populaire. Généralement affable et ouvert, le retard pris par ses travaux le rendait en ce moment extrêmement nerveux. Les bailleurs de fonds s'impatientaient et menaçaient de supprimer leurs subventions, faute de résultats rapides.

— Je suis en pleine phase expérimentale sur le P 316. Si mon hypothèse est correcte, et je suis sûr qu'elle l'est, l'emploi de cette protéine pourrait agir comme un amplificateur sur le gène mnémonique et permettre de retrouver les souvenirs ancestraux.

Malgré ses soucis, il avait le regard brillant de celui qui touche au but.

— Et vous, mon cher Peter, où en êtes-vous ? Vous savez que je compte sur vous !

Ses propres expériences sur les rats n'avaient pas été concluantes. Plusieurs n'avaient pas survécu au P 316. Mais cet échec qu'il occultait au maximum ne l'empêchait pas d'espérer que Merrick lui fournirait bientôt un cobaye humain, un candidat qui serait déjà entré en contact avec des souvenirs d'une époque antérieure à la sienne.

Peter lui révéla qu'il avait récemment procédé à une régression réussie.

— Guy, ce n'était qu'une première séance, précisa-t-il en le voyant exulter. Positive et extrêmement prometteuse, certes, mais il en faudra d'autres pour que je puisse véritablement déclarer que ma patiente est la dépositaire d'un passé ancestral.

— Peter, mon P 316 est justement conçu pour hâter le processus !

— Je sais, mais vous et moi avons besoin de progresser encore dans nos recherches avant de tester cette protéine sur un être humain. Je ne veux faire courir aucun risque à ma patiente. La jeune femme en question...

Merrick s'interrompit, bouche bée. La jeune femme en question venait d'entrer dans la salle.

Callie pénétra dans la chapelle de repos et s'approcha lentement du cercueil posé sur des tréteaux tendus de velours vert.

Elle marqua un temps d'arrêt juste avant de découvrir le corps. Généralement, elle préférait garder l'image des défunts tels qu'elle les avait connus plutôt que figés dans la mort, couchés dans une boîte en bois tapissée de satin blanc, habillés et maquillés par une main étrangère. Pour Wilty, cependant, c'était différent : elle avait besoin justement de le revoir « apprêté », préparé par un thanatopracteur, pour chasser l'image de son pauvre corps fracassé sur le pavé.

Quand elle trouva le courage de regarder son visage, elle sourit à travers ses larmes. Il était beau, même dans la mort. Bien sûr, Wilty avait les paupières closes, et elle songea avec tristesse qu'elle ne serait plus jamais émue devant ses yeux si bleus et intenses, si merveilleusement expressifs.

— Je t'aimais tant, articula-t-elle d'une voix étranglée.

Elle porta deux doigts à ses lèvres avant de les poser doucement sur celles de Wilty. Le contact glacé de son corps lui arracha un frisson.

Que t'est-il arrivé ? hurla-t-elle dans sa tête.

Les larmes coulaient sur ses joues. Un couple âgé s'approchait du cercueil. Rapidement, Callie s'essuya les yeux et lança à Wilty un dernier regard d'adieu.

Maintenant, elle n'aspirait qu'à s'en aller au plus vite, mais difficile de ne pas présenter ses condoléances à sa mère. Elle la chercha des yeux et la trouva à l'autre bout de la salle, en pleine discussion avec un avocat célèbre. Tant pis. Ou plutôt tant mieux.

Callie s'éclipsa aussitôt en se disant que personne ne s'offusquerait de son départ précipité pour la bonne raison que personne n'avait simplement remarqué sa présence.

Mais sur ce dernier point, elle se trompait lourdement. Une seconde personne avait été très attentive à ses adieux touchants à Wilty, en dehors de Peter Merrick. Il s'agissait de Carolyne Hale.

9

Le matin des obsèques de Wilty, Callie passa de très bonne heure au journal pour relever ses messages et jeter un œil à la mise en pages de la deuxième partie de son dernier reportage, intitulée « *Dr Devy... à trépas* ».

La première partie était parue la semaine précédente sous le titre : « *Combien de morts sur ordonnance ?* », la dernière sortirait la semaine suivante. Peut-être sous le titre « *Toubib or not toubib ?* »... Ce n'était pas terrible, mais pour l'instant, Callie n'avait pas trouvé mieux. De toute façon, titre accrocheur ou non, ça ferait sensation !

Elle avait travaillé sur cette enquête pendant des mois. Une poignée de médecins véreux, en cheville avec des pharmaciens et un laboratoire tout aussi corrompus, prescrivaient à tour de bras des « cocktails » médicamenteux de leur fabrication, aussi hors de prix que dangereux pour qui les avalait... mais extrêmement rentables pour eux.

Le procédé était d'autant plus ignoble que les médicaments en question n'étaient en rien adaptés aux patients, et contenaient des substances chimiques nocives, créant chez ces malheureux à la fois l'illusion d'un bien-être et une véritable dépendance.

Avec le soutien logistique du *City*, Callie avait réussi, non sans mal, à remonter la filière et à démonter leurs agissements. Et elle donnait des noms, à commencer par ceux qui se tenaient à la tête du réseau : le Dr Frank Devy et le pharmacien Prodyot Raju. Si le premier volet de l'article avait déjà fait du bruit, le deuxième risquait d'en faire plus encore.

La brigade des stups, sur les indications fournies par Callie, avait appréhendé la plupart des personnes impliquées. Abus de confiance, escroquerie, mise en danger de la vie d'autrui, empoisonnement... ce n'était pas les chefs d'inculpation qui manquaient. Mais Devy, lui, manquait à l'appel. Dieu sait comment, il était passé à travers les mailles du filet. Volatilisé dans la nature.

Après avoir répondu à quelques mails et accepté les félicitations de ses confrères pour son enquête, Callie partit pour l'église.

Redoutant un embouteillage au niveau de la 25e Rue, elle se fit déposer un peu avant. Elle descendait de taxi quand...

— Mademoiselle Jamieson ! fit une voix familière. Justement, je pensais à vous...

Zut ! songea-t-elle en se retournant sur le Dr Merrick. Il lui serra la main en la dévisageant intensément.

— Vous aussi, vous assistez au service funèbre de Wilty Hale...

Callie cilla. Comment avait-il deviné ? Elle ne lui avait pas caché qu'elle sortait d'une liaison, mais n'avait jamais mentionné devant lui le nom de son ex-amant. Puis elle comprit que Merrick avait simplement fait le rapport entre le lieu, l'heure et le fait qu'elle était toute de noir vêtue.

— Triste, n'est-ce pas ? soupira-t-il. Un garçon qui avait tout pour lui... et la vie devant lui...

— Vous le connaissiez personnellement ?

— Vaguement. Qui n'a pas rencontré les Hale dans une soirée ?

Elle hocha la tête, et ils commencèrent à marcher côte à côte en direction de l'église.

— Pendant que je vous tiens, Callie, vous avez eu mon message ?

Elle aurait pu inventer un prétexte quelconque, mais opta pour la vérité.

— C'est-à-dire que... je ne suis pas sûre de vouloir poursuivre la thérapie.

Merrick s'immobilisa et la scruta comme s'il examinait au microscope un organisme non identifié.

— L'hypnose vous a perturbée, n'est-ce pas ?

— Oui...

Et le fait de me retrouver nez à nez avec un fantôme !

Elle s'attendait qu'il essaie de la rassurer pour la faire changer d'avis, mais il reprit sa marche sans un mot. Elle l'imita, en l'observant à la dérobée pour tenter de lire ses pensées sur son visage.

Peter Merrick était un bel homme d'une cinquantaine d'années, d'allure sportive, toujours très soigné de sa personne. Pas une mèche de sa chevelure, pas un poil de sa moustache n'était rebelle. Il donnait l'impression d'avoir navigué sa vie durant sur des sentiers soigneusement tracés, systématiquement balisés. Il n'avait pas la moindre petite ride au coin de la bouche, ni l'ombre d'une patte-d'oie qui laisse supposer qu'il puisse se montrer rieur, espiègle, taquin… Ses yeux verts ne transmettaient pas plus de chaleur qu'une poutre d'acier. L'enveloppe du Dr Peter Merrick était brillante comme du papier glacé, mais impénétrable et réfrigérante.

Pourtant, il l'avait toujours fort aimablement traitée, elle n'avait rien à lui reprocher. Elle ne pouvait guère lui en vouloir des étranges conséquences de sa tentative de régression par hypnose…

— Je suis désolée, s'excusa subitement Callie – elle eut aussitôt l'impression d'avoir six ans et de demander pardon à son père d'avoir commis une bêtise.

Merrick lui offrit en retour un sourire mi-condescendant, mi-sincère.

— Moi aussi, Callie, parce que si notre petite séance vous a secouée c'est signe que l'hypnose opère et que votre esprit commence à s'ouvrir.

— Tant pis, je ne veux pas des effets secondaires.

— La décision vous appartient, bien sûr, mais si vous m'en croyez, vous ne devriez pas arrêter la thérapie.

Ils étaient presque arrivés devant l'église. Callie repéra de loin Brad Herring et Luke sur le parvis. Si elle pressait le pas, elle pourrait les rejoindre et se glisser à leurs côtés sur un des bancs. Mais elle ne tenait pas à laisser en suspens la question de son traitement.

— Donnez-moi une seule bonne raison de continuer, docteur.

— Vous voulez que je vous dise la vérité ?

Elle nota que Merrick la regardait à présent avec une sorte de commisération dans le regard. Elle se demanda si c'était pour les cauchemars et les angoisses dont elle souffrait depuis vingt-deux ans, ou pour ce qui l'attendait à l'avenir si elle se passait de son aide.

Il répondit ce qu'elle craignait d'entendre :

— Vos cauchemars ne disparaîtront pas. Au contraire, ils vont s'aggraver de plus en plus.

— Tant pis, lâcha-t-elle, anéantie.

— Puis-je au moins vous suggérer quelque chose ?

Callie eut un haussement d'épaules qui signifiait « au point où j'en suis... ».

— Pourquoi ne pas poursuivre nos séances d'analyse et suspendre momentanément les explorations sous hypnose, jusqu'à ce que cette perspective vous semble acceptable ? Ne serait-ce qu'en parlant, nous progressons déjà, vous savez.

Callie ne voulait pas se montrer désagréable, mais depuis six mois qu'il l'invitait à s'allonger sur son divan pour « parler », elle n'avait pas constaté l'ombre d'une amélioration.

— Je vais y réfléchir.

— Bien.

Il la gratifia d'un sourire rapide, d'un salut plus sec encore, et la planta là.

— Ce type vous importunait ?

Ezra Chapin se tenait près d'elle. Elle faillit ne pas le reconnaître avec ce costume sombre, sa cravate noire et ce regard bienveillant chargé d'une authentique sollicitude.

— Non. Pas vraiment.

Il la dévisagea, attendant un minimum d'explications.

— Nous évoquions une collaboration possible, ajouta-t-elle. Il a l'air d'y tenir, mais pas moi.

— Les hommes n'aiment pas trop qu'on les repousse, commenta-t-il avec une moue entendue.

Callie aurait parié que l'inspecteur Manitou n'échappait pas à la règle.

— À quoi dois-je l'honneur de votre compagnie ?

— À *qui*, plutôt ? Wilton Hale. J'ai pensé que ce ne serait peut-être pas une mauvaise idée de repérer qui est à son enterrement, qui n'est pas venu, qui a l'air ému, révolté, indifférent... enfin, ce genre de détails.

Elle s'apprêtait à lui demander pourquoi un flic de la criminelle se donnait tant de mal pour un suicide ou un accident quand il sauta du coq à l'âne :

— J'ai lu votre dernier papier. Beau boulot !

— Ça vous étonne ?

— Eh, du calme, je suis un de vos fans depuis belle lurette.

— Mais oui, bien sûr.

— Bon, d'accord. Mettons que je suis un fan depuis cette nuit, quand je vous ai chargée sur ma bécane.

Comme elle ouvrait des yeux ronds, il expliqua :

— J'ai fait une recherche sur le net et j'ai téléchargé pas mal de vos articles. Celui que vous avez consacré aux vols dans les chambres d'hôtel était remarquable. Vous n'avez jamais pensé lâcher le journalisme pour ouvrir un cabinet de détective privé ? Vous feriez un malheur !

Callie lui rendit son sourire. En moins de deux minutes, ce Chapin avait dissipé la tension créée par son entretien avec Merrick.

— Très flatteur, inspecteur. Mais vous n'en rajouteriez pas un peu ?

— Pas du tout. J'aime bien votre côté Jeanne d'Arc qui part en croisade contre tous les pourris de la Terre. Mais elle avait une armure, elle, pour la protéger des coups...

Callie haussa un sourcil.

— Vous semblez sous-entendre que je ne me suis pas fait que des amis ?

— Mmm. Je suis sûr que la chambre de commerce et toute l'industrie hôtelière vous ont officiellement saluée comme une sorte d'héroïne... et officieusement maudite pour avoir divulgué cette affaire dans la presse. À présent, le corps médical, sans parler des pharmaciens, va peut-être vous tresser des lauriers devant les médias, mais il ne doit pas vous porter dans son cœur...

— Loin de moi l'idée de jeter le discrédit sur l'ensemble d'une profession. Mais c'est le devoir de la presse de dénoncer les abus et les manquements à l'éthique ! Et si certains ne comprennent pas qu'il faut couper les branches pourries pour...

— Ouh là ! Ne vous énervez pas ! Je suis de votre côté !

Chapin leva les deux mains en l'air, amusé de la voir s'enflammer au quart de tour. Les gens passionnés par leur métier lui plaisaient.

— Et si vous le voulez bien, mademoiselle Jamieson, enchaîna-t-il en la prenant par le bras, j'aimerais aussi être à vos côtés à l'église. La cérémonie va commencer et je ne connais personne...

La journaliste et l'inspecteur se frayèrent difficilement un chemin dans la foule impressionnante venue rendre un dernier hommage à Wilton Colfax Hale. Impressionnante qualitativement autant que quantitativement.

On y reconnaissait une pléiade de célébrités, qui se donnaient d'ailleurs un mal fou pour qu'on les voie. Des sénateurs, des industriels, des banquiers, des pontes de la presse, des écrivains ; des stars du cinéma, du théâtre, de la télévision...

— Je n'ai jamais vu tant de grands noms réunis dans un même endroit, chuchota Callie à Chapin tandis qu'ils pénétraient dans l'église. Wilty aurait ironisé en disant qu'il ne se savait pas autant d'amis...

— C'est sans doute la fin d'une ère, suggéra Ezra en l'entraînant vers les premiers rangs. Ils sont tous venus saluer le dernier des Hale, une dynastie comme on n'en fait plus.

Au pied de l'autel, le cercueil d'acajou drapé de velours noir rehaussé d'une bande de tissu violet était encadré par deux rangées de chandeliers où brûlaient de hautes bougies ivoire. Une nuée d'enfants de chœur vérifiaient fébrilement que tout était bien en place sous l'œil sévère de l'évêque qui avait l'air de réviser sa leçon, lui aussi. Dame, on n'officiait pas tous les jours, et devant un tel parterre, le service funèbre d'un si grand personnage ! songea Callie.

Elle secoua tristement la tête en voyant les douze énormes bouquets de glaïeuls blancs comme neige qui fleurissaient l'autel.

— Qu'est-ce qui ne va pas ? murmura Chapin à qui visiblement rien n'échappait.

— Oh rien... C'est juste que Wilty adorait les fleurs, sauf les glaïeuls... Ils lui rappelaient sa mère, disait-il.

Il la prit par la main pour se faufiler avec elle jusqu'aux deux places qui restaient libres en bordure de l'allée centrale, à la hauteur du septième rang.

Les yeux de l'inspecteur parcoururent soigneusement l'assistance, enregistrant tout.

— Il doit bien y avoir sept cents personnes.

— C'est le pouvoir du nom des Hale.

Il se pencha vers elle.

— Sur ce nombre, combien sont ici pour Wilty, d'après vous ? Je veux dire vraiment pour lui.

— Très peu, j'en ai bien peur, répondit-elle, le cœur serré.

Son regard courut le long des bancs, et finit par s'arrêter sur un petit groupe qui se tenait à l'écart de l'assistance, au fond à gauche de l'autel. Elle reconnut plusieurs d'entre eux pour les avoir vus au stade avec Wilty, ou aux vernissages d'artistes pour lesquels il jouait les mécènes. Ils s'embrassaient, se tenaient la main et, à leur façon de chuchoter en contemplant le cercueil, on devinait que eux, au moins, ne parlaient pas de la pluie et du beau temps, comme tant d'autres.

— Voilà les amis de Wilty. Les seuls ici qui pleurent vraiment sa disparition – avec Albert, son valet de chambre.

— Et vous, dit doucement Chapin.

— Oui, moi aussi.

Au même instant, le lourd portail de l'église se ferma et les voûtes de pierre résonnèrent des accords puissants de l'orgue. Dès les premières notes, Callie se figea.

Cette musique...

Ses doigts agrippèrent le dossier du banc devant elle et elle ferma les yeux, saisie de vertige.

Ezra observait Carolyne Hale, assise au premier rang, quand le corps de sa voisine s'affaissa contre le sien. Elle s'était évanouie ? Il l'enlaça par les épaules et vit que ses paupières closes frémissaient, comme si elle avait du mal à ouvrir les yeux.

— Que vous arrive-t-il ?

— Je me sens toute drôle, articula-t-elle d'une voix cotonneuse, comme si j'étais ailleurs.

— Respirez à fond. Ça va passer.

Callie déglutit avec effort.

— C'est la… c'est cette musique…

Elle avait rouvert les yeux, mais il n'aimait pas son regard lointain, presque vitreux. Elle semblait effectivement ailleurs.

Ezra fit signe à ses voisins de derrière que ce n'était rien et se pencha sur Callie.

— C'est la musique qui vous fait cet effet-là ? Elle est liée à un mauvais souvenir, c'est ça ?

— Non, je ne la connais même pas, mais…

Elle semblait complètement désorientée.

— Ils ont joué la même à l'enterrement d'E. W. Hale : la *Marche funèbre sur la mort d'un héros* de Beethoven, tirée de sa sonate pour piano n° 12 en *la* bémol majeur, *opus* 26, récita-t-elle mécaniquement.

Ezra cilla plusieurs fois.

— Comment savez-vous qu'on l'a jouée ce jour-là ? demanda-t-il lentement.

Callie s'humecta les lèvres.

— Je ne sais pas.

Chapin, grand dévoreur de dossiers et de biographies, avait beaucoup lu sur E. W. Hale, mort en 1938, mais il ne se souvenait pas d'avoir jamais trouvé une allusion au programme musical de ses funérailles.

Intrigué, il sortit de sa poche le programme de la cérémonie qu'on leur avait remis à l'entrée. Beethoven était cité comme le compositeur du premier morceau, mais sans autre indication.

Même si Callie avait jeté un œil à ce document (sans qu'elle s'en souvienne et sans qu'il l'ait remarqué… mais admettons), elle ne pouvait pas y avoir appris le titre de l'œuvre, a fortiori les précisions sur la tonalité et le numéro d'*opus*, sans parler de la mention de son exécution lors des obsèques de l'ancêtre de Wilty…

Ezra sentait que Callie disait la vérité, mais bon sang, d'où la sortait-elle ?

L'organiste jouait toujours, et chacune de ses notes semblait trouver une résonance particulière dans l'esprit de la jeune femme.

Ezra se pencha sur son oreille et adopta un ton léger pour essayer de la détendre un peu.

— Je ne sais pas non plus d'où vous tirez vos informations, mais avec un cerveau pareil, vous toucheriez le gros lot à « Qui veut gagner des millions ? ». Ce n'est pas une mémoire que vous avez, c'est une banque de données !

À peine avait-il prononcé ces derniers mots qu'il les regretta. Callie venait de se raidir, toute pâle, aussi terrorisée que s'il l'avait entraînée dans un champ de mines.

Carolyne Hale, le visage masqué par sa voilette noire, suivait le cercueil de son fils à un mètre de distance, en occupant bien le centre de l'allée pour souligner la précellence de sa position de dernière représentante des Hale. La tête courageusement levée, elle contrôlait à merveille sa marche lente et mesurée, sa posture royale.

En arrivant à la hauteur du septième rang, elle marqua un imperceptible tressaillement, mais passa, toujours droite et raide comme le protocole, en pinçant seulement un peu plus les lèvres sous sa voilette.

À peine installée dans la limousine qui l'emportait vers le cimetière, Carolyne saisit son téléphone cellulaire et composa un numéro.

Son correspondant décrocha au premier appel.

— Oui ?

— La grande blonde qui était au funérarium hier soir... elle va sortir de l'église avec un des policiers chargés de l'enquête. Je veux savoir de qui il s'agit.

10

Au sortir de l'église, Ezra conduisit Callie au *Globe*, une brasserie qui avait l'avantage d'être à deux pas. Encore remuée par la cérémonie – et par l'incident de la *Marche funèbre* qu'elle ne s'expliquait pas –, elle avait accepté son invitation à « manger un morceau pour tenir le coup ». L'heure d'affluence du déjeuner étant passée, ils ne se retrouvèrent pas coincés à une petite table au milieu de la salle, mais héritèrent d'un box spacieux et à l'écart.

— C'est mieux pour ce que j'ai à vous dire, commenta Chapin en la couvant d'un regard soucieux.

Il commanda un tournedos et une assiette de frites, et fut un peu déçu qu'elle ne prenne qu'une salade.

Ils échangèrent deux, trois banalités sur les cartes de restaurant, après quoi Callie dit seulement :

— Je vous écoute...

Le sourire d'Ezra s'effaça.

— Vous m'aviez demandé de vous faire signe quand j'y verrais un peu plus clair sur la mort de Wilty Hale...

— Eh bien ? fit-elle, suspendue à ses lèvres.

— Ce n'est pas un suicide. Ni un accident. C'est un meurtre.

Elle reçut ce mot comme une gifle.

— Non !

— J'ai rencontré le médecin légiste hier soir. Les résultats des analyses sont formels : non seulement Wilty avait ingurgité assez de vodka pour tuer un régiment, mais son sang était saturé de digitaline, un tonicardiaque mortel à haute dose. À supposer même qu'il ait pu avaler ça tout seul, il n'aurait jamais été en état d'ouvrir sa porte-fenêtre et d'enjamber son balcon. On l'y a aidé.

Callie mit un moment à encaisser la nouvelle.

— J'espère qu'au moins il était mort ou inconscient *avant* la chute, déclara-t-elle d'une voix blanche.

— Écoutez, je sais que c'est très dur à entendre, mais vous l'auriez appris tôt ou tard, et j'ai pensé, étant donné vos relations, enfin... je me suis dit que c'était peut-être « moins pire » que s'il s'était suicidé...

Callie approuva de la tête en se mordant les lèvres pour ne pas pleurer.

— J'ai du mal à imaginer qu'on puisse droguer quelqu'un et le balancer par la fenêtre comme on jette un sac au vide-ordures...

On leur apporta leur déjeuner, mais, l'appétit coupé, ni l'un ni l'autre n'y toucha. Elle parce qu'elle voyait en pensée Wilty lâchement assassiné, lui parce qu'il voyait ce joli visage en face de lui pâlir à vue d'œil.

— Qu'avez-vous trouvé d'autre ? reprit-elle au bout d'un moment. Un début de piste ?

— Apparemment, le ou les assassins cherchaient quelque chose : les tiroirs du bureau ont été fouillés.

— Alors, pourquoi le vol ne serait-il pas le mobile du meurtre ?

— La serrure de la porte d'entrée n'a pas été forcée. Et s'il n'y a pas eu effraction, on peut supposer...

— ... que Wilty connaissait son meurtrier.

— Probablement. Son valet de chambre n'a signalé la disparition d'aucun objet de valeur. On peut donc écarter a priori l'hypothèse du vol ou d'un cambriolage qui aurait mal tourné. D'autant qu'il y a eu préméditation.

— Comment le sait-on ?

— Normalement, on ne va pas rendre visite à un ami avec de la digitaline plein les poches.

Callie hocha la tête, elle aurait dû y penser.

— À part les tiroirs, d'autres parties de l'appartement ont été visitées ?

Il l'exhorta à picorer au moins quelques frites avant de répondre à sa question.

— Non. Le rapport dit que tout était impeccablement rangé.

Callie sourit malgré elle.

— C'est tout Wilty. Là-dessus, il n'avait pas changé.

— Maniaque de l'ordre ?

— Plutôt perfectionniste jusque dans les plus petits détails.

Elle vit l'inspecteur hausser un sourcil.

— Alors il y a quelque chose qui cloche. Parce que dans la bibliothèque on a remarqué une douzaine de livres rangés à l'envers ou simplement déclassés.

— Ah oui, ça, ce n'est pas normal...

Sans s'en rendre compte, Callie se mit à manger sa salade tout en réfléchissant tout haut.

— L'assassin feuillette des livres, à la recherche d'un document glissé entre les pages sans doute... Qu'il l'ait trouvé ou non, pourquoi se donne-t-il la peine de remettre les bouquins dans les rayons, même n'importe comment ? Il aurait pu les laisser par terre... mais non, parce qu'il *savait* justement combien Wilty était méticuleux. Et le désordre aurait nui à la thèse d'un suicide.

Ezra était impressionné.

— Excellent, mon cher Watson.

Callie avait eu son compte d'émotions, à quoi bon lui infliger de nouveaux détails pénibles ? Il garda donc pour lui un autre élément confortant la thèse de l'assassinat : on avait retrouvé les pantoufles de Wilty bien sagement rangées côte à côte au pied du balcon par lequel il était censé s'être précipité la seconde suivante. Même maniaque, aucun désespéré – qui plus est complètement ivre et drogué – n'aurait ce genre de comportement. Le meurtrier avait commis une erreur.

— Donnant donnant, mademoiselle Jamieson. Je vous ai parlé de notre enquête, à vous de me parler de la vôtre, décréta Ezra en lui versant un verre de vin. Je me suis laissé dire que votre prochain sujet porterait sur les Hale...

Elle croisa les bras sur sa poitrine.

— Dites donc, on ne peut rien vous cacher.

Il émit un petit rire faussement modeste.

— C'est mon métier de tout savoir. Mais j'ignore quel sera

votre angle d'attaque. Le *City* vous a commandé une série d'articles...

— Une série noire ! *Les Hale sont maudits.* Le voilà, mon fil conducteur.

Cette affirmation catégorique le prit au dépourvu.

— Qu'entendez-vous par là ?

Callie évoqua la liste des descendants mâles de E. W. Hale fauchés dans la fleur de l'âge.

— L'oncle de Wilty, Cole, avait une trentaine d'années quand il est mort. Idem pour son père, Huntington.

— Lui, j'en ai entendu parler. Il n'a pas eu la tête tranchée par une hélice ?

— Tranchée et coupée en rondelles, précisa Callie en repoussant sa salade, l'appétit définitivement coupé.

— Et l'oncle ? Comment est-il mort ?

— Électrocuté, mais alors bien : on l'a retrouvé grillé comme un toast.

— Charmant. Pas de suspect, je parie ?

— Pas que je sache. Dans les deux cas, on a très vite conclu à un tragique accident.

— Foutaise ! gronda Ezra. Autant dire que, chaque fois, on a laissé tomber l'enquête. Affaire classée, enterrée.

Les traits de son visage s'étaient durcis.

— Inspecteur, s'étonna Callie, pourquoi excluez-vous tout de suite qu'il puisse s'agir d'accidents, si bizarres qu'ils soient ?

— L'expérience m'a appris que la plupart des affaires non élucidées le doivent au manque de fonds ou de volonté de poursuivre plus avant les investigations.

— Et pas à cause d'un manque de preuve ?

Ezra se pencha en avant, le regard intense.

— Le « manque de preuve » ne signifie pas qu'elle n'existe pas, mais seulement qu'on ne l'a pas trouvée parce qu'on n'a pas assez cherché.

Il se radoucit instantanément et enchaîna :

— Votre journal appartient aux holdings Hale. Vous pourrez y évoquer les rumeurs qui courent sur Dieu le Père ? Je parle de E. W. Hale, bien entendu.

Il avait une façon déconcertante de changer d'expression et

de sauter du coq à l'âne. Tout un art ! Callie aurait parié qu'il avait étudié à fond les techniques de déstabilisation.

— Avant de les utiliser ou non, il faudra de toute façon que je vérifie ces rumeurs. Beaucoup ont couru sur E. W. Hale de son vivant ; depuis le temps qu'il est mort, elles ont eu le temps de s'éteindre, et pourtant, aujourd'hui encore, on continue à faire courir certains bruits...

— Par exemple ?

Elle lui énuméra ces diverses rumeurs, qui allaient du soupçon plausible aux pires accusations en passant par des élucubrations ridicules. E. W. aurait eu un harem et chacun de ses enfants une mère différente ; il aurait été gay et un autre homme serait le vrai père de ses fils ; il aurait eu du sang noir, juif ou arabe, selon les versions, qu'il aurait toujours caché afin de se faire passer pour un vieux chrétien d'origine anglo-saxonne, etc.

D'autres allégations étaient plus sérieuses : E. W. avait provoqué des faillites, « arrangé » des dépôts de bilan, et monté toutes sortes de coups tordus pour racheter des sociétés à bas prix. Il n'avait pas hésité à dépouiller tous ses anciens associés, y compris ses propres frères, pour rester seul maître à bord. La plus grave des accusations portées contre lui voulait qu'il ait assassiné sa première épouse. Callie n'était pas loin de penser que les origines de la malédiction qui venait d'emporter Wilty plongeaient leurs racines dans ce nid de magouilles et de sales combines plus ou moins crédibles.

Chapin l'avait écoutée avec le plus vif intérêt, mais non sans arborer cette petite moue paternaliste qui avait le don d'horripiler Callie. L'inspecteur Manitou allait encore frapper, devina-t-elle. Monsieur allait sans doute lui expliquer qu'il y avait à prendre et à laisser dans ce genre de rumeurs...

— Vous voulez un conseil, mademoiselle Jamieson ?

Et voilà, qu'est-ce qu'elle disait ! Il ne loupait pas une occasion !

— Non merci.

— Comme je suis un gentil garçon, je vais vous le donner quand même.

Son ton était léger, mais il ne souriait pas.

— Vous auriez grand tort de perdre votre temps en

113

recherches parapsychologiques et autres théories ésotérico-fumeuses sur une malédiction. La vérité…

— Je n'en avais nullement l'intention, le coupa-t-elle sèchement.

— Ne vous vexez pas, j'essaie seulement de vous faire profiter de ma vieille expérience.

— Vous êtes trop bon.

— Ne cherchez pas midi à quatorze heures, acheva-t-il, imperturbable. La plupart des grandes fortunes se sont bâties sur un crime.

Callie passa le reste de l'après-midi à la bibliothèque à étudier la vie d'Emmet Wilton Hale « le Vieux » – et à penser à Wilty.

Son cerveau n'arrivait pas à accepter qu'un être aussi foncièrement droit et généreux ait été liquidé comme un vulgaire malfrat. L'assassin avait ajouté la perversité à son crime. S'il devait absolument supprimer Wilty, pourquoi ne pas l'avoir « suicidé » dans son appartement ?

L'humiliation faisait sans nul doute partie du châtiment. Sinon, pourquoi lui avoir infligé la honte, même posthume, d'être ainsi exposé aux regards ? Le cadavre du prince héritier des Hale gisant entre deux poubelles… Wilton Colfax Hale, dernier du nom, n'avait pas pu tomber là par hasard. Le sadique avait prémédité, préparé, peaufiné sa vengeance avant de l'exécuter froidement.

Sa *vengeance* ? Mais qui pouvait en vouloir ainsi à Wilty ? Et de quoi ?

Jamais Wilty ne s'était sali les mains pour le pouvoir, pour de l'argent ou quoi que ce soit d'autre, Callie s'en serait portée garante. Il ne comptait pas que des amis – être aussi riche faisait inévitablement des envieux –, mais de là à se créer des ennemis mortels…

Quand elle rentra enfin chez elle, le portier lui remit un paquet arrivé juste après son départ pour les obsèques. Elle écarquilla les yeux en lisant le nom de l'expéditeur : Wilty Hale.

Callie referma la porte de son appartement et courut chercher un couteau à la cuisine. Les doigts tremblants, elle coupa la ficelle et la bande adhésive qui fermaient hermétiquement le paquet.

Le cœur battant, elle éventra la boîte en carton. Elle contenait une lettre de Wilty rédigée sur son papier à en-tête personnel et trois cahiers en cuir bordeaux manifestement anciens.

Avant de lire la lettre, elle en ouvrit rapidement un au hasard et découvrit, page après page, une même écriture calligraphiée à l'ancienne, avec les pleins, les déliés et les fioritures d'usage. Le papier avait jauni, mais l'encre noire n'avait pas trop pâli et restait lisible.

Callie regarda la page de garde des trois cahiers : les années *1888, 1896, 1902* y figuraient respectivement au-dessous du titre générique : *Journal d'Emmet Wilton Hale.*

Le cachet apposé sur le colis indiquait que Wilty l'avait posté le matin même de sa mort. Callie s'humecta les lèvres et lut sa lettre avec l'impression de recevoir un message d'outre-tombe.

Ma petite Callie,

Il y a à peu près six mois – en plein milieu d'une crise existentielle qui m'aura coûté ce que j'avais de plus cher au monde : toi ! –, j'ai fait une incroyable découverte.

Quelque chose d'énorme qui m'a lancé sur la piste de moi-même. C'est lié à E. W. Hale : ce qu'il était et ce que ça fait de moi.

Je m'exprime mal parce que ce n'est pas clair dans ma tête. J'ai tenté de résoudre ce problème tout seul, mais je crains de m'être aventuré un peu trop loin dans la forêt...

Dans un éclair de modestie, j'ai décidé qu'il serait bon d'avoir un œil neuf, objectif et professionnel pour me servir d'éclaireur. Je parle de toi, tu l'as deviné, qui as toujours eu plus de clairvoyance que moi.

Un œil « neuf », parce qu'il faut bien ça pour ne pas s'égarer dans ces vieilles pages, qui cachent de nombreux secrets, et lire entre les lignes. Le meilleur moyen de ne pas s'y perdre, c'est de repartir de zéro. Moi, j'ai du mal, car je suis né là-dedans et il me faut faire table rase de toutes mes certitudes.

Un œil « objectif », parce que l'issue de toute cette histoire ne devrait pas t'affecter. Et parce que je te connais assez pour savoir qu'en fin de compte ça ne te fera ni chaud ni froid que je sois ou non celui que nous pensions !

Un œil « professionnel », parce que ça ne gâte rien d'être conseillé par une journaliste d'investigation de ta valeur. Et que, quand tu te lances dans quelque chose, tu vas jusqu'au bout (ton seul point commun avec ma mère, soit dit en passant).

J'ai retrouvé dans ses papiers personnels les trois tomes du journal de E. W. ci-joints. J'ignore pourquoi – et à quel moment – « on » (qui ???) les a séparés des autres volumes conservés à Long House. Mais je donnerais cher pour le savoir car je sens que c'est capital.

Il manque malheureusement un autre tome, celui qui pourrait tout expliquer, mais lui, je ne l'ai trouvé nulle part. Je cherche !

Je me rends compte que rien de tout cela n'a de sens pour toi, mais quand je te verrai, je te raconterai tout ce que je sais. En attendant, prends le temps de lire et de digérer ce que je t'envoie (et d'oublier toutes les bonnes raisons que tu as de m'envoyer, moi, sur les roses, avec mon colis à la noix !). J'ai vraiment besoin de ton aide, Callie. Et tu me manques terriblement. À très bientôt si tu le veux bien.

Avec toute ma tendresse,

Wilty.

11

— J'apporte quelque chose qui va vous intéresser !
annonça Callie en déboulant dans le bureau de Chapin.

Elle faillit percuter Alvarez qui en sortait.

— Très bien, merci, et vous ? persifla-t-il avant de
disparaître.

Callie haussa les épaules et déposa ses documents sur la
table.

Ezra s'était levé à son entrée. Il nota qu'elle avait une
expression étrange, les joues marbrées, les yeux cernés. Ce qui
ne l'empêchait pas d'être absolument ravissante.

— Ravi de vous revoir. Voulez-vous vous asseoir ?
proposa-t-il en lui désignant un siège.

Elle secoua la tête, énervée.

— Trêve de politesses, regardez plutôt ça. C'est arrivé hier
chez moi. Expéditeur : Wilty Hale ! Date de l'envoi : le jour
du meurtre !

Ezra en eut un haut-le-corps. Il examina le cachet de la
poste et tapota de l'index les trois cahiers en cuir.

— Qu'est-ce que c'est ?

— Une partie du monumental journal de E. W. Hale.

— Pourquoi Wilty vous les a-t-il envoyés ? Je croyais que
vous n'aviez plus aucun contact...

— Moi aussi, coupa Callie en lui remettant la lettre
d'accompagnement.

Ezra la lut lentement, et la relut avec encore plus
d'attention.

Callie respecta son silence, puis n'y tint plus :

— Si le journal manquant dont parle la lettre contient

vraiment le secret de E. W. Hale, c'est peut-être ce que cherchait l'assassin !

— Sauf que le matin encore Wilty n'avait pas mis la main dessus...

— Sauf que, ça, l'assassin ne le savait pas forcément ! Le simple risque que Wilty soit entré en sa possession a pu le pousser à agir.

Pourquoi pas, en effet... Ezra se frotta le menton, signe chez lui d'une intense cogitation mêlée de perplexité. Son sixième sens lui soufflait qu'il y avait autre chose.

Bon, à supposer que le postulat de départ de Callie soit exact et que E. W. Hale ait bel et bien eu un secret, il y avait des chances que Wilty l'ait percé. Encore fallait-il que ce secret soit assez grave pour que quelqu'un ne recule devant rien pour le préserver... cent ans plus tard !

— Que veut dire Wilty quand il écrit : « *C'est lié à E. W. Hale : ce qu'il était et ce que ça fait de moi* » ?

Callie esquissa une grimace. Oui, c'était la phrase clef de la lettre...

— J'ai passé la nuit à lire les trois journaux en long, en large et en travers, mais sans pouvoir tirer de conclusion. Si ce n'est, ajouta-t-elle à contrecœur, que je commence à croire en votre théorème : pas de grandes fortunes sans cadavre dans un placard...

Ezra s'offrit le luxe d'un triomphe modeste.

— E. W. a liquidé sa femme, c'est ça ?

— J'en ai peur, mais je ne pense pas que ce soit *le* crime. On s'est tout de suite posé beaucoup de questions sur les circonstances troublantes de la mort de Winifred. Un « gros doute » a toujours subsisté. Bref, que son mari ait un peu beaucoup aidé la malheureuse à passer dans l'autre monde ne peut en aucun cas être l'« incroyable », l'« énorme » découverte de Wilty.

Callie révéla à Ezra qu'une rumeur voulait que E. W. ait donné instruction aux médecins de sa femme d'arrêter certains de ses traitements. Pour d'autres, il l'aurait carrément empoisonnée. Toujours est-il qu'il prétendit qu'elle avait succombé à une crise d'asthme compliquée par un abus de boisson. Comme l'asthme de Winifred et son penchant pour l'alcool étaient de notoriété publique, on retint la version de Hale.

— Il a très bien pu aggraver la situation, dit Ezra en réfléchissant tout haut. Un maladroit mélange de médicaments... Une négligence stupide dans les dosages... Une erreur est si vite arrivée !

— Les seuls à connaître la vérité étaient sans doute les médecins de Winifred, qui se retranchèrent derrière le secret médical...

— ... et le veuf.

— Oui, mais nous avons ici son journal de 1902, et il ne laisse rien filtrer qui puisse de près ou de loin passer pour un aveu. Au contraire, le texte insiste sur les difficultés respiratoires de la « pauvre créature ».

— Pas si bête ! Mais écartons le meurtre ou le non-meurtre de sa moitié. Quelle abomination notre homme a-t-il pu commettre qui ait valu cent ans de malédiction à sa famille ? Où se cache *le* crime, comme vous dites ?

Callie désigna le journal de l'année 1888.

— Je ne sais pas encore ce qui s'est passé, ni où, mais je pense que je peux à peu près dire quand.

Les yeux d'ambre d'Ezra la scrutèrent avec une admiration teintée d'amusement.

— Callie Jamieson, vous êtes une femme étonnante ! Je suis tout ouïe.

Elle plissa le nez, interdite. Mais Chapin ne semblait pas verser dans l'ironie, aussi elle expliqua :

— La raison pour laquelle la plupart des rumeurs sur E. W. Hale ont survécu, c'est que depuis le premier jour toute personne qui l'approchait éprouvait tôt ou tard le sentiment qu'*il n'était pas celui qu'il semblait être.*

— Comme s'il cachait quelque chose ?

— Mais il cachait quelque chose ! Il pouvait disparaître pendant des mois, sans que personne ne sache où il allait, ce qu'il faisait, avec qui il était... La conclusion s'imposait d'elle-même : E. W. Hale avait une double vie.

— On a des éléments concrets là-dessus ?

— Pas vraiment, mais il y a une période de cinq ans, entre

1859 et 1864, où il s'est carrément volatilisé dans la nature. C'est ce que j'appelle ses « années obscures ».

— En pleine guerre de Sécession ? Peut-être s'était-il engagé dans les rangs des sudistes – une « erreur de jeunesse » qu'il aurait cachée plus tard à sa famille nordiste. Il n'avait que dix-neuf ans et la guerre exacerbe les passions. Il aurait aussi bien pu vivre une histoire d'amour ou s'impliquer dans une cause...

Callie mit fin à son envolée romanesque avec une moue sceptique.

— Mouais. E. W. Hale ne m'a jamais frappée par son côté idéaliste...

Effectivement, ce qu'Ezra avait lu sur le personnage ne donnait pas l'impression d'un grand sentimental. L'objectif numéro un de E. W. dans la vie semblait avoir été d'amasser le plus d'argent possible pour conquérir, exercer et conserver le pouvoir.

— Le plus intéressant dans tout ça, reprit Callie, c'est que lorsqu'il refait subitement surface en 1864, à Stroudsburg, en Pennsylvanie, il n'est plus pauvre...

Cette fois, Ezra était fasciné. Il prit en main le journal de 1888 où Callie affirmait avoir découvert un indice – et si elle le disait, on pouvait lui faire confiance.

— Alors, qu'y a-t-il là-dedans qui vous donne à penser qu'il a commis un crime pendant sa longue disparition ?

— J'ai coché au crayon les passages clefs. Vous avez le temps d'y jeter un œil ?

S'il avait le temps !

— J'étais censé rencontrer le prince Charles pour le petit déjeuner, mais il comprendra.

Elle lui rendit son sourire et chercha la bonne page.

J'ai retrouvé mon chemin sans trop de difficulté, mais le retour à l'ancien temps sera impossible, je le crains. Tout a tellement changé ! Là où il y avait de la chair, il ne reste que des ossements, et les rires ont fait place à des cris silencieux.

J'ai voyagé jusqu'ici tout seul, comme si souvent jadis. Mais cette fois je porte un fardeau plus lourd que jamais. Je ne

120

devrais pas me plaindre, car je mérite ce Châtiment. Et beau-
coup plus encore.

— Il a écrit ça en mars 1888.. l'année de la grande
tempête de neige, calcula Ezra.
— Oui. Évidemment, il a vécu coupé du monde dans une
misérable cabane pendant les pires moments. À lire son récit,
on se dit qu'il a eu de la chance d'en sortir vivant. Il aura
résisté à tout !
Encouragée par l'intérêt grandissant de Chapin, Callie
pointa du doigt d'autres passages.

Impossible de me réchauffer. J'ai les dents qui claquent sans
arrêt, je vois tout blanc. J'ai erré à l'aveugle, il a tant neigé que
je ne reconnais plus rien.
Ça a commencé peu après mon arrivée et ç'a été de pire en
pire. J'ai essayé de faire marche arrière jusqu'à la ville avant de
me faire croquer moi aussi, mais j'avais traîné trop longtemps
dans le passé pour me sauver.

— Il a fini par trouver un abri, mais son cheval lui a
échappé peu après. Heureusement, Hale avait des bougies,
des allumettes et un couteau. Mais comme cette tempête
l'avait surpris, il n'avait à manger qu'un seul repas en réserve.
Or il neigea sans interruption trois jours durant.
Ezra avait entendu parler de la grande tempête de 1888,
mais n'avait jamais lu de récit « vécu ». Il essaya d'imaginer
ce qu'avait enduré Hale, prisonnier d'une cabane transformée
en igloo par un temps de fin du monde, buvant de la glace
fondue, grignotant comme un moineau ses maigres réserves,
songeant à la mort qui approchait à grands pas...
— C'est le genre d'épreuve qui forge un caractère... si on
en réchappe.
— Il a survécu, mais n'a jamais oublié ce qu'il appelait sa
« descente au purgatoire ».
— Mmm. Mais que diable était-il allé faire dans cette
galère ?
Callie laissa E. W. Hale répondre lui-même à cette
question.

121

Je suis venu en ce lieu en quête de Clémence et rien ni personne ne m'empêchera de continuer à la rechercher, je crois que c'était la Volonté de Dieu que je revienne ici. Il fallait que je côtoie la Mort pour aimer la Vie. Il fallait que je paie mes fautes pour que naisse en moi un homme nouveau.

Je remercie le Tout-Puissant de m'avoir envoyé cette Épreuve et voue désormais mon existence à trouver Clémence, quel que soit le prix à payer ! Parce que c'est la Voie par laquelle je trouverai aussi Grace...

— Il met des majuscules partout, grogna Ezra, surpris par ce ton mystique. Il veut trouver « Grace » à présent ! Aux yeux de qui ?

— Il parle d'une femme, sourit Callie.

Elle lui révéla que ce prénom apparaissait dans un autre tome du journal, puis continua :

— J'imagine que E. W. a vécu là-bas, y a travaillé, s'y est fait des amis et y a rencontré une femme. Une femme qu'il a aimée avant de l'abandonner. Son comportement vis-à-vis d'une des leurs n'a pas dû le laisser en odeur de sainteté dans cette communauté.

Ezra relut les paragraphes relatifs à cet épisode crucial en se frottant le menton. Quelque chose de terrible s'était produit là-bas, lui soufflait cette fois son sixième sens. Toujours sobre, Hale parlait d'apocalypse et de châtiment divin. Mais quel forfait avait pu lui valoir l'hostilité de toute une ville ?

Il reposa le journal et commença à marcher de long en large dans son bureau.

— Rien de tel pour s'éclaircir les idées, expliqua-t-il à Callie. Et elles ont besoin de l'être ! Je ne vois toujours pas le lien entre l'« apocalypse » de E. W. Hale et la mort de son arrière-arrière-petit-fils un siècle plus tard.

Callie ressortit la lettre de Wilty.

— La réponse la plus évidente est l'argent. Wilty m'a demandé de l'aide parce qu'à l'inverse de son entourage l'issue de toute cette histoire ne devrait pas m'affecter, c'est dit en toutes lettres.

Elle se leva à son tour.

— Wilty était bien placé pour savoir que je me fiche pas mal de la fortune des Hale et que je poursuivrais mes investigations en toute indépendance. D'ailleurs…

Elle allait récupérer ses documents épars sur le bureau quand Ezra y posa le plat de la main.

— Tttt. Ce sont des pièces à conviction. Elles ne bougeront pas d'ici.

Callie le foudroya du regard, puis fouilla dans son sac et en tira une photocopie de la lettre de Wilty qu'elle lui lança au nez.

— Ça, je veux bien vous le laisser, inspecteur. Le reste repart avec moi. Si ça vous pose un problème, appelez un juge.

Sur ce, elle s'empara des trois volumes du journal et de l'original de la lettre – et le planta là. Ezra écouta les pas de Callie s'éloigner dans le couloir et s'étira voluptueusement.

— Cette fille est un vrai cadeau du ciel.

Carolyne Hale regardait un spectacle étonnant depuis la baie vitrée de son salon donnant sur la 5e Avenue : une mère et son petit garçon se promenant main dans la main dans la rue.

Une minute plus tôt, la jeune femme s'était accroupie à côté de l'enfant pour renouer ses lacets et il en avait profité pour lui défaire son chignon – tout ça en pleine rue, devant tout le monde ! Carolyne s'attendait que la maman soit furieuse d'être toute décoiffée et le gronde en conséquence. Pensez-vous ! Elle l'avait embrassé en riant et en lui ébouriffant les cheveux à son tour.

Belle éducation ! Dieu soit loué, ce n'était pas comme ça qu'elle avait élevé Wilty.

— Madame…

La porte du salon s'entrebâilla. Lourdes annonça que deux messieurs de la police demandaient à être reçus par Madame.

Carolyne répondit par un signe de tête presque imperceptible que Lourdes, soulagée, interpréta comme un consentement.

Les deux hommes pénétrèrent dans la pièce richement

décorée et attendirent poliment que la reine mère daigne les honorer d'un regard.

Carolyne traînait à la fenêtre, sans pouvoir détacher ses yeux de cette mère tenant son enfant par la main. Elle essayait de se remémorer un souvenir de contact avec son propre fils, mais cela restait flou, lointain, irréel.

Ezra n'était pas d'un naturel très patient. Surtout quand il avait un meurtre à élucider. Si elle comptait prendre racine devant sa baie vitrée, elle pourrait s'y planter après leur départ.

— Madame Hale...

Carolyne se retourna. Elle était tout sauf ravie de revoir l'inspecteur Chapin, mais elle le cacha bien.

— Veuillez m'excuser, messieurs. Prenez place, je vous prie.

Pendant qu'ils s'asseyaient – Carolyne dans sa bergère dorée, ses visiteurs sur un divan de soie vieil or –, Ezra examina discrètement la Veuve. Elle en jetait, il lui accordait ça. Très grande, très mince, très blonde, avec de très longues jambes émergeant d'une robe noire très classe, elle était très... tout. Très ostentatoire même avec ses très nombreux bijoux, très beaux et évidemment très chers : boucles d'oreilles en émeraude aussi grosses que sa broche en rubis, collection de joncs en or à un bras et de bracelets sertis de diamants à l'autre.

— Je vous renouvelle toutes nos condoléances, nous sommes terriblement désolés pour le deuil cruel qui vous frappe, madame Hale, déclara Ezra.

Jorge opina solennellement du chef.

Carolyne ne pipa mot, ne bougea pas d'un cil. Elle les dévisageait simplement – impatiemment, songèrent-ils.

— Aussi sommes-nous navrés d'avoir aujourd'hui à vous annoncer que votre fils ne s'est pas suicidé. Nous pensons qu'il a été assassiné.

Voilà qui appelait une réponse. Carolyne écarquilla ses yeux bleu acier et porta une main à son cœur.

— Oh non !

— Les analyses confirment la présence d'une grande

quantité d'alcool dans son organisme, intervint Alvarez, ainsi que de…

— Mon fils s'était mis à boire, messieurs, ce n'est un secret pour personne, trancha la Veuve. Rien d'étonnant donc à ce que l'on ait retrouvé des traces d'alcool dans son sang.

— Nous en sommes conscients, madame Hale. Mais était-il aussi dans ses habitudes de prendre des gouttes pour le cœur ?

Ezra la vit battre des paupières comme si elle n'avait pas compris la question de Jorge, qui expliqua :

— Selon le laboratoire, l'alcool était mélangé à une grande quantité de digitaline. C'est un tonicardiaque qui…

— Je sais à quoi sert la digitaline, merci, inspecteur. Il se trouve seulement que Wilty ne souffrait d'aucune insuffisance cardiaque. Enfin, pas que je sache…

— Pas que vous sachiez, nota scrupuleusement Alvarez dans son calepin.

Ezra reprit le flambeau.

— Le niveau de toxicité dans le sang de M. Hale était tel qu'il lui aurait été impossible de se traîner jusque sur le balcon et de l'enjamber. « On » l'a fait passer par-dessus bord.

Carolyne se leva lentement et retourna à la fenêtre. Il sembla à Ezra que ses épaules s'étaient très légèrement affaissées.

— Votre fils avait-il des ennemis déclarés ?

Elle secoua la tête.

— Quelqu'un qui aurait pu vouloir se venger de quelque chose ?

Alvarez chercha autour de lui une photo de famille et n'en trouva aucune. Ni sur la cheminée, ni sur le guéridon, ni dans la bibliothèque. Chez lui, il n'y avait pas une surface qui ne soit recouverte de clichés de ses gosses, de sa femme, de ses nièces, neveux et tutti quanti. Ah, bien sûr, sa maison n'avait rien d'un palais avec meubles précieux et toiles de maîtres aux murs, comme ici.

— Étiez-vous très proche de votre fils ? demanda-t-il.

Toujours de dos, Carolyne exhala un soupir.

— Non, hélas. C'est l'un de mes plus grands regrets.

125

— Pourriez-vous nous communiquer les noms de ses amis et relations ? Nous allons avoir besoin de les interroger, de même que les autres membres de la famille.

— J'étais sa seule famille. Il n'y a plus de Hale après moi. Quant aux relations de Wilty, j'ai peur de ne pouvoir vous aider. Il n'amenait jamais personne ici, de même qu'il se gardait de m'inviter à ses soirées si... mauvais genre.

Ezra aurait juré avoir détecté une fêlure dans sa voix. Fallait-il y voir l'agacement de devoir répondre à leurs questions, ou le chagrin de la distance qui s'était créée entre elle et son fils unique ?

Alvarez dut percevoir la même faille, car il repartit immédiatement :

— À quelle fréquence vous rencontriez-vous ?

Cette fois, Carolyne se détourna de la fenêtre pour toiser ce jeune blanc-bec.

— Je viens de vous l'expliquer. Nous n'étions pas très proches.

— Tout de même, vous le voyiez bien de temps en temps... Une fois par semaine ? Une fois par mois ? Une fois par an ? Jamais ?

— Votre ton ne me plaît pas, inspecteur, grinça-t-elle.

— Pardonnez-moi.

Alvarez baissa humblement la tête. Il se tirait assez bien de son rôle de méchant flic.

Ezra prit le relais, juste le temps de donner le change.

— Madame Hale, j'ai bien conscience que toutes ces questions vous sont pénibles, mais nous ne pouvons pas ne pas les poser. Elles entrent dans le cadre de l'enquête, vous comprenez...

Carolyne eut un soupir empreint de tolérance.

— Faites votre devoir, inspecteur.

— Merci. Quand avez-vous vu M. Hale pour la dernière fois ?

— Nous avons déjeuné ensemble une semaine avant sa mort, répondit-elle avec lassitude.

— Où ?

— Aux *Quatre Saisons*.

— Seulement vous deux ?

126

— Oui.

Jorge le Tank repassa à l'attaque.

— Je suis navré de remettre ça sur le tapis, madame, mais vous nous avez avoué que vous et votre fils ne vous voyiez pas souvent. Ce déjeun...

— Je ne l'ai pas « avoué », je l'ai signalé : nuance !

— Si vous y tenez. Ce déjeuner, disais-je, était peut-être une occasion spéciale ?

— Pas du tout. Ça s'est trouvé comme ça.

— Je vois. Et... de quoi avez-vous parlé ?

— Comment voulez-vous que je me le rappelle ! lança-t-elle très vite.

Trop vite. Alvarez aurait pu percevoir un mensonge à des kilomètres. Celui-ci était gros comme une maison.

Ezra avait tiqué lui aussi. Cette femme – cette mère – prétendait ne pas se souvenir des derniers moments passés avec son fils ? Il ne fut pas fâché de voir Jorge s'engouffrer dans la brèche.

— Vous ne vous rappelez pas ? Vous ne vous rappelez pas votre dernier tête-à-tête avec votre fils ?

— Non... enfin si. Simplement, nous n'avons rien dit de spécial.

— Mais lui, vous ne l'avez pas trouvé spécial ?

— Je vous demande pardon ?

— M. Hale vous a-t-il paru différent ce jour-là ? Était-il, je ne sais pas, moi... sinistre ? anxieux ? fâché ? contrarié ?

— Je n'ai rien remarqué de tel, trancha Carolyne. Et franchement, inspecteur, je n'aime pas beaucoup vos méthodes. C'est du harcèlement !

— Et moi, je n'aime pas beaucoup enquêter sur le meurtre d'un homme de trente-quatre ans ! riposta Jorge en élevant la voix. Donc je vous repose la question, madame Hale. Lors de ce déjeuner ou dans les jours qui ont précédé la mort de votre fils, avez-vous remarqué quoi que ce soit d'insolite dans son comportement ou dans ses propos ?

— Non.

— A-t-il dit ou fait quelque chose qui aurait pu vous alerter ?

— Non.

— Avec le recul, voyez-vous aujourd'hui un indice qui vous aurait échappé sur le coup ?

— Non.

— Avez-vous rencontré votre fils le jour de sa mort ? intervint Ezra.

— Non.

Les deux hommes se turent.

— L'interrogatoire est terminé ? lança Carolyne en les défiant du regard.

Alvarez la fixa de ses yeux sombres.

— Pour le moment, articula-t-il.

Ezra se leva.

— Une dernière chose. Nous souhaiterions vivement avoir la liste des invités aux obsèques, ainsi qu'au funérarium. On ne sait jamais. La ou les personnes qui ont assassiné votre fils pourraient y figurer.

Carolyne avait pâli.

— Mon fils était un jeune homme riche qui avait la mauvaise habitude d'étaler sa fortune devant des étrangers. Pourquoi le vol ne serait-il pas le mobile ? Un cambriolage qui aurait mal tourné... abominablement mal tourné, enchérit-elle.

Ezra et Alvarez ne répondirent rien. Ils se dirigèrent vers la porte du salon, Carolyne sur leurs talons.

— Vous avez considéré cette possibilité ? insista-t-elle lourdement.

— Oui, madame, mais nous ne croyons pas au crime crapuleux. Tout bonnement parce que rien n'a été dérobé... Nous pensons que M. Hale a été assassiné de sang-froid, avec préméditation, poursuivit Ezra sans se soucier de son regard désapprobateur.

Il haussa les épaules et ajouta :

— Mais puisque nous n'avons encore aucun mobile, nous restons ouverts à toutes les suggestions.

Il sortit sa carte de son portefeuille et la lui remit.

— Si vous vous rappeliez subitement quelque chose que Wilty possédait, ou *savait*, et qui aurait pu constituer un danger pour lui, contactez-nous.

12

Paula vivait à Chelsea dans un loft dont la restauration lui avait coûté deux années de travail le soir, les week-ends et les vacances, plus l'intégralité de ses économies. Mais elle ne regrettait rien. Elle avait fait le bon choix, ça au moins, elle en était absolument sûre, or elle avait besoin de certitudes pour vivre.

Si la plupart des gens se contentaient d'en avoir deux dans l'existence – la mort et les impôts qui allaient tomber –, Paula en détenait une troisième : elle ne pourrait jamais habiter dans un logement standard pour la bonne raison qu'aucune cuisine standard ne serait assez spacieuse pour emmagasiner tous ses livres de recettes et ustensiles culinaires.

Avec un loft, pas de problème : on pouvait s'étaler. Et le fait est que la cuisine de Paula au sens large (c'était le cas de le dire) occupait les trois quarts de l'appartement.

À la seconde où les portes de l'ascenseur s'ouvrirent sur le sixième étage, Callie sut qu'un repas italien l'attendait. Pas besoin d'avoir un flair de journaliste comme le sien pour détecter ce subtil arôme de tomates fraîches, d'ail et de sarriette. Avec une pincée de basilic.

Callie entra chez son amie, les papilles en alerte. La maîtresse des lieux vaquait à ses fourneaux, et confia à la bouteille de chianti trônant sur le bar américain dans sa jolie robe de raphia le soin d'accueillir leur invitée.

De là, Callie aperçut Paula à genoux, comme en prière, devant son four.

— Ça va être bon ?

— Grandiose ! Parfait pour accompagner la grande nouvelle !

— Laquelle ? Tu en as une chaque fois que nous nous voyons.

— Plains-toi, ingrate ! Et tiens-toi bien : à nous le mas de cocagne pour le week-end que nous avons choisi ! J'ai soudoyé les propriétaires à coups de boîtes de foie gras, mais chut ! pas un mot aux autres !

Callie applaudit. C'était vraiment une bonne nouvelle. Depuis quatre ans, Paula et elle, ainsi que six collègues du *City*, louaient à tour de rôle une maison de campagne à Bridgehampton, rebaptisée mas de cocagne par Paula – non parce que l'endroit ressemblait à une ferme provençale, mais parce qu'elle y emportait pour un seul week-end à deux de quoi nourrir un régiment d'ogresses.

— Formidable. Paula, tu as du génie.

— Évidemment ! Maintenant, bois ton chianti et dis-moi comment c'était.

Ses lèvres violettes ne souriaient plus, et Callie comprit qu'elle évoquait les obsèques de Wilty.

Elle lui décrivit en gros la cérémonie, mais s'abstint de parler de son malaise à l'audition de la *Marche funèbre*. Paula avait déjà eu droit à son quasi-évanouissement au vestiaire du *Royalton*. Un de plus et elle la croirait complètement toquée.

— Et qui était assis derrière la Veuve ? un sénateur ? le conseil d'administration du Hale Trust au grand complet ? un de ses nombreux amants, peut-être ?

— Je n'y ai pas fait attention. Le banc d'église réservé aux Hale était joliment vide. Il n'y a plus que Carolyne. Quant à sa propre famille, d'après mes sources, elle s'en est coupée depuis des années.

Sans trop savoir pourquoi, Callie raconta à Paula sa rencontre avec l'inspecteur Manitou et lâcha bêtement qu'il ne l'avait pas quittée d'une semelle.

— À quoi il ressemble ?

Elle le lui décrivit et Paula en eut la langue pendante. Callie s'empressa de corriger cette impression.

— Il est peut-être bien fait de sa personne, mais tout est gâché par sa suffisance et sa curiosité pénible.

Paula pencha la tête de côté.

— Bref, il ne t'a pas laissée indifférente.

— Si tu es intéressée, je me ferai un plaisir de lui donner tes coordonnées.

— Et pourquoi pas ? repartit Paula en grignotant une olive d'un air rêveur. On ne sait jamais quand on trouve le bon numéro.

— Ce type n'est pas le bon numéro, insista Callie. Il n'est même pas un numéro tout court.

Paula pointa sa pique à olives vers son amie.

— Peut-être pas pour mademoiselle, mais je ne suis pas aussi exigeante, figure-toi ! Moi, je suis réaliste : je ne cherche pas un homme parfait... Et puis, je n'ai pas besoin qu'il n'ait pas peur des fantômes, ajouta-t-elle plus doucement.

Comme les yeux de Callie s'assombrissaient, elle se mordit la lèvre.

— Aïe ! J'ai gaffé ! Ne me dis pas que ton étranger gris est de retour...

— Non, mais...

Callie se retrouva subitement sous les voûtes de l'église, les oreilles vibrant aux accords *fortissimo* de l'orgue.

— J'ai éprouvé hier une angoissante impression de déjà-vu.

Paula se détendit visiblement.

— Si ce n'est que ça ! Ça arrive à tout le monde... À moi, en permanence. Tout d'un coup, on est sûr qu'on a déjà mis les pieds dans tel endroit ou bien on reconnaît exactement des gestes qu'on a déjà faits. C'est ça ?

— Oui et non. Cette fois, j'ai *su* quelque chose que je *ne pouvais pas* savoir. Je ne voulais pas t'en parler, mais c'est si troublant...

Paula n'aimait pas le timbre de la voix de Callie, grave, profond, *hanté*.

— Qu'est-ce qui t'a bouleversée à ce point ?

— La musique. Aux premières notes, j'ai su – avec certitude, tu entends ? – que ce morceau avait accompagné les funérailles de E. W. Hale.

— Comme si tu y avais assisté ?

— Exactement ! L'ennui, c'est qu'il est mort en 1938 ! Alors, comment puis-je savoir qu'on a joué ce jour-là cet

131

adagio en *la* bémol majeur dont, hier encore, j'ignorais jusqu'à l'existence ?

— Euh... c'est effectivement troublant, mais bon, il y a forcément une explication...

Manifestement impressionnée, Paula ne se hâta pas moins de dédramatiser :

— Tu auras lu ce détail quelque part au cours de tes recherches... Tu as une mémoire d'éléphant ! Oui, c'est simplement ce qu'on appelle une réminiscence. C'est ça, Callie, *parce que cela ne peut être que ça*. Alors, ne te mets pas martel en tête.

Callie se força à sourire.

— Tu es gentille. Mais si j'avais la mémoire que tu me prêtes, je n'aurais pas oublié que j'avais lu ce détail.

— Pas sûr, trouva seulement à répliquer Paula.

Callie avait une autre amorce d'explication : peut-être cette fulgurante impression de déjà-vu – de déjà-entendu, en l'occurrence – était-elle le résultat d'une suggestion post-hypnotique instillée par Peter Merrick.

Mais cette hypothèse se heurtait à plusieurs écueils, et non des moindres : il fallait, d'une part, que Merrick ait su que sa patiente assisterait à la messe d'enterrement d'un homme dont elle ne lui avait jamais parlé et, d'autre part, qu'il ait connu à l'avance le programme musical de la cérémonie. Enfin et surtout, dans quel but Merrick aurait-il suggéré cette information sur des obsèques remontant à soixante-cinq ans ?

Tout cela ne tenait pas debout. Elle chassa cette idée comme un syndrome de persécution.

— Et si tu me faisais goûter ce plat grandiose ?

— L'osso-buco à la Paula ? Tu vas te ré-ga-ler.

Paula ne demandait pas mieux que d'en finir avec les sujets déprimants.

— Place au festin !

Elles passèrent à table, mais au moment où la merveille annoncée arriva dans sa belle cocotte rouge, Callie dit :

— Je ne t'ai pas parlé du paquet de Wilty...

— Où est le problème ? demanda Jorge.

Il se pencha sur l'épaule de son équipier pour étudier l'arbre généalogique de la famille Hale qu'Ezra griffonnait sur un bloc-notes.

— Elle t'a accroché, hein ?

— Hé ?

— La jolie blonde, elle t'a accroché !

— De quoi parles-tu ?

— Avec son histoire de malédiction.

— Oh, je vérifie juste deux ou trois trucs. Cette fille a déterré un os, et un gros. Ce serait aberrant d'écarter sa théorie sans l'avoir examinée. Simple question de bon sens. Ce serait même une faute professionnelle !

— Ouais. Et ce n'est pas le genre de la maison ! approuva gravement Jorge. Alors, que raconte le bon sens ?

— Que c'est un problème de statistiques. Pour peu que l'on observe une grande famille sur plusieurs générations, on trouve un peu de tout : divorces, suicides, morts en bas âge, infidélités, stérilité, homosexualité, accidents mortels et j'en passe. Les Hale ont connu tout ça, mais, si on fait le compte, pas tellement plus qu'une autre famille de taille comparable. La différence, c'est que leur notoriété a rendu ces chiffres publics... et que beaucoup de ces disparitions prétendument accidentelles puent le meurtre à plein nez.

— Fascinant, applaudit Jorge. Mais quel rapport avec notre victime ?

— Le père et l'oncle de Wilty ont trouvé la mort dans des conditions extrêmement... suspectes, sans que l'on puisse conclure à un double assassinat.

— Ce qui ne l'exclut pas pour autant.

— Tu l'as dit, sourit Ezra.

Il savait que Jorge s'enflammait dès qu'on abordait le sujet des affaires non élucidées. Comme lui, rien ne le rendait plus malade qu'un crime parfait échappant aux foudres de la justice.

— Quelqu'un pourrait avoir programmé et réglé ces morts accidentelles jusque dans leur bizarrerie, sachant que l'opinion publique aurait vite fait de les mettre sur le compte de la « malédiction des Hale ».

— Plutôt vicieux, comme raisonnement...

— Mais bien calculé : ce n'est pas à toi que je vais apprendre que la police dépense moins de temps et d'argent à tenter de résoudre des affaires déjà classées « X-Files » par les médias.

Jorge mit les deux mains sur la nuque.

— Et tu crois qu'on se retrouve devant le même cas de figure aujourd'hui ? C'est complètement dingue, mais fichtrement possible !

— Et sacrément malin ! En s'arrangeant pour que la mort de Wilty soit bien sanglante et bien spectaculaire, l'assassin s'assure une couverture médiatique qui ne peut que gêner l'enquête. Les vautours de la presse à sensation se jettent voracement sur cette aubaine : qu'importe la recherche des vrais mobiles puisque la malédiction a encore frappé !

— Ce n'est pas très gentil pour une certaine poupée blonde, ce que tu dis là. La comparer à un rapace...

— Arrête ton char, le Tank ! plaisanta Ezra. Ça ne marche pas avec moi. Callie Jamieson n'a rien d'un de ces rapaces – ni d'une poupée, d'ailleurs.

— À propos de rapace, de vrai rapace, enchaîna Jorge avec un sourire entendu, Carolyne Hale a-t-elle été suspectée d'avoir trempé dans la mort de son mari ?

Il restait convaincu que la Veuve avait les mains sales.

— Personne, jamais, n'a apporté la moindre charge contre elle.

— Ça pourrait être intéressant de connaître les questions qu'on lui a posées ; de savoir pourquoi on a laissé tomber cette piste, qui était dans son entourage à l'époque... et qui en fait encore partie aujourd'hui.

— Tu m'ôtes les mots de la bouche.

— Alors, que comptes-tu faire à présent ?

— Donner quelques coups de fil, histoire de remuer un peu le passé pour voir ce qui sort du bois. Et toi ?

— Vu l'heure qu'il est, je vais regagner mon chez-moi, si tu n'y vois pas d'inconvénient !

Ezra se boucha comiquement les oreilles, devinant ce qui allait suivre. Ça ne rata pas.

— Dans un *sweet home*, tu vois, il y a une femme et des

gosses heureux de te revoir. Un bon dîner servi sur une jolie table, et pas une de ces pizzas surgelées qu'on avale dans leur carton. Des êtres qui t'aiment et qui t'embrassent en te souhaitant bonne nuit... et qui seront toujours là le lendemain matin ! C'est très agréable. Tu devrais essayer ! Tu ne sais pas ce que tu perds...

— Si, je commence à le savoir !

Après le départ du bon-mari-père-de-famille-et-heureux-de-l'être, Ezra essaya de retrouver la trace du shérif du comté de Warren en 1970, un certain Jack Carlson, dans l'espoir d'en apprendre un peu plus sur l'accident dans lequel le père de Wilty avait perdu la vie.

Huntington Hale – Hunt pour les intimes – avait connu une mort horrible en faisant du bateau sur le lac George, au large de Long House, le « sanctuaire » de la famille Hale, dans les Adirondacks. Hunt était apparemment assis sur le pont quand il était tombé à l'eau. Malgré tous ses efforts, les remous l'avaient entraîné vers l'arrière et il avait fini la tête déchiquetée par l'hélice.

La secrétaire du bureau du shérif informa Ezra que Jack Carlson était toujours en activité.

— Malheureusement, il ne sera pas joignable avant plusieurs semaines, inspecteur. Mais je peux peut-être vous aider ? C'est à quel sujet ?

Ezra la remercia, mais se contenta de laisser ses coordonnées en la priant de dire au shérif de le recontacter au plus vite. Il ne donnait jamais la raison de son appel pour éviter que les gens ne préparent leurs réponses.

Il passa ensuite à l'affaire Cole Hale, l'oncle de Wilty, mort, lui, en 1969, un an donc avant son frère Hunt, et dans des circonstances non moins suspectes.

Cette fois, il eut plus de chance car il put joindre le fils de Noah Bryson, shérif du comté de Shelby à l'époque.

— Je me souviens de cette vieille histoire, déclara Gédéon Bryson. Mon père avait examiné le cadavre, et ce n'était pas beau à voir. Il paraît que ça sentait le cochon grillé à dix pas... Je l'entends encore dire : « On jurerait que ce pauvre type est passé au barbecue ! »

— Selon les rapports, Cole Hale faisait une installation électrique dans une de ses écuries.

— Pas n'importe quelle écurie, précisa Bryson. Un véritable hôtel trois étoiles pour chevaux de course. Il faut dire que Hale avait les plus beaux pur-sang de tout le Tennessee. Il ne se refusait rien !

Ezra sifflota en réfléchissant.

— Alors, pourquoi n'a-t-il pas engagé un électricien ?

— Je me suis posé la même question. Mon père aussi, et il a trouvé une explication. Hale adorait ses chevaux au point de ne pas supporter que d'autres que lui s'en approchent. Par ailleurs, il se débrouillait pas mal en électronique. Un reste de ce qu'il avait appris à l'armée, à ce qu'on a dit.

Bryson s'interrompit, puis livra le fond de sa pensée :

— Moi, je crois plutôt qu'il a appris avec les spécialistes qui ont installé l'électricité à la construction de l'écurie.

Cela troubla Ezra encore plus.

— Alors, où Cole a-t-il fait une erreur ?

— On ne sait pas au juste. Apparemment, il remplaçait une pièce défectueuse, un des plafonniers parallèles au système d'arrosage de sécurité, si je me rappelle bien. Il l'avait débranché et il devait épisser les fils quand, boum ! transformé en méchoui !

Le stylo d'Ezra courait sur le bloc-notes.

— Le système d'arrosage n'avait pas mouillé les fils, par hasard ?

— Pas que je sache. Et pas non plus l'échelle où il se tenait. De plus, il portait des semelles isolantes.

— À vous entendre, Cole n'était pas négligent ?

— D'ordinaire, non. Surtout pas avec ses chevaux ! C'est pourquoi ce fichu « accident » est si étrange.

— Il avait bien pensé à couper le courant avant de commencer ?

— C'est la première chose que vos collègues ont vérifiée. Le disjoncteur était dans la bonne position.

— Quelqu'un aurait-il pu remettre l'électricité pendant qu'il travaillait ?

Un petit rire résonna à l'autre bout du fil.

— C'est la question à cent mille dollars, n'est-ce pas ? L'enquête a montré que tout le monde à la ferme avait un alibi, et un témoin pour le confirmer.

Cela ne signifiait pas qu'ils avaient tous dit la vérité...

— Lui connaissait-on des ennemis ?

— Inspecteur, je ne vais pas vous expliquer qu'il y a beaucoup d'argent en jeu dans le monde des courses, ne serait-ce qu'avec les paris. C'est un univers impitoyable, mais là-dessus Cole Hale avait une réputation sans tache.

— C'était un bon patron ? Il était aimé de son équipe ?

— Oui et non, répondit Gédéon Bryson.

— Mais encore ?

— Il payait bien, mais ne se montrait pas tendre avec ses employés. Si l'on cherchait à quitter le boulot à l'heure et à bénéficier de ses jours de congés, alors il valait mieux travailler ailleurs.

— Marié ?

— Ça ne risquait pas, si vous voyez ce que je veux dire.

— Son homosexualité était connue dans le coin ?

— Tout le monde savait qu'il était gay, mais personne n'en parlait. C'était encore tabou dans la région.

— Est-il possible qu'un de ses amants ait voulu le faire chanter, que Cole ait refusé de payer et que l'autre se soit vengé ?

— C'est envisageable, admit Bryson. Mon père avait cherché de ce côté-là. Le problème, c'est que personne n'était capable de citer le nom ne serait-ce que d'un de ses amants. Ou ne le voulait pas.

— Il y avait des bars gays à Memphis, à l'époque ?

— Oh, bien sûr. Plusieurs, même. Mais clandestins. On a interrogé tous les barmans du circuit, seulement ça n'a rien donné. De temps en temps, Cole Hale se serait montré dans un de ces établissements, mais apparemment jamais deux fois de suite sous le même nom, voire sous la même apparence. Bref, personne n'aurait pu l'identifier formellement. Tout ça au conditionnel, bien sûr.

Ezra tourna une nouvelle feuille de son bloc-notes.

— Et Carolyne Hale ? Que savez-vous d'elle ?

137

Gédéon Bryson émit un rire gêné.

— Rien que je puisse répéter en société ou qui puisse être publié dans la presse !

— Vous ne faites pas partie de son fan-club ?

— Pas vraiment, non.

— Pourquoi ?

Il y eut un bref silence à l'autre bout du fil, comme si Bryson voulait nuancer ses propos.

— Disons qu'elle a eu une attitude qu'elle n'aurait pas dû avoir. C'est un euphémisme.

— Arrogante ? suggéra Ezra, espérant en savoir plus.

— Ah ça, on peut le dire ! On a bien connu Carolyne, ici, avant qu'elle ne devienne une grande-duchesse Hale. Elle s'appelait Faessler à l'époque. Elle a grandi en haut de la rivière entre un père qui claquait au jeu le peu qu'il gagnait et une mère qui couchait ici et là pour arrondir les fins de mois. Carolyne est la preuve vivante qu'on peut s'en sortir à force de volonté. Elle s'est élevée toute seule, a travaillé dur, très jeune, et s'est éduquée elle-même. Elle était très jolie et a fini par faire un bon mariage. Nous en avons été heureux pour elle, parce que nous savions trop bien d'où elle venait.

C'était exactement ça, songea Ezra dont le stylo courait à toute allure. Ils connaissaient *trop bien* son origine pour qu'elle ne choisisse pas de couper totalement les ponts.

— Les souvenirs d'enfance, ça ne s'oublie pas, reprit Gédéon d'une voix mélancolique. Lorsque nous étions gosses, Carolyne et moi, nous jouions ensemble. Maman la prenait même à la maison quand sa propre mère... eh bien, quand sa mère n'était pas disponible. Puis la petite Faessler est devenue Mme Hale. Personne ici ne l'a jalousée, mais du jour au lendemain elle ne nous a plus reconnus. Elle avait dû comparer son compte en banque avec les nôtres et estimer que nous n'étions que du menu fretin... Ça, c'est vraiment nul ! Je ne suis pas le seul à l'avoir mal pris.

— Je vous comprends. Cela dit, pourquoi l'aurait-on soup-çonnée dans la mort de son beau-frère ? Qu'avait-elle à y gagner ?

— À la décharge de Carolyne, il faut dire que Cole ne pouvait pas la sentir. À tort ou à raison, il la prenait pour une

138

arriviste, une aventurière, une pétroleuse... et le clamait haut et fort. Bref, il la détestait presque autant que sa propre mère, ce qui n'est pas un mince exploit.

Ezra décela dans son rire un reste de sympathie pour son ex-amie d'enfance.

— Cela étant, poursuivit Bryson, intarissable, Carolyne a pu penser qu'en rayant Cole de son horizon elle serait l'unique bénéficiaire des biens de Huntington.

— Sauf qu'elle ne l'était pas. Chez les Hale, l'héritage passe par le sang en sautant d'une génération à une autre. L'élimination de son beau-frère ne profitait en fait qu'à son fils Wilty – à elle par ricochet, allez-vous me dire.

— Je suis plutôt d'avis que Carolyne n'en savait rien.

— Intéressant.

Ezra gribouilla les noms de Cole, Hunt, Wilty et Carolyne sur son bloc. Puis il traça une croix à côté des trois premiers. Des quatre, Carolyne était la seule survivante.

— De vous à moi, pensez-vous qu'elle a joué un rôle dans la mort de Cole ?

Gédéon Bryson prit un temps de réflexion.

— Je pense que Carolyne est une femme avide et que les scrupules ne doivent pas l'étouffer. De là à dire qu'elle a trempé dans l'« accident » de son beau-frère... c'est une autre histoire.

— Et dans l'« accident » de son mari, un an plus tard ?

— Idem. Je ne serais pas surpris outre mesure si vous m'affirmiez qu'elle est coupable. Mais je tomberais des nues si vous en fournissiez la preuve.

Ezra le remercia pour cet entretien très enrichissant.

— Tant mieux si j'ai pu vous être utile, inspecteur. Permettez-moi de vous poser une question à mon tour : vous m'avez appelé à cause de la mort de Wilton Hale, n'est-ce pas ?

Ezra devina sans mal que les journaux de Memphis eux aussi en avaient fait leurs choux gras.

— Pour ne rien vous cacher, oui.

— Ce n'était pas un suicide, pas vrai ?

— Non. Nous avons écarté cette hypothèse.

— Mais cette fameuse malédiction, vous y croyez ?

— Nous n'écartons par principe aucune éventualité, répondit Ezra en pensant à Callie, mais ce n'est pas facile de coincer une malédiction.

— Je m'en doute ! s'esclaffa Bryson avant de raccrocher. Je vous souhaite bien de la chance !

Adossé au réverbère du trottoir d'en face, il fumait une cigarette en la suivant des yeux.

Callie pressa le pas tout en se gourmandant de réagir de la sorte. Le bruit de ses talons résonnait dans la rue déserte à cette heure tardive. Ce grand chauve qui ne la quittait pas des yeux la mettait mal à l'aise.

Elle atteignait l'entrée de son immeuble quand son instinct lui commanda de regarder par-dessus son épaule. Le chauve n'avait pas esquissé un mouvement vers elle. Il se contentait de la fixer avec impudeur, un sourire gras aux lèvres.

Elle poussa la porte avec soulagement.

— Bonsoir, Tommy, lança-t-elle au gardien.

— Comment allez-vous, mademoiselle Callie ?

Il se précipita pour refermer la porte derrière elle.

— Très bien. Et vous-même ?

— On se fait vieux, mais on fait aller.

C'était chaque soir la même réplique accompagnée du même haussement d'épaules fataliste. Tommy avait un faible pour la jolie journaliste, qu'il accompagnait rituellement jusqu'à sa boîte aux lettres en se lissant la moustache d'un air gaillard.

Tout en papotant de choses et d'autres avec lui, Callie retira le prospectus qui débordait de sa boîte, tourna la clef dans la serrure et attrapa son courrier.

Ses doigts devinèrent presque la chose avant de l'avoir touchée. Elle regarda à l'intérieur et recula brusquement, blanche comme un linge.

— Oh, quelle horreur !

Tommy se pencha sur la boîte pour découvrir un rat mort, une seringue hypodermique plantée dans le ventre. Trans-percé par l'aiguille, un message composé de quatre mots

140

découpés dans un journal disait : « TU LE REGRETTERAS, SALOPE » !

Tommy prit le bras de la jeune femme toute tremblante.

— Ne restez pas là, mademoiselle Callie. Je vais aller chercher un sac pour le glisser dedans.

Au même instant, ils entendirent la porte de l'immeuble claquer. Callie courut regarder de l'autre côté de la rue. Plus de grand chauve sous son réverbère.

13

Callie montra ses papiers au gamin en uniforme de flic qui montait la garde devant la porte. Il les inspecta avec méfiance avant de chercher soigneusement son nom sur la liste des laissez-passer.

Pendant ces vérifications, Callie contemplait tristement le ruban jaune qui interdisait l'entrée et rappelait s'il en était besoin que le domicile de Wilty avait été le théâtre d'un crime.

— Surtout, ne touchez à rien sans gants, recommanda le planton en lui en tendant une paire.

Callie prit une profonde inspiration et pénétra dans le hall d'entrée. Elle n'avait jamais mis les pieds dans cet appartement puisque Wilty y avait emménagé après leur rupture. Tout lui semblait étranger et néanmoins familier. Elle reconnaissait la plupart des œuvres d'art, surtout les sculptures antiques, mais différemment exposées, entourées de nouveaux éléments de décoration.

— Je dois lui rendre justice, c'était un homme de goût.

Callie reconnut immédiatement la voix.

— Encore vous, Chapin ! Vous me poursuivez ?

— Je vous attendais.

— Où est passée votre moitié ?

Callie regarda autour d'elle, s'attendant à voir Alvarez sortir de derrière une plante ou un rideau.

— Jorge est retourné au bureau : de la paperasse à remplir. Les joies du métier, soupira Ezra. Il sera heureux d'apprendre qu'il vous a manqué.

— Mais vous, comment saviez-vous que j'allais venir ?

142

Il eut une moue qui laissait entendre qu'il était au courant de beaucoup plus de choses qu'elle ne le supposait.

— Je voulais savoir comment vous alliez... J'ai appris, pour le rat dans votre boîte aux lettres, ajouta-t-il gravement.

Callie haussa les épaules, comme si les menaces dont elle était victime faisaient partie de son quotidien.

— Les risques du métier.

— Je vous avais prévenue que votre reportage sur les médecins véreux ne vous vaudrait pas que des louanges.

— Félicitations. Vous aviez raison. Maintenant, est-ce que votre grande sagesse verra d'un bon œil que je fasse ce que je suis venue faire ?

— J'allais vous en prier. Cela ne vous ennuie pas si je reste à vos côtés ?

Son visage dut laisser paraître que l'idée ne l'enchantait guère, car il reprit aussitôt :

— Tout me porte à croire que vous connaissiez Wilty mieux que personne. Je pourrais peut-être bénéficier de vos lumières.

— Très bien, mais je ne voudrais pas vous donner de mauvaises habitudes.

Ezra lui réserva son sourire le plus charmant.

— Je ne fume pas, je ne joue pas, je ne me drogue pas, je bois modérément. J'appelle ma mère au moins une fois par semaine. Je suis gentil avec les animaux. Et en dépit des démangeaisons de mon ego démesuré, je sais reconnaître une bonne idée qui ne vient pas de moi.

— Je dois décoder un message ?

— Mademoiselle Jamieson, je sais que vous croyez que je ne vous prends pas au sérieux, mais vous vous trompez. La preuve : après notre dernière conversation, j'ai lancé quelques sondes du côté de Huntington et Cole Hale.

Les yeux de Callie s'arrondirent de surprise.

— Pour moi, continua-t-il, trois morts inexpliquées mais probablement reliées ne sont pas l'œuvre d'une malédiction. C'est le travail d'un *serial killer*. Mais qu'importent nos divergences de vues, puisque nous poursuivons vous et moi le même objectif : découvrir qui a tué Wilty Hale. Donc...

Ezra lui tendit la main, et conclut :

— ... on fait alliance ?

— On fait alliance, répondit-elle en lui serrant la main.

— Parfait. Si nous commencions notre tournée d'inspection ?

Dans la salle à manger, Callie tomba en arrêt devant un coffret poli posé sur un présentoir. Elle ne l'avait jamais vu, mais, Dieu sait pourquoi, il éveillait quelque chose en elle.

— Qu'est-ce que c'est ? demanda Ezra en la voyant enfiler ses gants pour examiner l'objet.

— Un cadeau de mariage.

Elle attira son attention sur une petite plaque de cuivre collée sur le couvercle.

À l'occasion des noces de Winifred Huntington Colfax et d'Emmet Wilton Hale, le 6 novembre 1869.

Elle ouvrit précautionneusement le coffret qui contenait plusieurs carafons de cristal, chacun rempli d'une liqueur différente identifiée par une médaille en argent gravé.

— Un minibar avant la lettre, commenta Ezra.

Callie le regarda pensivement.

— Encore un objet qui appartenait à E. W. C'est fou ce qu'il y en a ! J'ai l'impression que les derniers temps Wilty vivait dans le souvenir de son trisaïeul...

Ils passèrent dans une autre pièce sans rien remarquer de particulier. Puis dans une autre, immense et vide de tout meuble, dont le plancher était recouvert de gazon artificiel, les murs et le plafond capitonnés, les fenêtres obstruées par des matelas.

Dans l'angle près de la porte, un grand placard renfermait l'équipement de golf de Wilty. Quatre étuis de cuir contenant, le premier des clubs en bois, le deuxième des clubs en métal, le troisième des coins, et le quatrième des clubs anciens, presque des antiquités.

— Regardez ça, Callie.

Sans paraître se rendre compte qu'il venait de l'appeler par son prénom pour la première fois, Ezra posa une balle de golf sur le tee de caoutchouc, saisit un club et frappa. La balle

144

percuta le mur avec un bruit mat, et un numéro – 270 – apparut sur un écran à cristaux liquides au-dessus de la porte.

Le visage de l'inspecteur s'éclaira comme celui d'un enfant devant un sapin de Noël illuminé.

— C'est le résultat virtuel de mon swing... La vie doit être amusante quand on peut s'offrir des joujoux pareils ! Oh, je suis désolé. C'est... très déplacé.

Confus, il se tourna vers Callie. Toute pâle, elle tenait à la main sans le regarder un des vieux clubs – un putter à tête plate, reconnut-il machinalement.

— Je vous ai fait de la peine...

— Non, non... Sortons, voulez-vous, murmura-t-elle en joignant le geste à la parole.

La remarque de Chapin n'était pas en cause. Callie s'était sentie mal à l'aise à la seconde où elle était entrée dans la pièce et venait soudain de comprendre pourquoi. Ces murs capitonnés lui rappelaient un asile de sinistre mémoire.

Ezra rangea sa canne de golf et la balle, et la rejoignit en fermant la porte derrière lui.

Dans le petit salon-bibliothèque, ils parcoururent des yeux les rayonnages remplis de livres d'art, de catalogues d'exposition et de revues comme le *National Geographic* et *Connaissance des arts*. Tout avait l'air à sa place.

Entre les deux fauteuils club en vieux cuir brun patiné qu'elle connaissait bien pour y avoir souvent pris un verre avec Wilty dans son ancien appartement, Callie remarqua la photographie encadrée trônant sur un chevalet de bois. Sur la table basse, un livre grand ouvert exposait en double page la même photographie en noir et blanc : Long House, le sanctuaire des Hale.

Callie effleura rêveusement du doigt la vieille demeure où Wilty l'avait emmenée une fois en week-end, en plein hiver. Ils s'étaient promenés en traîneau dans la neige pendant des heures avant de dîner devant la cheminée gigantesque de la « grand-salle ».

Callie feuilleta plusieurs pages du livre. Rien que des photos de « la maison du lac », comme l'appelait aussi Wilty. Vue de l'extérieur, vue de l'intérieur, avec des détails de chaque pièce. Long House en long, en large et en travers.

— Regardez cette photo, dit-elle à Ezra. Je ne l'ai pas

remarqué quand je suis allée là-bas parce qu'il était recouvert par la neige, mais ce vieil E. W. s'était offert un terrain de golf trois trous sur sa propriété : un par cinq, un par quatre, un par trois. Je ne savais pas que Wilty avait hérité de son ancêtre sa passion du golf.

— Voilà qui explique la présence de ces vieux clubs que nous avons vus tout à l'heure. Wilty les a pieusement conservés.

— Oui... Ce doit être merveilleux de posséder quelque chose qui vous vient de vos grands-parents.

Il lut la tristesse dans sa voix et demanda doucement :

— Vous n'avez rien de votre grand-mère ? Un camée, une bague... je ne sais pas, moi... un napperon brodé ?

— Rien du tout.

Rien que ses cauchemars, ajouta-t-elle in petto.

Elle cacha son désarroi en feuilletant le premier livre qui lui tomba sous la main. *Anna Karénine*. C'était elle qui avait offert cette édition à Wilty pour lui faire connaître un de ses romans préférés. Ses yeux parcoururent les premières lignes. Les mots de Tolstoï avaient toujours trouvé en elle une résonance particulière. « *Toutes les familles heureuses se ressemblent ; chaque famille malheureuse, au contraire, l'est à sa façon.* »

Il en allait de même des enfances, songea-t-elle. La sienne avait été irrémédiablement ruinée quand le destin lui avait volé sa mère. Bien sûr, elle avait trouvé réconfort et tendresse auprès d'un père aimant, d'une tante adorable, et de son amie Paula. Mais rien ni personne, jamais, n'était venu combler l'absence de Mara.

Wilty lui aussi avait eu une enfance sinistrée. Il avait perdu son père très jeune et avait grandi sans une maman digne de ce nom, d'après ses rares confidences. Oh, il avait toujours eu la richesse – une richesse inimaginable – et la gloire d'un nom prestigieux ; pourtant, Callie n'avait jamais connu personne d'aussi seul.

Dans un angle de la bibliothèque, elle remarqua deux photos qu'elle ne connaissait pas de Wilty – tout petit garçon – avec son papa.

Sur la première, ils pêchaient à la ligne dans un lac, assis, très concentrés, sur le pont d'un bateau, complices et sérieux comme des papes.

Sur l'autre, Huntington et son rejeton, haut comme trois pommes, posaient gravement devant l'objectif, tous les deux en costume-cravate. Une main (celle de Wilty ?) avait découpé la photo pour ne conserver qu'eux, mais Callie devinait à leur tenue, à leur attitude, ainsi qu'aux silhouettes floues qui s'embrassaient en arrière-plan avec des mines compassées, qu'ils étaient à un enterrement.

Un an plus tard, le bout de chou ne serait plus qu'un petit orphelin – sa mère serait vivante, mais si souvent absente... Et quand la Veuve se trouvait à la maison, pas question de la déranger. Mieux valait filer doux, lui avait avoué un jour Wilty.

Callie savait ce que c'était de se sentir seule auprès d'un proche... Après la mort de Mara, son père ne l'avait pas abandonnée, il ne l'avait pas moins aimée, mais il s'était *retiré*, retiré du jeu, retiré en lui-même. Il était resté à Callie l'épaule de tatie Pennie pour pleurer ; et Paula, la confidente de son âge, l'âme sœur.

Wilty avait-il eu une Pennie ou une Paula dans sa vie ? Sa grand-mère – qui entretenait des relations haineuses avec Carolyne – avait-elle su le cajoler ? Avait-il eu, et gardé, un ami d'enfance, un copain d'école ? Devant elle, en tout cas, il n'avait jamais mentionné personne en particulier.

Une douleur aiguë la poignarda en plein cœur. Elle repensa à la confidence que lui avait faite Wilty dans sa lettre qu'il ne savait pas être la dernière : « *En plein milieu d'une crise existentielle qui m'aura coûté ce que j'avais de plus cher au monde : toi !* »...

— Trouvé quelque chose ? demanda-t-elle à Chapin en s'efforçant de chasser ses idées noires.

— Une photo de vous deux.

Il lui tendit un cadre en argent avec une photographie de Wilty et elle en randonnée à la montagne. Ils se ressemblaient comme deux gouttes d'eau avec leurs mêmes shorts kaki, leurs chemisettes identiques, les mêmes grosses chaussures de marche et la même casquette de base-ball. Ils se tenaient par la taille, riant aux éclats.

— Elle a été prise à Vail, articula Callie en souriant aux jumeaux figés dans l'image du bonheur. Je peux la garder ?

— J'ai peur que non. C'est...

Callie hocha la tête et lui rendit la photo.

— Compris. Une pièce à conviction.

Sans se donner le mot, ils se plantèrent l'un et l'autre devant un nouveau rayon de bibliothèque, tentant de se concentrer pour ne plus penser, elle, à ses souvenirs ; lui, à Callie serrée contre Wilty.

— J'ai repéré deux livres sur le suicide, annonça-t-elle bientôt. Sur l'un d'eux, on a coché des paragraphes dans la marge.

— Hum. Ça a l'air ancien ou récent ?

— C'est forcément récent : ces deux ouvrages ont été publiés l'an dernier et cette année.

— De quoi parlent les passages soulignés ?

— Des causes de suicide. L'auteur les classe en cinq grandes catégories.

— Je vous écoute, dit Ezra en rangeant le livre qu'il consultait la minute d'avant. Quels sont ces cinq motifs ?

— Les dettes, le sentiment de culpabilité, le déshonneur, le désespoir, la folie, énuméra Callie.

Ses lèvres tremblèrent en prononçant le dernier mot. Ezra ne le remarqua pas : il avait commencé à faire les cent pas.

— Intéressant. Le meurtrier escomptait que son crime passerait pour un suicide. Si nous étions tombés dans le panneau, quel motif vous aurait paru le plus plausible, ou le moins invraisemblable, s'agissant de Wilty ?

Callie ne se donna même pas la peine de réfléchir pour répondre :

— Le déshonneur. Le pauvre savait que tout le monde l'attendait au tournant : se montrerait-il à la hauteur de ses responsabilités ? Sans doute en doutait-il lui-même... c'était un cercle vicieux. En « suicidant » Wilty, l'assassin exploitait ce filon, certain qu'on mettrait automatiquement sa mort sur le compte d'un acte de fuite désespéré de la part d'un homme faible, lâche, dépassé. Mais Wilton Hale valait mieux que cela !

— Je suis sûr que vous avez raison, déclara Ezra.

148

— C'est vrai ? Vous le pensez ?

— Je le pensais déjà avant, et plus encore depuis que j'ai vu cet appartement.

— Pourquoi ?

— Tout ici prouve l'intelligence et le sens artistique de Wilty, mais témoigne aussi de sa droiture. Il s'est donné du mal pour mettre en valeur les objets dont il avait hérité, et il l'a fait avec autant de tendresse que de goût. Il avait trop conscience de son nom pour ne pas vouloir en être digne. Wilty n'a pas fui ses responsabilités, j'en mettrais ma main au feu. Il buvait, mais n'était pas homme à reculer devant l'obstacle, en tout cas à s'avouer vaincu sans se battre.

— Je suis contente que vous l'ayez compris, dit Callie.

Ezra avait repris ses allers-retours dans la pièce en réfléchissant tout haut.

— La vengeance est au meurtre ce que le déshonneur est au suicide. Après le crime passionnel, c'est toujours le premier mobile que l'on cherche. Si l'on pose l'hypothèse d'une vengeance contre Wilty...

Il s'arrêta de marcher et regarda Callie comme pour s'excuser.

— Je sais que ça ne va pas vous plaire, mais on peut supposer que pour punir un homme d'une manière aussi radicale...

— ... il faut qu'on lui reproche une faute vraiment terrible, acheva-t-elle. Reste à savoir si Wilty était coupable – et de quoi !

Callie quitta l'appartement de Wilty vers les dix-sept heures pour filer au journal. Le visage d'Amy s'éclaira à sa vue.

— Ouf ! te voilà... Non, ne t'assieds pas, Brad Herring veut te voir. Immédiatement.

— À quel sujet ?

— Pas la moindre idée. Mais à entendre la voix du big boss, ce n'est pas pour te conter fleurette...

Callie fronça les sourcils. Sûrement encore des ennuis avec le conseil de l'ordre des médecins, pas très content qu'on ait parlé de ses brebis galeuses. Ils étaient drôles ! pesta mentalement Callie tout en se donnant un coup de brosse. Le public avait le droit de savoir la vérité, c'était même le devoir de la presse !

Elle arriva plutôt remontée dans le bureau de Brad, où elle perdit d'un coup toute son assurance en y trouvant... Carolyne Hale.

Assise sur le canapé, la Veuve ne tourna même pas la tête dans sa direction. Elle se tenait raide comme la statue du Commandeur quand il expédie Dom Juan aux enfers, songea Callie en essayant de reprendre une contenance.

— Carolyne, je vous présente Callie Jamieson. Callie, Mme Hale.

Callie s'humecta les lèvres et lui tendit la main.

— Je tiens à vous exprimer ma sympathie dans le malheur qui vous frappe...

Elle faillit lui dire que son fils et elle avaient été amis, mais ce visage figé dans une dureté minérale étouffa les mots sur ses lèvres.

Carolyne lui effleura la main du bout des doigts et reprit sa sculpturale immobilité.

Brad invita Callie à prendre un siège. Lui-même s'assit sur le canapé à côté de Mme Hale. Il avait l'air tendu.

Callie avait déjà eu l'occasion d'approcher la Veuve à des réunions de fin d'année dans des salons loués par le journal, mais jamais d'aussi près. La dire réfrigérante était un euphémisme. Une réflexion de Wilty lui revint soudain en mémoire : « Rencontrer Madame Mère, c'est risquer d'attraper un refroidissement ! »

Brad s'éclaircit la gorge.

— Je parlais à Carolyne de votre idée de reportage sur sa famille. Mme Hale a manifesté quelques craintes bien légitimes sur la teneur de vos articles à venir, et j'ai pensé que vous pourriez la rassurer...

Callie hocha la tête tout en rêvant d'être ailleurs.

— Je vais faire de mon mieux, monsieur. Voilà, il s'agit donc d'une enquête à paraître sous forme de chronique hebdomadaire. L'objectif visé est de détourner l'attention du public des rumeurs odieuses qui circulent sur votre fils, madame, en nous attachant à retracer les mystères de la vie

150

de E. W. Hale ainsi que l'invraisemblable série noire qui a frappé ses descendants mâles...

— Suffit, j'en ai assez entendu.

Les yeux de Carolyne Hale glissèrent sur Callie avec un tel mépris qu'une gifle eût été plus aimable, puis revinrent sur Brad Herring.

— Brad, vous allez me faire le plaisir d'annuler tout de suite ce projet et de virer cette femme.

Callie sentit ses oreilles s'empourprer. Son estomac se noua comme si on venait de lui annoncer qu'elle souffrait d'une maladie incurable.

— *Quoi ?* s'étouffa Brad. Mais... pourquoi ?

— D'abord, le thème me déplaît. Ce n'est pas de l'histoire, pas même de la petite histoire ; c'est du vent, de la fumée, c'est n'importe quoi. Il ferait beau voir que mon journal se fasse l'écho de pareilles absurdités ! Quant à cette petite garce...

Sans bouger la tête, elle désigna Callie d'un geste de la main.

— ... elle a essayé de mettre le grappin sur mon fils pour se faire épouser. Heureusement, Wilty n'a pas tardé à voir clair dans son jeu. Il l'a laissée tomber dès qu'il a compris l'évidence : cette misérable arriviste n'en voulait qu'à son nom et à son argent.

— C'est faux ! protesta Callie en retrouvant l'usage de la parole.

— C'est Wilty qui me l'a dit ! Et maintenant qu'il n'est plus là pour se défendre, furieuse d'avoir été démasquée et plaquée, cette fille tente de se venger en salissant sa famille !

— Je vous jure que c'est faux, répéta Callie, étourdie par le choc.

Brad avait du mal à contenir sa colère.

— Je ne peux pas vous laisser dire ça, Carolyne. Mlle Jamieson n'était pas volontaire pour ce projet. Je l'ai choisie en me fondant sur son talent et son honnêt...

— En ce cas, vous avez fait le mauvais choix, Herring, trancha la Veuve en détachant ses mots. Je vous donne une chance de réparer votre bévue en confiant le reportage à un

151

autre. Un vrai journaliste qui ne cherchera pas à se faire un nom sur le cadavre de mon fils.

— Je ne ferais jamais cela ! s'emporta Callie.

Elle n'en croyait pas ses oreilles. Wilty avait-il vraiment pu la traîner ainsi dans la boue devant sa mère ? Non, cent fois non ! Même furieux, même ivre, ce n'était pas du tout son style. Mais alors, pourquoi Carolyne mentait-elle ? Pourquoi une telle haine ?

— Madame Hale...

— Je ne veux pas vous entendre.

La Veuve leva la main pour la réduire au silence. Ses yeux bleu acier étaient presque noirs.

— Vous ne vous êtes pas demandé pourquoi mon fils ne vous a jamais présentée à moi ? Parce que vous n'étiez pour lui qu'un bon coup, ma chère ! Le genre de poufiasse dont on profite avant de la jeter.

Elle allait trop loin ! Callie se dressa, rouge de colère, mais Brad devança précipitamment sa réaction.

— Madame Hale, la douleur vous égare. Je ne peux pas vous laisser proférer de telles insinuations, personnelles et professionnelles. Pour ma part, je suis certain de... de l'intégrité journalistique de Jamieson.

Il hésita, fourra les mains dans ses poches et se tut.

C'est tout ? songea Callie en se sentant couler à pic. Elle avala convulsivement sa salive sans chasser le goût amer qu'elle avait dans la bouche.

Brad allait la lâcher, il l'avait déjà lâchée. En qualifiant de simples insinuations les insultes ignobles dont elle venait d'être victime, et en ne l'appelant plus que Jamieson. Elle comprit d'un coup avec effarement que son avenir au *City Courier* était en train de s'écrouler comme un château de cartes.

Carolyne Hale croisa ses longues jambes et s'enfonça plus confortablement dans le canapé en étendant les bras sur les coussins. Elle ne pouvait pas montrer plus clairement qu'elle était chez elle ici, dans *son* journal, comme elle avait su le préciser.

L'attitude de Brad laissait comprendre que le message avait été reçu cinq sur cinq. Il s'était mis debout en même temps

152

que Callie et respirait bruyamment, les joues marbrées de rouge. Où était passé le patron impassible et incorruptible qui défendait ardemment l'indépendance de la presse ? Il n'y avait en fait qu'un big boss ici, et ce n'était pas lui.

Dans le silence qui s'était abattu sur le bureau, la voix de Carolyne s'éleva, implacable :

— Si j'avais voulu livrer en pâture à nos lecteurs les mystères de la vie de E. W. Hale, j'aurais laissé publier ses archives privées. Puisque j'en ai décidé autrement, ces secrets de famille resteront secrets. Désolée, ma petite.

Pour ne pas perdre complètement la face, Brad tenta un baroud d'honneur.

— Vous oubliez un détail, Carolyne. Selon les termes du testament de E. W. Hale, aucun de ses papiers ne pouvait être publié tant que ses descendants par le sang étaient en vie ; mais, un an jour pour jour après la disparition du dernier d'entre eux, ils tomberaient dans le domaine public. Vous ne pourrez vous opposer à leur diffusion. Wilty est mort : dans moins d'un an, les secrets des Hale remonteront à la surface.

Callie avait certainement perdu son travail, mais pas un mot de cette information qu'elle ignorait, ni une miette de la déconfiture de la Veuve : son visage avait viré du blanc de rage au vert de peur.

— C'est moi la dernière des Hale, tonna Carolyne, et personne, vous entendez bien, personne ne me dictera ma conduite ! J'attaquerai le testament au besoin. Avec le pouvoir, on obtient ce qu'on veut. Démonstration...

Elle se leva à son tour et se campa devant Herring.

— Ce que je veux aujourd'hui, c'est la tête de Callie Jamieson. Virez-la.

Il se cabra, puis baissa les épaules et fit face à Callie en s'intercalant entre les deux femmes.

— Callie, je pense que vous devriez sortir.

Son regard appuyé signifiait qu'ils en parleraient plus tard, mais elle n'était même pas sûre de vouloir se raccrocher à cet espoir.

Rassemblant toute sa dignité, elle pivota sur ses talons et quitta le bureau sans un mot, droite comme un I, avec toujours ce goût de cendres dans la bouche.

153

Après son départ, Brad se retourna vers Carolyne, les yeux étincelant de colère contenue.

— Pourquoi faites-vous ça ?

Elle eut un sourire épanoui.

— Mais parce que j'en ai le pouvoir, mon cher.

14

Cette nuit-là, Callie ne rêva pas des Gens gris, mais de rats noirs qui la poursuivaient avec des aiguilles jusqu'au fond de la boîte aux lettres où elle s'était cachée afin d'échapper aux griffes d'une hyène...

Après une douche brûlante, deux tasses de café fort, et une séance de yoga revitalisante, elle se retrouva fin prête pour attaquer la journée – sans nulle part où aller.

La veille au soir, Brad Herring lui avait téléphoné. Elle n'avait pas décroché, le laissant dévider son message sur le répondeur. Il avait commencé par lui renouveler son estime, réitérant ses félicitations pour son enquête « *Toubib or not toubib* », avant d'en venir au fait. Il était désolé pour le « malheureux épisode » qui s'était déroulé dans son bureau, mais ne doutait pas que les choses finiraient par s'arranger « entre gens de bonne volonté », dès que ce « regrettable malentendu » serait dissipé. Il s'y employait déjà, mais elle devait bien comprendre qu'il fallait « laisser du temps au temps ».

Brad avait terminé sur cette noble formule, censément porteuse d'espoir, mais aussi creuse que vague. Et comme il avait « bêtement omis » de lui dire qu'il comptait sur elle au journal le lendemain et les jours suivants, Callie en avait déduit qu'elle se trouvait en congé sabbatique, ou au chômage technique, ou en disponibilité sine die, au choix. En un mot : *virée*, comme l'avait si élégamment résumé la Veuve.

Elle n'avait pas l'intention de se laisser piétiner sans réagir, mais ses armes étaient limitées, et n'avaient pas, tant s'en faut, la puissance de frappe de celles d'une Carolyne Hale. Callie avait pour elle sa conscience et la vérité – ce n'était pas rien, mais ça, l'autre s'en fichait comme d'une guigne.

Heureusement, la Veuve était loin de se douter que la « sale petite garce » avait d'autres cartes dans son jeu : les trois volumes du journal de E. W. Hale. Un brelan qui pourrait se transformer en carré gagnant si seulement elle mettait la main sur le volume manquant : le journal de l'année 1900.

Plus elle y pensait, plus Callie était sûre que le présent s'expliquait par le passé. « *C'est lié à E. W. Hale : ce qu'il était et ce que ça fait de moi...* » Encore fallait-il fouiller les pages, sonder entre les lignes, creuser sous les mots... exactement comme ce chien qu'elle voyait par la fenêtre de la cuisine, acharné à labourer le sol de la cour jusqu'à trouver son os. Quelque part chez les Hale, il y avait un os à déterrer, et un gros.

Un peu regonflée, Callie alluma son ordinateur portable, qui se coupa tout seul trente secondes plus tard. Nouvel essai : plus rien. Elle était sur le point de paniquer quand elle se souvint d'un avis de coupure d'électricité pour une bonne partie de la journée. Elle n'avait plus qu'à aller travailler chez Paula.

La veille, elle lui avait raconté en détail son abominable entrevue avec Brad Herring. Paula en avait été tellement révoltée qu'il avait fallu que Callie la dissuade de démissionner sur-le-champ. Elle était si malheureuse pour son amie qu'elle lui aurait décroché la lune.

— Je dois justement m'absenter pour quelques jours, reste chez moi autant qu'il te plaira. Tu as ta clef ?

— Oui, mais j'y serai seulement aujourd'hui. Je retournerai coucher chez moi.

— Comme tu veux. Haut les cœurs ! On les aura !

C'était une formule bateau, mais ça faisait plaisir.

Callie s'installa sur la grande table de cuisine de Paula, brancha son ordinateur et commença par lire son courrier électronique. Charmant ! Rien que des mails d'insultes... Cette fois, pas de blouses blanches en colère : des intoxiqués victimes du Dr Devy qui regrettaient son « cocktail miracle » et souhaitaient à Callie d'en baver comme ils en bavaient à cause d'elle.

Ces lamentables petites malédictions ne la troublèrent pas plus que de raison. Elle avait d'autres chats à fouetter. Et une malédiction autrement plus sérieuse à étudier.

Où pouvait se trouver le journal manquant ? Pas chez Wilty, sinon il le lui aurait envoyé avec les autres ; pas non plus à Long House, sinon il l'aurait découvert, on pouvait lui faire confiance ! Alors où ? Il fallait tout reprendre de zéro, avec un œil neuf, Wilty avait raison. Utilisant son mot de passe, Callie entra dans la banque de données du *City* et téléchargea la biographie officielle de E. W. Elle l'avait déjà lue, bien sûr, mais sans y chercher quelque chose en particulier, ou plutôt quelqu'un.

Callie alla droit au début des années 1900. Son attention redoubla quand elle arriva au remariage de E. W. en 1904. Deux ans après la mort de sa première femme, Winifred, il avait épousé une certaine Constance Shipley. La nouvelle Mme Hale avait alors quarante-cinq ans, lui déjà soixante-quatre. Ils restèrent mariés jusqu'à ce qu'il s'éteigne à l'âge respectable de quatre-vingt-dix-huit ans, en 1938. Elle devait lui survivre dix ans.

Callie fit une recherche rapide sur Constance Shipley. Elle avait eu deux enfants d'un premier lit : un fils, Walter, et une fille, Anne. L'aîné était mort sans laisser d'enfants, mais sa sœur avait eu une fille, Victoria. Callie effectua un simple calcul mental : Anne avait dû naître vers la fin du XIXᵉ siècle, et Victoria vingt ou trente ans plus tard. Il y avait donc de fortes probabilités pour que cette dernière soit encore en vie. Ça, c'était une piste. Seulement voilà : des Victoria octogénaires, il devait y en avoir une ribambelle. Comment trouver la bonne ? Surtout sans le nom d'épouse, si elle avait eu la bonne idée de se marier...

Cette fois, la chance était du côté de Callie : elle se rendit compte que toutes les filles de la famille Shipley avaient reçu ce patronyme en deuxième prénom, ce qui limitait les possibilités. Après une recherche approfondie, elle réussit à localiser une Victoria Shipley Moore dans une banlieue de

Cleveland... la ville où E. W. Hale avait jadis fondé ce qui deviendrait son empire.

Quand Callie eut Mme Moore au téléphone, elle se présenta comme une amie de Wilty. Méfiante au début, la vieille dame se radoucit instantanément.

Lorsqu'elle lui demanda la raison de son appel, Callie répondit que Wilty l'avait chargée de chercher de la documentation pour une nouvelle étude sur les Hale – ce qui était du reste la stricte vérité.

Après s'être lamentée sur la disparition tragique de ce pauvre Wilty et avoir exprimé son regret de n'avoir pu assister à ses funérailles à cause de son état de santé, Mme Moore lança en passant :

— Quand je pense que nous nous sommes entretenus au téléphone l'avant-veille de sa mort...

Callie faillit en sauter au plafond.

— Wilty vous avait appelée ? Puis-je vous demander à quel sujet ?

— Bien sûr, mon petit. Il voulait savoir si j'avais finalement mis la main sur ces vieux papiers dont il m'avait déjà parlé quelques mois plus tôt.

— Quel genre de vieux papiers ?

— Des manuscrits de E. W. Hale. C'était le mari de ma grand-mère, voyez-vous, précisa-t-elle avec fierté. Wilty était passionné par son journal intime. Mais très ennuyé parce qu'il en manquait quatre volumes à Long House, la maison préférée de E. W., au bord du lac George. Wilty s'était dit que ma grand-mère les avait peut-être eus en sa possession et que ma mère les avait gardés après sa mort. Il avait vu juste.

Callie buvait ses paroles.

— J'ai retrouvé trois tomes que j'ai aussitôt adressés à Wilty. Le pauvre garçon était si content qu'il brûlait de lire le quatrième ! Mais là, rien, aucune trace. Avec le recul, j'aurais tellement voulu lui faire ce dernier plaisir...

— Il vous a parlé de ce qui l'avait amené à s'intéresser à ce journal ?

— Je ne m'en souviens pas... Ah, si ! Wilty avait eu connaissance d'une lettre troublante. C'est à cause d'elle qu'il avait besoin du journal complet : pour vérifier si elle disait bien la vérité.

— Cette lettre, commença Callie en s'efforçant de garder son calme, il n'aurait pas mentionné qui l'avait écrite ?

— Non, mon petit, je suis désolée. Il ne m'a pas donné de détail. Je sais seulement qu'elle ne datait pas d'hier.

Une vieille lettre troublante..., résuma Callie. De quoi pouvait-il bien s'agir et qu'en avait fait Wilty ? Elle demanda à Mme Moore comment elle s'expliquait la disparition du quatrième journal. La vieille dame n'en avait aucune idée, mais craignait fort qu'il ne se soit perdu lors d'un déménagement.

Une autre question restait en suspens. Pourquoi E. W. Hale avait-il séparé ces volumes des autres ? Callie la posa par acquit de conscience, et fut surprise d'obtenir une réponse :

— Mon grand-père par alliance est mort très, très vieux. Il devait se préparer depuis longtemps à rencontrer son Créateur. Je suppose qu'il avait relu sa vie à travers son journal, et qu'il avait sélectionné ces volumes parce qu'ils contenaient des fautes qu'il voulait corriger.

— Des fautes... ? répéta lentement Callie. Dans quel sens ?

— Des erreurs à corriger... ou des péchés dont il se repentait. Qui sait ?

Callie se remémora une fois de plus la phrase sibylline de Wilty. « *C'est lié à E. W. Hale : ce qu'il était et ce que ça fait de moi...* »

— Madame Moore, la dernière fois que Wilty vous a téléphoné, vous a-t-il semblé agité ?

— Oh, oui ! Très nerveux, même. Et si contrarié que je n'aie pas retrouvé le journal manquant ! Mais je n'ai pas osé lui poser de questions. Maintenant, je me dis que j'aurais peut-être pu l'aider davantage, il était tellement gentil. Si ce n'est pas malheureux...

Callie l'entendit renifler à l'autre bout du fil. Elle fut tentée de lui révéler que Wilty ne s'était pas suicidé, mais l'idée qu'il avait été assassiné aurait bouleversé la vieille dame.

— Ce n'est pas votre faute, madame Moore. Vous ne pouviez pas faire plus pour lui.

— Si ! Il aurait fallu que je pense plus tôt à Elizabeth...
Callie se figea.

— Que voulez-vous dire ?

Victoria lui expliqua que sa petite-fille, Elizabeth, avait contacté de sa part ses cousins pour leur demander de fouiller caves et greniers à la recherche de quoi que ce soit qui aurait pu appartenir à E. W. Hale. Il y avait une chance sur cent, mais ça valait la peine d'essayer...

— Si Elizabeth ou ses cousins découvraient quelque chose, pourriez-vous me le faire savoir ? C'est très important.

— Comptez sur moi, mon petit, mais même si c'était le fameux journal, je ne pourrais malheureusement pas vous le donner.

— Pourquoi pas ?

— Parce que ce matin même un certain inspecteur Chapin de la police de New York m'a contactée. Il m'a dit de lui remettre absolument tout ce qui aurait pu appartenir à E. W. Hale.

Callie la remercia infiniment pour son aide et promit de rester en relation avec elle. Puis elle appela Ezra Chapin.

— Il faut qu'on parle, attaqua-t-elle en coupant court aux politesses.

— À quel sujet ?

— Victoria Shipley Moore.

— Une charmante vieille dame.

— Comment l'avez-vous trouvée avant moi ?

Il rit – de ce rire suffisant qui avait le don de l'horripiler.

— Wilty l'avait appelée. J'ai voulu savoir pourquoi.

Les relevés téléphoniques... c'était aussi bête que ça ! Callie se serait donné des gifles de ne pas y avoir pensé plus tôt. Et elle lui en aurait volontiers réservé une pour son ton satisfait.

— J'ai joué cartes sur table avec vous, inspecteur. Je vous ai montré la lettre de Wilty avec les trois journaux en prime. Et vous, vous tentez de me rafler le quatrième sous le nez ! C'est petit, petit, petit, Chapin !

— Où vous êtes-vous planquée ?

— Pardon ?

— Je vous ai appelée au *City*. Chez vous, partout. Si vous

160

n'aviez pas joué la fille de l'air, j'aurais pu vous parler de Victoria. Je n'essaie pas de vous doubler, bon sang ! Nous sommes du même côté, je vous l'ai déjà dit. Alors, ne filez plus sans laisser d'adresse !

Non mais, pour qui se prenait-il ? Callie se passa une main dans les cheveux.

— Le temps qu'on rétablisse l'électricité chez moi, je suis allée travailler chez une amie. Satisfait ? J'ai le droit ?

— Parce que votre bureau au journal n'est pas un lieu de travail ?

Cet homme était insupportablement curieux !

— Pas depuis que j'y suis persona non grata.

— Tiens ! Moi qui vous croyais persona gratin...

— Très drôle ! Ce n'est vraiment pas ma semaine : j'ai dû croiser une colonie de chats noirs !

— Alors je vous invite à dîner : la nuit, tous les chats sont gris. Vous venez ?

— Non merci, je n'ai pas faim à ce point-là ! jeta Callie en lui raccrochant au nez.

Il ne pouvait pas le savoir, mais elle n'aimait pas ce qui était gris la nuit...

— Bonsoir, Tommy. Rien à signaler ?

— RAS, mademoiselle Callie. J'ouvre l'œil, et le bon !

Depuis la découverte d'un rat crevé dans la boîte aux lettres de sa résidente préférée, le vieux gardien veillait au grain. Il passait au peigne fin son courrier, regardait à la loupe chaque livraison et examinait tout inconnu qui franchissait le seuil de l'immeuble avec un air aussi avenant et engageant que l'inspecteur Derrick.

Callie le remercia et attendit impatiemment l'arrivée de l'ascenseur. Ça venait d'elle ou cet engin ralentissait avec l'âge ? Huit ans déjà qu'elle habitait ici, grâce à Pennie.

Sa tante lui avait offert cet appartement en cadeau pour son diplôme de fin d'études. Un si gros cadeau que Callie avait voulu le refuser, mais Pennie avait insisté : c'était idiot que personne n'en profite, alors qu'elle-même passait la plupart de son temps en tournage à droite et à gauche pour un feuilleton ou une série télévisée. Callie avait cédé en tombant dans les bras de sa tatie Pennie, et celle-ci avait ajouté, la larme à l'œil : « C'est ce que ta maman aurait voulu pour toi, bêta. »

Callie glissa sa clef dans la serrure, ouvrit la porte et la referma derrière elle. Une faible lumière baignait l'entrée. Depuis la réapparition en force des Gens gris, elle laissait partout des veilleuses orangées allumées en permanence pour ne pas se trouver dans le noir au sortir d'un cauchemar. Comme des petits phares pour éclairer ses nuits... Elle n'avait pas osé le dire à Paula, tant c'était puéril, mais...

Callie se pétrifia après avoir fait trois pas dans le couloir. Sous la porte de sa chambre filtrait un rai de lumière grisâtre. Pas le joli, le rassurant orange d'une veilleuse, mais un gris sinistre et totalement anormal.

Il y avait quelqu'un chez elle – ou quelque chose, songea-t-elle en pensant avec effroi à l'Étranger gris.

Elle hésita entre s'enfuir à toutes jambes pour prévenir Tommy et alerter la police, ou s'avancer sur la pointe des pieds pour vérifier qu'elle n'avait pas une hallucination.

Le cœur battant à grands coups dans sa poitrine, elle tendit l'oreille, écouta, tous ses sens en alerte. À chaque seconde, elle s'attendait à voir l'Étranger se matérialiser sous ses yeux. Elle retint sa respiration, écouta encore. Pas un son. Silence total.

Un silence de mort.

Soudain, les veilleuses s'éteignirent toutes en même temps. Une coupure d'électricité. L'appartement bascula dans le noir. Dans le noir ? Dans le gris !

L'abominable lumière ne s'était pas éteinte, elle...

Les yeux agrandis par l'épouvante, Callie la vit se répandre comme dans son cauchemar. *Elle grandit, elle grandit, elle emplit tout...*

Callie recula précipitamment, sa main glacée se posa sur la poignée de la porte – mais un reste de lucidité lui commanda de ne pas fuir. *Il* l'entendrait, *il* la poursuivrait dans le couloir, dans l'ascenseur, dans l'escalier de service, partout. Elle serait prise au piège.

Il l'avait déjà prise au piège.

Terrorisée, elle eut toutefois la présence d'esprit de se glisser dans la seule cachette possible, dans l'angle de l'armoire de l'entrée, et attendit, une main plaquée sur sa bouche pour que sa respiration saccadée ne la trahisse pas.

La lumière grise grandissait encore.

Plus morte que vive, Callie sentit plus qu'elle ne vit une ombre passer près d'elle, puis s'éloigner en direction du salon. C'était le moment ou jamais. Elle respira un grand coup, puis se risqua hors de son abri, et réussit à sortir sans un bruit de l'appartement. Bravant sa peur, elle se força à refermer doucement la porte derrière elle.

Alors seulement, elle prit ses jambes à son cou et se rua dans la cage d'escalier qu'elle dévala à s'en rompre le cou.

— Qu'est-ce qui se passe ? s'écria Tommy en la voyant débouler au rez-de-chaussée, trempée de sueur, le visage livide.

— Quelqu'un... dans mon appartement ! souffla Callie en tremblant de tous ses membres.

Tommy se précipita sur le téléphone et appela police secours.

La police débarqua en moins de temps qu'il n'en faut pour le dire. Deux hommes montèrent à l'appartement, arme au poing, tandis qu'un troisième recueillait la déposition de Callie, effondrée dans le fauteuil de Tommy.

Elle resta lamentablement floue et évasive. Que leur raconter ? que son visiteur n'était pas un être humain ? qu'il n'était pas vivant, mais pourtant terriblement réel ? qu'il hantait ses rêves depuis qu'elle avait sept ans, mais qu'à présent il arrivait à sortir de ses cauchemars ?

Ils allaient redescendre de chez elle sans avoir rien trouvé, on la regarderait d'un air apitoyé et on lui parlerait doucement, comme à une malade très fragile...

Le visage enfoui entre ses mains, Callie fondit en larmes. Elle savait trop bien ce que penserait la police : ce que tout le monde avait pensé de Mara. Et il fallait se rappeler où ses visions avaient conduit sa pauvre maman...

— Madame Jamieson ?

Elle leva la tête, et rencontra le regard d'un officier qui lui rappela tout à fait l'inspecteur Alvarez. Même teint mat, mêmes sourcils aussi fournis que charbonneux, même œil sombre et désabusé malgré son jeune âge. Lui s'appelait Plover, comme l'indiquait son badge.

Avant qu'il ait ajouté un mot, elle sut.

— Vous n'avez trouvé personne...

— Non, fort heureusement. Et pas non plus de traces d'effraction.

S'il pensait la rassurer, l'expression atterrée de Callie le détrompa. Plover se demanda si elle avait bien compris et s'agenouilla pour se mettre à sa hauteur.

— Madame, le fil de votre lampe de chevet a provoqué un court-circuit. Un crépitement, des étincelles... voilà sans doute ce qui vous a effrayée.

— Un court-circuit ? Oui, ce doit être ça. Bien sûr. Je suis désolée de vous avoir dérangé pour rien, débita-t-elle d'une voix mécanique.

Le jeune officier se rapprocha encore, de manière à ce qu'elle soit seule à l'entendre.

— L'autre soir, le rat et les menaces... c'est moi qui ai effectué le constat. Dites, vous n'avez que des malheurs en ce moment...

— Oui... Je devrais consulter mon horoscope.

Si ce policier avait vu le rat — on ne peut plus réel, lui ! — dans la boîte aux lettres, il ne la prenait peut-être pas pour une toquée, pensa Callie. C'était déjà ça.

Elle se leva et lui serra la main.

— Je tâcherai de vous éviter un troisième déplacement. Vous avez été très gentil et compréhensif. Encore merci.

— De rien. Et soyez tranquille : on va le coincer, l'homme au rat ! L'inspecteur Chapin vous a dit qu'on était sur une piste ?

— Non, je ne suis pas au courant !

Plover parut embarrassé. Il craignait d'avoir gaffé, devina Callie.

— Oh, il n'a pas dû réussir à vous joindre.

— Ou il aura oublié.

— Pensez-vous ! Sa collaboratrice ! Il paraît que vous travaillez main dans la main sur un homicide.

Maintenant, c'était au tour de Callie d'être gênée. Elle s'était peut-être montrée un peu dure quelques heures plus tôt en soupçonnant Ezra de faire cavalier seul.

— L'inspecteur Chapin est un as, ajouta Plover. Avec Jorge Alvarez et vous en renfort, l'assassin n'a qu'à bien se tenir !

— Le ciel vous entende !

Elle reprit brutalement contact avec la réalité en découvrant les trois hommes qui la fixaient du regard. Tommy et les deux collègues de Plover arboraient tous la même expression faussement naturelle.

Callie reconnut ce sourire un peu forcé, ce regard un peu fuyant, cette décontraction un peu trop feinte... Elle les avait souvent observés chez ceux qui rendaient visite à sa mère.

Tommy tint à l'accompagner jusqu'à sa porte. Une fois seule, Callie s'enferma à double tour, alluma toutes les lampes de l'appartement, brancha le téléviseur dans sa chambre, mit la radio en fond sonore dans la cuisine, et se prépara une infusion de verveine.

Le simple sifflement de la théière lui arracha un haut-le-corps. De même que la sonnerie du téléphone quelques minutes après.

Elle aurait dû ajouter de la fleur d'oranger dans sa verveine, songea-t-elle en s'approchant du répondeur avec méfiance.

« Callie ? Ezra Chapin à l'appareil. Toujours pas rentrée ? Bon. Tout à l'heure, vous ne m'avez pas laissé le temps de vous prévenir que nos gars ont une piste sur le triste sire qui s'est amusé avec votre boîte aux lettres. Si ça donne quelque chose, il ne recommencera pas de sitôt à faire le malin... Je vous ai trouvée un tantinet nerveuse cet après-midi. J'espère que ce message vous mettra du baume au cœur. Si vous avez envie de me rappeler, ne vous gênez pas : mon calumet de la paix et moi sommes au 555-1243. »

Callie sourit malgré elle. Elle le rappellerait. Plus tard. Pour l'instant, elle n'aspirait qu'au calme.

Elle emporta son infusion dans sa chambre, prête à visionner un film, n'importe lequel pourvu qu'il lui change les idées. Elle arrangea ses oreillers dans son dos, pressa machinalement le bouton de sa lampe de chevet, qui s'alluma et clignota avant de s'éteindre dans un grésillement. Génial ! Plover n'avait pas menti : il y avait bien un court-circuit.

Lâchant un soupir de soulagement, Callie entra dans la salle de bains pour enfiler sa chemise de nuit. Elle tourna le commutateur... et poussa un hurlement.

Une corde de chanvre pendait du plafond, un morceau de papier glissé dans le nœud coulant.

D'une main tremblante, elle arracha le message et lut :

« Telle mère, telle fille. »

15

La Veuve était au centre de l'attention générale. Daniel Boulud, le propriétaire du *Daniel*, fit porter à la table de sa prestigieuse cliente un mot de condoléances accompagné d'une bouteille de château-latour grand cru. Du chef de cuisine, sa toque à la main, aux demoiselles du vestiaire, en passant par le maître d'hôtel et les serveurs, tout le monde tenait à lui exprimer sa sympathie.

Cette procession de visages uniformément compassés n'en finissait pas, mais Peter Merrick avait résolu de prendre son mal en patience. C'était la rançon du privilège de partager la table de Carolyne.

Il lui avait bien proposé de faire venir un traiteur ou de l'emmener dans un restaurant moins en vue, mais elle s'y était refusée : ils avaient planifié cette soirée bien avant la disparition de Wilty, et elle ne voyait pas de raison de l'annuler. Ni de choisir un endroit moins exposé aux regards. Une Hale se devait de respecter ses obligations sociales.

— Ce n'est pas trop pénible ? lui demanda-t-il quand ils se retrouvèrent enfin en tête à tête.

— Si, affreusement, soupira-t-elle. En même temps, c'est réconfortant de se voir entourée de tous ces braves gens.

Sur ce, elle goûta avec un plaisir manifeste son château-latour.

Peter dissimula un sourire. Personne ne lançait de telles foutaises avec autant d'aplomb. C'était un des talents de Carolyne qui le fascinaient le plus. Ça, et l'art consommé avec lequel elle passait d'un personnage à un autre. Mais rien n'égalait son incomparable, son légendaire instinct de conservation.

Autre aspect de la personnalité de la veuve Hale qui intéressait au plus haut point le psy qui dormait en lui, l'indestructible rancune, la prodigieuse haine qu'elle nourrissait à l'encontre des Hale. C'était d'autant plus étrange à première vue qu'elle leur devait tout ce qui la comblait dans l'existence – ses comptes en banque, sa précieuse position sociale.

Sa respectabilité même, car, d'après ce que Peter avait pu reconstituer du passé de Carolyne Faessler au fil de ses rares confidences et de bribes d'informations lâchées en passant, elle sortait presque du ruisseau. Impossible d'ailleurs de lui soutirer un mot sur son enfance. Comme si sa vie avait commencé le jour de son mariage avec Huntington Hale – ce qui ne l'empêchait pourtant pas de taper sur sa belle-famille avec une férocité sans pareille, une hargne que les années n'avaient pas atténuée.

Pour y avoir été habitué depuis son plus jeune âge, son fils n'en avait pas moins souffert, comme Peter l'avait constaté de visu à plusieurs reprises. Une fois où Wilty, excédé, avait osé faire remarquer à sa mère qu'elle pourrait au moins être reconnaissante aux Hale de sa vie de luxe, Carolyne avait piqué une véritable crise. Devant Peter, très gêné, et Wilty, effaré, elle s'était lancée avec des intonations de harengère dans une violente diatribe contre « ce porc de Hunt et cette saloperie d'Eppie ». Le tableau qu'elle avait brossé de son mari et de sa belle-mère pouvait difficilement être plus noir, ce qu'ils lui avaient fait subir justifiant amplement, selon elle, la haine qu'elle continuait à leur vouer par-delà le tombeau.

— ... Peter, je vous présente Vanna Larkin, une amie intime de mon pauvre Wilty. Vanna, le Dr Merrick qui m'est d'un grand secours...

Il s'arracha à ses pensées pour saluer la jeune femme rousse qui venait de s'arrêter à leur table, l'air ravagé par le chagrin... et par autre chose.

— Madame Hale, je suis si... anéantie, balbutia-t-elle en posant un baiser sur la joue que lui tendait dignement la mère-éplorée-mais-vaillante-jusqu'au-bout.

— Je sais, je sais…, répliqua Carolyne en sortant le grand jeu.

Peter considérait son manège avec déférence, comme un numéro bien réglé. L'insincérité portée à ce point était une œuvre d'art. Mais si la Veuve se montrait toujours aussi grandiose dans son rôle, c'était la dénommée Vanna qui l'intriguait. L'alcool et sans nul doute la drogue comptaient pour beaucoup dans son « anéantissement ».

— J'étais avec Wilty… cette nuit-là…, souffla Vanna en battant des faux cils.

Du coin de l'œil, il remarqua la stupeur de Carolyne, qui fit signe à la jeune femme de continuer.

— Je l'avais rencontré à L'Onyx. Il venait de se débarrasser de deux abrutis qui l'importunaient et nous avons pris un verre ensemble. Ou un peu plus… Comme je ne me sentais pas bien, continua-t-elle avec un sourire gêné, Wilty m'a emmenée chez lui pour que je m'allonge un moment…

Elle enfouit son visage dans ses mains.

— Quand ces deux inspecteurs m'ont dit qu'il avait été assassiné quelques heures plus tard, je n'ai pas voulu les croire !

Peter tressaillit ; son regard se fixa sur Carolyne, qui n'avait pas bronché en entendant le mot « assassiné ». C'était donc vrai ? Wilty ne s'était pas suicidé ?

— Quand la police vous a-t-elle interrogée ? demanda Carolyne en baissant la voix.

— Ce matin, répondit Vanna sur le même ton. Oh, ils m'ont posé un tas de questions sur Wilty, sur moi, sur nos relations, et même sur les vôtres !

— Mes relations… ?

— … avec votre fils. Ils voulaient tout savoir : si vous vous étiez disputés, si Wilty m'avait confié quelque chose ce soir-là…

— Et alors ?

— Eh bien… comme je vous l'ai dit, je n'étais pas très en forme. En fait, je ne me souviens de rien du tout, sauf que Wilty avait pas mal bu lui aussi, avoua piteusement Vanna.

Carolyne lui tapota la main, et essaya de lui adresser un sourire indulgent, mais ses lèvres s'y refusèrent.

— Je suis sûre que vous avez fait de votre mieux. Je ne savais pas que Wilty et vous aviez renoué...

Vanna secoua la tête en lâchant un petit rire amer.

— J'aurais bien voulu ! Mais cet idiot pensait toujours à sa blonde ! Oh ! je suis désolée. C'est seulement que...

— Ttt. Pourquoi ne rejoignez-vous pas vos amis, ma chère ? Nous reprendrons cette conversation une autre fois.

Dès que Vanna eut tourné les talons, Carolyne vida son verre de vin et commanda à sa mâchoire de se décrisper.

Merrick était muet comme une tombe. Elle se tourna vers lui.

— Je ne vous ai pas reparlé de la mort de Wilty parce que, s'il est cruel d'apprendre que son enfant s'est jeté par la fenêtre, il est encore plus dur d'accepter le fait qu'on l'ait poussé.

Peter hocha la tête. Carolyne était si experte dans l'art de camoufler ses émotions qu'il n'était pas en mesure d'évaluer sa sincérité. Autant lui accorder le bénéfice du doute.

— Le goût déplorable de mon fils en matière de femmes m'a toujours sidérée, enchaîna Carolyne. Toutes celles qu'il pêchait dans une bonne famille ou un milieu convenable étaient éthyliques ou parfaitement idiotes. Voire les deux, comme cette pauvre Vanna Larkin. Quant à celles qu'il allait ramasser hors de son cercle, n'en parlons pas : rien que des intrigantes n'en voulant qu'à son argent !

Elle exhala un soupir témoignant d'un accablement sans nom. On aurait dit que porter le monde sur ses épaules comme Atlas était une partie de plaisir en comparaison de son sort, songea Peter avec un brin d'amusement.

— Le croiriez-vous, Peter ? Hier encore, il a fallu que je fasse virer du *City* une de ces arrivistes.

— Une journaliste ?

— Une fille sans scrupule dont Wilty s'était un temps amouraché et qui prétendait écrire une série d'articles sur « la malédiction des Hale », histoire de se faire mousser.

La voix de Carolyne en grinçait rétrospectivement. Peter pensa qu'il n'aurait pas aimé être à la place de la malheureuse.

— J'aime autant vous dire que sa brillante idée a tourné

court ! Tout comme sa carrière dans mon journal, d'ailleurs. Au revoir, mademoiselle Jamieson, et bon vent !

Il sursauta.

— Callie Jamieson ?

— Oui. Vous la connaissez ?

Il n'allait certainement pas lui révéler que Callie était une de ses patientes. Secret professionnel.

— J'ai lu comme tout le monde son enquête sur ce honteux trafic d'ordonnances médicales. Un travail remarquable, soit dit en passant.

Même en passant, ce jugement indisposa Carolyne.

— En ce cas, un autre journal ne tardera pas à engager votre perle rare, vous ne serez pas longtemps privé de son talent de fouineuse.

Peter appréciait la compagnie de Carolyne pour toutes sortes de raisons, mais pas sa mesquinerie. Il lui renvoya sa flèche.

— J'ai remarqué Callie Jamieson au funérarium. Elle avait l'air sincèrement touchée. Je l'ai revue ensuite sur le chemin de l'église. Ne l'auriez-vous pas mal jugée ?

Il prit un malin plaisir à la voir s'offusquer que l'on ose émettre un doute sur la culpabilité de quelqu'un qu'elle avait décrété ennemi d'État.

— Je vous répète que cette femme n'est qu'une sale intrigante. À l'église, puisque vous en parlez, elle s'est affichée au bras d'un des inspecteurs chargés de l'affaire. Je les ai vus, de mes yeux vus : elle se collait contre lui. Et je trouve ça très bizarre. Pas vous ?

Il trouvait surtout bizarre qu'une mère ait pu remarquer ce détail le jour de l'enterrement de son fils.

— Mon Dieu...

Carolyne grimaça un sourire glacial.

— N'en parlons plus. Nous ne sommes pas du même avis, et après ? Ce sujet ne mérite vraiment pas que nous lui consacrions la soirée. Dites-moi plutôt ce que vous pensez de ce château-latour...

Peter fit miroiter son verre à la lumière et se détendit. Après tout, Carolyne lui avait peut-être rendu sans le savoir un immense service.

Virée comme une malpropre, privée de son travail, la pauvre Callie allait probablement connaître un regain de stress dans sa vie. Lequel se répercuterait fatalement sur ses angoisses nocturnes. Sa prédiction ne s'en réaliserait que mieux : les cauchemars s'intensifieraient.

Tôt ou tard, il la verrait revenir en consultation. Callie ne pourrait pas faire autrement, il en allait de sa survie mentale. Et cette fois, elle serait à sa disposition : elle aurait plus de temps pour leurs séances de travail (et pour cause, avec cette perte d'emploi... providentielle !), et si elle manquait d'argent (pour la même raison), aucune importance : il renoncerait à ses honoraires.

Tout pour la revoir dans son cabinet et sur son divan !

D'un trait de craie, Ezra divisa en deux le tableau noir installé au beau milieu de son living et traça trois colonnes dans chaque rectangle. À gauche, il écrivit le nom des premiers Hale en utilisant des couleurs différentes :

Colonne 1 : EMMET WILTON dit le Vieux, en blanc : *mort de mort naturelle* (le seul)

Colonne 2 : ses deux fils – CHARLES, en bleu : *mort par suicide* (revolver) ; HUNTINGTON « l'Ancien », en vert : *mort accidentelle suspecte* (écrasé par des bûches)

Colonne 3 : le fils du précédent, THOMAS HORTON, en jaune : *mort accidentelle authentique (?)* (chute d'une falaise)

À droite, il appliqua le même principe aux Hale suivants, Wilty, son père et son oncle :

Colonne 1 : HUNTINGTON, en vert : *mort accidentelle suspecte (déchiqueté par une hélice)*

Colonne 2 : COLE, en vert : *mort accidentelle suspecte* (électrocution)

Colonne 3 : WILTON, en bleu : *mort par suicide* (défenestration)

172

Ça, c'étaient les conclusions officielles actuelles. Mais Ezra était tenté de rectifier en rouge le vert des colonnes 1 et 2 pour indiquer des *meurtres maquillés en accident*, et de même la colonne 3 pour signifier que Wilty avait été victime d'un *meurtre maquillé en suicide*.

Il rajouta en gras le titre « *Malédiction des Hale ??? »* et reculait pour mieux embrasser du regard l'ensemble du tableau quand la sonnerie de son Interphone retentit. Il était déjà près de vingt-deux heures. Qui pouvait bien lui rendre visite à cette heure ?

— Oui ?

— C'est Callie Jamieson. J'ai besoin de vous voir.

— Deuxième gauche.

Ezra pressa immédiatement le bouton d'ouverture de la porte du rez-de-chaussée et alla l'attendre devant l'ascenseur. À en juger par le ton de sa voix, elle ne venait pas pour s'excuser d'avoir repoussé son invitation à dîner...

Callie jaillit de la cabine avec un masque figé sur le visage et une poche en plastique informe à la main. Il s'effaça pour la laisser passer et elle s'engouffra chez lui sans un mot.

Sans préambule, elle enfila la paire de gants en latex qu'on lui avait donnée pour effectuer leur « perquisition » chez Wilty, et sortit du sac une corde qu'elle posa sur le dossier du fauteuil.

— C'était accroché à ma douche. Avec ce message : « *Telle mère, telle fille.* » Maman s'est pendue, ajouta-t-elle simplement.

Ezra en resta bouche bée. Moins surpris par la corde que par cette révélation lapidaire du suicide de sa mère.

Telle mère, telle fille... Quel immonde salaud avait pu... ?

En relevant les yeux sur Callie, il vit sans peine aux veines de son cou, à la contraction de sa mâchoire que le calme qu'elle affichait lui coûtait beaucoup d'efforts.

Elle reprit aussitôt la parole.

— Vous m'avez laissé un message disant que vous aviez une piste au sujet de...

— ... l'homme au rat. C'est plus qu'une piste : nous l'avons arrêté en fin d'après-midi.

Callie devint blanche comme un linge.

— Alors, ce n'est pas lui qui a mis ça chez moi ce soir.

173

— Non, ce n'est certainement pas le même homme.

— Le vôtre..., balbutia-t-elle, il a un nom ?

Quelle drôle de question ! se dit-il. C'était la première fois qu'il lisait la peur dans ses beaux yeux turquoise – une peur épouvantable.

— Un nom à coucher dehors : Hakim Raju. Vous le connaissez ?

Callie cilla. Raju, Raju... Oui, ce nom lui évoquait bien quelqu'un, mais elle était si loin de penser à ça...

— Il a un rapport avec Prodyot Raju ?

— Gagné : c'est le cousin du pharmacien véreux que vous avez fait coffrer, confirma Ezra. Décidément, votre enquête n'a pas plu à tout le monde ! Voilà ce que c'est de jouer les redresseuses de torts...

Elle ébaucha l'ombre d'un sourire, et il en profita pour essayer de la mettre à l'aise :

— Prenez le fauteuil. Je vous sers un verre de vin ? Ça vous fera du bien.

— Volontiers.

Ezra s'empressa de la débarrasser de son manteau et l'invita à faire comme chez elle.

Pendant qu'il se dirigeait vers la cuisine, Callie promena autour d'elle un regard surpris. Dieu sait pourquoi, elle s'était imaginé l'appartement d'un flic célibataire comme une piaule jamais aérée, où traîneraient canettes de bière vides et papiers gras de sandwiches, sans oublier la paire de bas résille abandonnée dans un coin du canapé par une conquête de passage. Pas de doute, elle avait vu trop de mauvais films !

Bien sûr, on ne pouvait pas prétendre que le salon de l'inspecteur Chapin trouverait sa place dans les pages d'*Atmosphères*, mais Callie devait avouer qu'elle était plutôt agréablement surprise par l'ordre élégant qui y régnait. Quant aux livres de sa bibliothèque, découvrit-elle en s'en approchant, ils ne se résumaient pas à une collection de romans policiers et d'espionnage. Elle fut même étonnée par une sélection aussi riche qu'éclectique.

Elle repéra un grand nombre d'ouvrages spécialisés témoignant de l'amour de Chapin pour son métier : livres de droit, études sur les psychopathes, les sociopathes, les prédateurs sexuels, les meurtriers en série...

— Je vous recommande ce livre sur les *serial killers*, lança-t-il en revenant avec un plateau sur lequel il avait disposé deux verres de vin rouge rubis et un assortiment de fruits secs grillés et salés. Il est d'une rare clarté.

— Comme ce tableau, alors.

Il suivit son regard, et hocha la tête d'un air satisfait à la vue de sa « *Malédiction des Hale ???* ».

— Ça m'aide à réfléchir. Tout ce qui n'est pas blanc est plus ou moins bizarre, et comme vous le constatez...

— ... il n'y a que de la couleur !

— À part ce cher E. W. mort centenaire dans son lit, rien que des morts prématurées et violentes... Vous me donnez un coup de main ?

— Pour y voir clair ? Je ne demanderais pas mieux, mais...

Il rit de sa voix chaude et grave.

— Pour poser mon plateau, dans l'immédiat.

Elle l'aida à dégager la table basse des revues qui l'encombraient – découvrant au passage un numéro spécial consacré aux crimes parfaits glissé entre plusieurs de ses articles, dont le funeste « *Dr Devy... à trépas* ».

Ezra lui tendit son verre et leva le sien en la regardant.

— S'agissant de notre affaire, vous m'avez déjà beaucoup aidé.

Notre affaire... Callie se remémora le commentaire de l'officier Plover : « Il paraît que vous travaillez main dans la main sur un homicide. »

— On dirait que vous ne trouvez plus si bête mon idée d'une malédiction, releva-t-elle en trinquant avec lui.

— Malédiction, vengeance... peu importe le nom. Je pense comme vous que le meurtre présent s'explique par le passé.

— De mon côté, j'ai repensé à votre hypothèse d'une vengeance, et j'ai rassemblé ceci qui devrait vous intéresser...

Callie fouilla dans son sac et en sortit une liasse de papiers qu'elle agita en l'air avec une moue entendue.

— À lire... et à rendre après !

Cette fille ne cessait pas de le surprendre, songea-t-il. Elle avait des ressources étonnantes !

Il tendait une main avide vers les documents quand il la vit perdre une bonne part de son assurance.

— Donnant donnant ? Je vous indique une piste, et en échange vous dépistez celui qui m'a joué ce tour…

Elle fixait la corde qui pendait toujours sur le dossier du fauteuil où elle l'avait jetée en arrivant. Et dans ses yeux, il vit à nouveau passer cette lueur affolée qui l'avait frappé un peu plus tôt.

Ezra posa les papiers sur la table sans les regarder. Ça pouvait attendre, pas Callie.

— J'allais vous en parler, dit-il sans mentir. Avez-vous des soupçons sur quelqu'un ? Qui peut vouloir ainsi vous effrayer ? Et comment sait-il pour votre mère ?

Elle but son vin à petites gorgées. Cette question, elle se l'était posée à maintes reprises sans trouver l'amorce du quart du commencement d'une réponse.

À part son père, sa tante Pennie et Paula, absolument personne de son entourage n'était au courant du suicide par pendaison de Mara. En comptant aussi Peter Merrick et désormais Ezra Chapin, ils étaient cinq en dehors d'elle à connaître la vérité. Elle n'en avait jamais parlé à nul autre, pas plus que de la folie de sa mère et de son internement à Stonehaven.

— Vous ne vous connaissez pas d'ennemis ? insista Ezra.

Oh, si : dans mes rêves ! eut-elle envie de répondre. Mais elle se contenta de hausser les épaules.

— Il y aurait bien le Dr Frank Devy…

— Ex-docteur : le conseil de l'ordre l'a rayé de la liste des médecins en droit d'exercer.

— Justement, il ne doit pas me porter dans son cœur. Mais il est en cavale, recherché par toutes les polices, et je le vois mal prendre le risque de rester à New York pour s'introduire dans mon appartement avec une corde de chanvre et monter cette mise en scène macabre. Non, ça ne tient pas debout. D'ailleurs, il a certainement quitté les États-Unis en douce.

— J'aimerais en être aussi sûr.

— De toute façon, Devy n'a rien à voir avec maman. Comment aurait-il pu imaginer ce « *Telle mère, telle fille* » ?

— À moins d'avoir trouvé des informations sur Internet

176

– d'accord, les probabilités sont faibles, mais c'est toujours possible. D'autant qu'un médecin a plus facilement accès aux dossiers médicaux.

— D'une personne décédée depuis vingt-deux ans dans un établissement qui n'existe même plus ?

— Vous n'êtes pas mariée, observa doucement Ezra. Vous vous appelez Jamieson, comme votre mère. On ne sait jamais, Callie...

Il éprouvait une curieuse impression. Elle ne croyait pas une minute à la culpabilité de Devy dans cette affaire, bien. Mais il ne pouvait pas s'empêcher de la soupçonner d'avoir en tête un *autre suspect* qu'elle lui cachait sciemment. Un suspect qui la terrifiait trop pour qu'elle en parle, même à la police. Cette peur dans ses yeux venait bien de quelque part...

Comme si elle avait lu dans ses pensées et craint qu'il n'approchât de la vérité, Callie changea brusquement de sujet et se lança dans un monologue :

— En piochant dans la biographie d'E. W., j'ai repéré un point important. Une des clefs de sa réussite, c'est qu'en même temps qu'il achetait des journaux régionaux comme le *Cleveland Courier* il s'offrait de petites fabriques de papier indépendantes, propres à lui fournir la matière première. Ce système fonctionna bien au début. Mais tôt ou tard, sa production de papier n'allait plus être en mesure d'alimenter une « presse Hale » en expansion continue. E. W. chercha donc une grosse boîte avec laquelle fusionner. Il repéra la candidate idéale dans le Wisconsin.

Adossé à la bibliothèque, les bras croisés, Ezra tressaillit.

— Le Wisconsin, tiens, tiens, murmura-t-il.

C'était dans cet État qu'un des fils de E. W. avait trouvé une mort atroce.

— Tobias Schirmerhorn, le propriétaire de la marque de papier Racine, baignait jusqu'au cou dans les ennuis financiers et, vu ses dettes, personne ne se bousculait pour lui avancer des fonds. Hale attendit qu'il s'enfonce au maximum pour lui faire une offre que Schirmerhorn ne pouvait pas refuser : un prêt de deux cent mille dollars en échange de vingt-cinq pour cent de sa compagnie. Mais une clause du contrat prévoyait qu'en cas de non-remboursement de ce prêt dans les délais Hale récolterait en sus vingt-six pour cent des papiers Racine...

Le culot de Hale arracha à Ezra un petit sifflement.

— Vingt-cinq pour cent plus vingt-six, autrement dit il deviendrait l'actionnaire majoritaire ! Le Vieux était vraiment un requin en affaires. L'autre s'est fait croquer ?

— Pas si vite, l'arrêta Callie. Schirmerhorn n'était pas né de la dernière pluie. Peu après la signature du contrat et le versement du prêt, il a mis le reste de sa société au nom de sa fille, Irène. Ainsi, au cas où il ne pourrait pas tenir ses engagements – ce qui s'est finalement produit –, il ne reverserait rien à Hale.

— Bien joué !

— Pas tout à fait. En 1898, Charles Hale épousa Irène Schirmerhorn... et ce qui devait arriver arriva. Irène offrit en dot ses actions à sa belle-famille, son beau-père E. W. prenant dès lors le contrôle de Racine. Deux ans plus tard, pour des raisons jamais élucidées, Charles se tirait une balle dans la tête.

Ezra était suspendu aux lèvres de Callie.

— Reniée par son père, la pauvre Irène ne pouvait pas rentrer dans le Wisconsin et, de toute façon, il était hors de question qu'elle s'éloigne de la famille Hale. C'est ici qu'entre en scène le second fils d'E. W., Huntington l'Ancien. En 1901, soit un an à peine après le suicide de Charles, il épousa la veuve de son frère avec la bénédiction du Vieux. Et l'histoire ne s'arrête pas là...

Ezra grogna, sachant exactement où Callie allait en venir.

— Huntington était parti dans les forêts du Wisconsin superviser l'abattage des arbres destinés à la production du papier Racine quand un gigantesque amas de troncs fraîchement coupés s'abattit sur lui. Aplati comme une crêpe. Irène ressortit sa robe de deuil.

— Une vengeance des Schirmerhorn ?

— On peut se poser la question. Encore un mot...

Elle reposa son verre vide sur le plateau et acheva :

— Wilty connaissait un Schirmerhorn. Benjamin, si mon souvenir est exact. Et il ne semblait pas l'apprécier beaucoup.

Je n'accuse pas cet homme, je ne sais même pas s'il descend de la famille des Schirmerhorn du Wisconsin, mais...

Ezra hocha la tête.

— Ça vaut la peine de vérifier, compris.

— J'espère que cela fera avancer votre enquête... Je vais vous laisser à présent, ajouta Callie en prenant son sac.

— Quoi ! vous partez déjà ? fit-il, déçu.

— Il est tard. Et j'ai assez abusé de votre hospitalité.

— Ne dites pas de bêtises. Allons-y, alors, puisqu'il le faut, poursuivit-il avec un soupir en attrapant sa veste.

— Mais...

— Je vous raccompagne.

— Non, je ne veux pas vous déranger.

— Pensez-vous !

Ezra lui décocha un sourire qui chamboula toutes ses défenses.

— Un : ça me fait plaisir. Deux : ma mère m'a élevé en gentleman. Trois : mon insigne m'oblige à inspecter votre appartement, à commencer par votre salle de bains. Ça ne me prendra que quelques minutes, puis je partirai – à moins que vous ne me suppliiez de rester, évidemment !

Callie pencha la tête de côté.

— Je ne savais pas que la criminelle était une pépinière de nobles chevaliers !

— Qu'est-ce que vous croyez ! On y va ?

Il sentit qu'elle était soulagée de ne pas rentrer seule. Quant à lui, ça ne lui demandait pas un grand sacrifice !

16

Ben Schirmerhorn avait connu des jours meilleurs.

À six heures du matin (une heure impensable pour lui), une espèce de fou furieux l'avait réveillé brutalement en tambourinant à sa porte. Il avait bien essayé de l'ignorer en enfouissant sa pauvre tête sous ses oreillers, mais rien à faire : le forcené avait entrepris de démolir à coups de boutoir cette malheureuse porte qui ne lui avait rien fait. Il avait fallu que Ben se traîne hors de son lit pour aller à son secours.

Sans pitié pour sa propre migraine, il avait beuglé :

— Vous êtes dingue ou quoi ? Arrêtez immédiatement ce vacarme ou j'appelle la police !

Ce à quoi le dingue avait rétorqué :

— La police, c'est nous ! On voudrait vous parler.

Ben s'était gratté la tête, perplexe, le temps que ses neurones traitent l'information.

Puis il avait essayé de mettre ses yeux en face des trous et de coller le droit (la paupière gauche refusait de se soulever) contre le judas.

Dans un halo bizarre, il avait vaguement distingué une carte de flic qui s'agitait dans l'air et un uniforme bleu d'où sortait une tête pas aimable.

— Vous feriez mieux d'ouvrir, monsieur Schirmerhorn.

Ben n'était pas d'accord : il aurait préféré retourner se coucher parce qu'il avait la gueule de bois du siècle, mais quelque chose dans le timbre de cet enragé de poulet l'avait poussé à obtempérer.

Une fois tirés les trois verrous qui le protégeaient de la noirceur sans limites d'un monde extérieur définitivement décevant, il avait dû laisser piétiner sa moquette par deux malabars.

À peine entré dans la place, le plus balaise, celui que son badge identifiait comme l'« officier Viteritto », l'avait scandaleusement agressé :

— Verriez-vous une objection à passer un vêtement, monsieur ?

— Ouais ! avait automatiquement grogné Ben. Alors ? Qu'est-ce que vous me voulez ?

— Vous parler. Vous écouter, surtout, avait susurré le rital avec un ineffable sourire.

Ben s'était senti mal – et plus encore en voyant l'autre armoire à glace fouiner dans le salon avec la mine réjouie d'un pilleur de tombes débarquant chez Toutankhamon. Purée ! Si ces deux marioles trouvaient la marijuana dans la cuisine, la coke sur la table de nuit, et l'ecstasy dans la salle de bains, sans parler de la digitaline...

Pas de panique ! Ils n'avaient pas de mandat de perquisition, s'était rassuré Ben. Enfin, probablement pas. Il bomba le torse, histoire de leur montrer qu'il avait des nerfs d'acier et de s'impressionner lui-même.

— M'écouter ? Ça tombe mal, parce que moi, j'ai rien à vous dire, les gars.

Bizarre, mais ça les avait fait marrer comme des baleines.

Et voilà comment Benjamin Schirmerhorn avait atterri au poste, dans un bureau minable, face à un autre duo de poulets du genre coriace, eux, et qui répondaient aux doux noms d'Ezra Chapin et Jorge Alvarez.

Purée ! Il y avait vraiment des jours où il valait mieux rester couché.

— Où étiez-vous le 10 mai ? attaqua Alvarez.

— Le 10 mai ?

Un bras nonchalamment passé derrière le dossier de sa chaise, une jambe repliée sur l'autre cuisse, Ben ne se donna même pas la peine de chercher.

— Pas la moindre idée.

— Schirmerhorn, articula lentement l'autre inspecteur, adossé à la cloison, bras croisés, je pense que vous devriez activer vos neurones pour vous souvenir de ce que vous faisiez cette nuit-là, à quel endroit et avec qui.

— Inspecteur, je ne demande qu'à vous faire plaisir, mais je ne m'en souviens pas. Pouf ! effacé ! C'est bête, hein ?

— Et Wilton Hale ? Wilty... Ça vous dit quelque chose ? Ou pouf ! effacé aussi ?

Ben se redressa sur sa chaise et arrêta de balancer négligemment son pied.

— Wilty Hale... Bon Dieu, j'y suis ! Ce n'est pas le 10 mai que ce mec a sauté du dix-neuvième étage de sa tour en oubliant son élastique ?

Ezra sourit de toutes ses dents.

— Bravo. Tu vois ce qui arrive quand tu branches ton cerveau ? Tout te revient. Même ton sens de l'humour. Formidable. Oui, c'est bien ce jour-là que Wilty Hale s'est prétendument jeté par la fenêtre.

Ben sentit son estomac se nouer en entendant le mot « prétendument ». Il en oublia de s'indigner de ce tutoiement.

— C'est drôle, tu l'appelles « ce mec », releva Alvarez. Vous n'étiez pas copains, alors ?

— Si... enfin, pas tant que ça. Wilty et moi avions fait quelques affaires ensemble.

— Ah. Quel genre d'affaires ?

— Je suis dramaturge.

Il vit la lèvre supérieure d'Alvarez dessiner une moue narquoise et se vexa.

— Oui, bon, je ne suis pas encore célèbre – et après ? Je suis quand même dramaturge !

— D'accord, Shakespeare. Ne t'emballe pas. Dis-nous plutôt en quoi consistaient vos petites affaires ?

— Hale aimait bien donner leur chance à de jeunes artistes ou auteurs inconnus. Il a produit une de mes pièces dans un théâtre de Broadway.

— Félicitations ! Ça a été un succès ?

— Un enterrement de première, grogna Ben.

— Oups ! Mes condoléances alors. La pièce était si mauvaise ?

Schirmerhorn le mitrailla des yeux.

— Elle n'a pas eu le temps de trouver son public ! Hale a

182

décidé de suspendre les représentations après seulement deux semaines.

Il enrageait rétrospectivement, nota Alvarez.

— Ça t'a rendu malade, hein ?

— Je mentirais en disant que j'en ai dansé de joie.

— Mmm. Et cela remonte à quand ?

— À quelques années. Deux. Ou trois, peut-être.

— Cela a marqué la fin de vos relations ?

— Ça les a... refroidies. Maintenant, les gars, ce n'est pas que je m'ennuie, mais il faut que j'y aille.

— Tu es un petit comique, Shakespeare.

— Un grand comique ! renchérit Ezra. Tu nous donnes de quoi vérifier ton alibi et on te relâche aussi sec.

Ben cligna des yeux, mal à l'aise.

— Des promesses, toujours des promesses... Mais d'abord, pourquoi j'aurais besoin d'un alibi, hein ?

— Quelle question stupide ! Tu ne trouves pas, Jorge ?

— Tss, c'est navrant ! Bennie, quand on a un mobile comme le tien, on n'oublie pas son alibi !

— Vous perdez votre temps. Le mobile que vous me prêtez ne vaut pas tripette.

— Je t'ai prêté un mobile, moi ? C'est toi, Ezra, qui lui as prêté un mobile ?

— Tu penses bien que je m'en serais aperçu. Non, ça lui est venu comme ça...

Le poing de Schirmerhorn s'abattit sur la table.

— Si vous croyez que je vous vois pas venir avec vos gros sabots ! Vous voulez me coller la mort de Hale sur le dos ! C'est... c'est inique !

— Ce que c'est que d'avoir du vocabulaire..., soupira Alvarez.

— Ce qu'on voudrait savoir, reprit Chapin, c'est si tu as revu ton producteur adoré après que ce four a refroidi vos relations...

— Euh... Ça a dû se faire.

— Quand ?

— Pff... il y a à peu près six mois, ou moins.

Schirmerhorn surprit le regard railleur qu'échangeaient les deux inspecteurs et s'énerva.

— Après le désastre de la première, j'espérais que Hale me donnerait une seconde chance. Alors, j'ai essayé de lui caser un autre manuscrit, je ne vois pas où est le mal. Je ne lui ai pas fait avaler ma prose de force, vous savez !

— Pas comme ta digitaline, alors ?

Ben bondit de sa chaise, qu'il renversa sous le nez d'un Alvarez impassible.

— Vous êtes dingue !

— Ttt, du calme, intervint Ezra. Mon collègue t'a juste demandé si tu n'avais pas forcé Wilty Hale à avaler tout un flacon de digitaline dans la nuit du 10 mai. Il n'y a pas de quoi se mettre dans un état pareil.

— Ben voyons ! Et d'ab... d'abord, p... p... pourquoi de la d... digit... taline ?

Il en bégayait de fureur – et sûrement aussi de panique, songea Ezra qui enfonça posément le clou.

— Parce qu'on en a retrouvé une boîte vide chez toi et l'équivalent du contenu dans le cadavre de Hale.

— Et alors ? C'est un tonicardiaque, j'en prends parce que j'ai un souffle au cœur.

— Les remontants du Dr Devy, ça ne te dit rien ?

— Pardon ?

— Mais si, voyons : des cocktails de vitamines avec un soupçon de digitaline ? Il ne t'en a jamais prescrit ?

— Je ne vois pas de quoi vous parlez. Et allez-y mollo avec moi, je vous répète que je suis cardiaque.

— Quand j'aurai une minute, je te plaindrai. En attendant, ramasse ta chaise et assieds-toi : c'est mieux pour causer.

Schirmerhorn obtempéra en riant jaune.

— C'est trop facile ! On accuse les honnêtes gens de meurtre et il faudrait qu'ils soient contents. Oh, mais je ne vais pas me laisser faire, vous entendez ? Je connais mes droits, moi. D'abord, j'exige de téléphoner à mon avocat ! Illico !

S'il avait pensé les impressionner, il en fut pour ses frais.

— Vas-y, ne te gêne pas, déclara Chapin en poussant un téléphone devant lui. Pendant ce temps, nous, on va prévenir la brigade des stups. Jorge, tu me passes la liste de tout ce qu'on a découvert chez notre ami ?

— Bien sûr. Les stups vont être aux anges ! Il y a de quoi monter une pharmacie… et au septième ciel.

— Une aide pour dramaturge en mal d'inspiration, sans doute…

Ben était vert. Il avait déjà été condamné pour usage, détention et trafic de drogue. Cette fois-ci, il écoperait du maximum. À cette perspective, sa paupière gauche fut agitée par un tic.

— Dis, Shakespeare, ton bide à Broadway, tu l'avais écrit sous ecstasy ou…

— Allez vous faire foutre, tous les deux ! éructa Ben.

— Mmm… Ezra, tu entends avec quel art du dialogue Shakespeare manie les subtilités du langage ! Et comme il a vite oublié qu'il souhaitait appeler son avocat.

— Admirable. Je suis sous le charme.

Ben passa une main sur son front moite.

— C'est ça, marrez-vous. N'empêche que je n'ai rien à voir avec la mort de Wilty Hale ! Le pire, c'est que c'est vrai !

Alvarez redevint grave et hocha la tête.

— Le pire, c'est que je suis tout prêt à te croire, mec.

— Pareil pour moi, renchérit sérieusement Chapin. Au fond, je ne pense pas que tu sois dans le coup.

Schirmerhorn ouvrit des yeux de merlan frit. Ils avaient l'air sincère…

— Ben alors, balbutia-t-il, pourquoi vous me torturez ? Fichez-moi la paix.

— Tout de suite les grands mots. On ne te torture pas, on cause gentiment. Et on te laissera gentiment filer dès que tu nous auras gentiment dit où tu étais dans la nuit du 9 au 10 mai.

— Encore ! Puisque je vous répète que je-ne-m'en-sou-viens-pas !

Chapin soupira.

— Ah ! là ! là ! c'est terrible les trous de mémoire. Tu n'as pas un souffleur ? À propos de théâtre, je croyais que les cordes de pendu portaient malheur ?

— Hé ? Qu'est-ce que vous racontez ?

— Toi, tu n'as pas peur d'aller faire des nœuds coulants dans les salles de bains des jolies filles ?

Schirmerhorn roula des yeux glauques.

— Ma parole, mais vous êtes un grand malade, vous ! C'est un très grand malade, répéta-t-il en se tournant vers Alvarez.

Ce dernier écarta les bras, accablé, et enchaîna :

— Dis-moi, Shakespeare, tu as de la famille dans le Wisconsin ?

— Hein ?

— Le Wisconsin. Ça grouille de Schirmerhorn là-bas. Ils étaient dans le papier à une époque. Tu ne leur serais pas un peu apparenté, par hasard ?

Ben était si déconcerté par toutes ces questions qu'il répondit sans réfléchir.

— Ouais, et alors ? C'est illégal ?

À peine avait-il prononcé ces mots qu'il les regretta en voyant le sourire des deux inspecteurs.

— Tu sais que les Hale ont eu une sale histoire avec les Schirmerhorn ? demanda Ezra.

Ben haussa les épaules.

— Vous me direz avec qui les Hale n'en ont pas eu ! Et puis vous remontez aux calendes grecques !

Ses inquisiteurs ne le quittaient pas des yeux. Il croisa les bras parce que les taches de sa chemise au niveau des aisselles risquaient de trahir la chute de son moral au quatrième sous-sol.

— C'est vrai, quoi, s'énerva-t-il, vous me ressortez un truc qui date de Mathusalem auquel plus personne ne pense, à part des tordus professionnels dans votre genre.

— Là, tu m'étonnes, répliqua Alvarez. Les Hale ont baisé ta famille dans les grandes largeurs, et tu voudrais me faire croire que vous avez tous passé l'éponge ?

Ben trouva la force de ricaner.

— Vous avez trop regardé *Dallas*, inspecteur. Vous confondez les Hale et les Schirmerhorn avec les Ewing et les Barnes !

— Maintenant que tu me le dis, c'est exactement ça : une vieille haine familiale, des ennemis héréditaires…

— C'est ridicule, on ne se déteste pas cent ans après.

— Bien sûr que si, quand des centaines de millions sont en jeu.

Ben leva une main vibrante de noble indignation.

— Je m'inscris en faux contre ces allégations mensongères et calomnieuses qui ne visent qu'à jeter le discrédit sur une honorable famille qui...

— Inscris-toi et ferme-la.

Ben se dégonfla comme une baudruche. C'était une catastrophe de s'appeler Schirmerhorn. Les flics auraient tôt fait de vérifier que sa famille vouait effectivement une haine tenace aux descendants de ce porc de E. W. Purée, avec un cadavre de Hale sur les bras, la police n'allait pas lâcher cette piste..

— Jorge, regarde ce que tu as fait, protesta Chapin. Tu as coupé notre ami dans sa grande scène de l'acte trois, et maintenant il est tout vexé, tout contrit. Je suis sûr qu'il t'en veut...

— Oh non, ne dis pas ça, tu me rends malade. Je suis désolé, Bennie. Oh, mais c'est vrai qu'il a l'air tout chose... Tss, à présent, il ne va jamais vouloir nous raconter où il était dans la nuit du...

Ben eut un soubresaut sur sa chaise.

— Ah non, vous n'allez pas remettre ça ! explosa-t-il. En quelle langue faut-il que je vous dise que je ne m'en souviens pas ?

— Tu vois, il est tout maboul, constata Ezra, désolé. Il a même oublié ce qui s'est passé le 9 mai, juste avant.

— Le... le 9 ?

— Jorge, tu veux bien lui rafraîchir la mémoire ? Il me fait de la peine.

— Bon, je vais te donner un indice, Bennie. Ce soir-là, tu t'es rendu dans un bar avec un gros bras en renfort pour t'en prendre à Wilty Hale.

Ben se lécha les lèvres comme s'il errait dans le désert depuis des jours.

— N'importe quoi...

— O.K. Je vais te lire la déposition de Vanna Larkin et de Gus...

— Quel Gus ? Vanna qui ? bredouilla Ben, perdu. Je ne les connais pas.

— Mais eux te reconnaîtront sans problème si on vous confronte. Gus est le barman de *L'Onyx*, et Vanna Larkin une rouquine accro elle aussi au cocktail miracle du bon

Dr Devy, mais qui se souvient parfaitement de t'avoir vu agresser son ami Wilty.

Ben ouvrit grande la bouche comme s'il manquait d'air, et renonça à nier l'évidence. Cette fois, c'était sûr, il était foutu.

— D'accord, les gars. J'ai fait la connerie du siècle ce soir-là. J'ai voulu faire peur à Wilty pour qu'il se décide à monter ma dernière pièce, mais il avait pas mal picolé et ne se souvenait même pas de moi ! On a échangé des mots, exact, mais rien de bien méchant. Et puis je suis parti – fin de l'histoire.

— Fin de l'épisode de *L'Onyx*, rectifia Alvarez. Le vrai dénouement, le voici : tu es allé retrouver Wilty chez lui en pleine nuit...

— Non !

— Tu t'es vengé en lui injectant une dose de digitaline à tuer un bœuf...

— Non !

— Et tu l'as balancé par la fenêtre pour faire croire à un suicide.

— Non ! beugla Ben, hystérique. Jamais de la vie !

Il jaillit de sa chaise comme un diable de sa boîte, mais Alvarez le força à se rasseoir.

Ezra n'avait pas bougé d'un millimètre. Les yeux plissés, il observait un Schirmerhorn mûr pour les aveux.

Le dramaturge se prit la tête à deux mains et la secoua de gauche à droite comme un acteur qui en ferait des tonnes. Sauf qu'il ne jouait pas la comédie. Jorge le Tank avait démoli toutes ses lignes de défense.

— Puisque je vous dis que c'est pas moi ! gémit Ben, à deux doigts de fondre en larmes. Je refuse de porter le chapeau pour un autre.

— Alors, où étais-tu quand cet autre a poussé Wilty Hale du dix-neuvième étage ?

Ben releva le nez et avoua d'une voix tremblotante :

— Je peux pas ! J'ai... parfois... des absences...

— Des *absences* ? répéta Ezra.

— Des trous noirs, si vous préférez. Je bois pas mal, moi aussi. Et je prends des médicaments... Vous voulez que je vous fasse un dessin ?

Le silence des deux inspecteurs était pire que tout.

— Quand ça m'arrive, souffla Ben, je ne me souviens de rien du tout. C'est épouvantable.

— Et elles durent longtemps tes « absences » ? Vingt minutes ? Une heure ? Combien ? insista le Tank.

Les lèvres de Ben tremblèrent comme s'il murmurait une prière.

— Plus... Parfois, elles durent un jour... ou deux.

Ezra Chapin soupira, puis prononça la formule rituelle :

— Benjamin Schirmerhorn, vous avez le droit de garder le silence. Tout ce que vous direz pourra être retenu contre vous...

17

Callie était épuisée.

La nuit, elle faisait des cauchemars peuplés de cordes de pendu, de rats crevés – ou pire : de Gens gris.

Le jour, l'œil perpétuellement aux aguets, elle s'attendait que ces mauvais rêves deviennent réalité.

Et nuit et jour, elle voyait Wilty dégringoler du dix-neuvième étage comme un pantin désarticulé, poussé dans le vide par un assassin sans visage.

La mort de Wilty l'avait terriblement secouée, mais ce qui la bouleversait par-dessus tout, c'était que *ce meurtre coïncidait avec le retour en force de son pire cauchemar.* Elle n'arrivait pas à se défaire de l'impression que ces deux événements étaient liés d'une façon ou d'une autre.

En mémoire de Wilty comme pour son propre équilibre mental (pour ne pas dire sa survie pure et simple), il fallait impérativement qu'elle trouve ce qu'il avait découvert avant elle et ce qu'il cherchait tant dans le journal de son trisaïeul.

Là se trouvait la clef de tout.

C'est dans cet état d'esprit, au terme d'une autre nuit tourmentée, qu'elle décida de quitter New York pour le week-end afin de mettre le cap sur le passé.

Le meilleur moyen de déterrer la fameuse clef, avait-elle mûrement calculé, était de localiser ce « purgatoire » où était « descendu » E. W. pendant la grande tempête.

Un passage du journal donnait un indice, vague mais précieux : l'endroit était placé *« sous le signe de l'eau ».* Une autre page évoquait de *« verts pâturages »* au bord d'un lac. Callie avait tout de suite songé aux rives du lac George où se dressait Long House et où le père de Wilty avait trouvé la mort. Mais un dernier extrait contredisait cette thèse : le purgatoire de E. W. se cachait « *à mi-chemin entre le lac George et la ville de soufre* » où il avait « *pris les eaux miraculeuses* ».

L'ennui, c'était qu'il pouvait s'agir d'images, de symboles.

Mais puisqu'il fallait bien commencer par quelque chose, pourquoi pas par cette mystérieuse « *ville de soufre* » ? En y réfléchissant, Callie aurait volontiers opté pour une station thermale aux sources sulfureuses réputées pour leurs vertus curatives : d'où les « *eaux miraculeuses* » de E. W. Après vérification, une ville correspondait au signalement dans la région du lac George : Ballston Spa.

Dès que le serrurier aura changé ma serrure, j'y file, décida-t-elle en préparant ses affaires de toilette dans la salle de bains.

Le téléphone sonna. Elle courut dans sa chambre pour répondre, craignant un problème du côté de l'agence de location de voiture.

La caméra cachée se mit à filmer.

« Allô ? Oh, bonjour, docteur Merrick... Non, vous ne me dérangez pas. J'ai repensé à ce que vous m'avez dit. Vous aviez raison. Mes rêves reviennent de plus en plus fréquemment et de plus en plus fort, mais ils sont un peu différents. Tout aussi effrayants, mais... oui, *différents*, vous verrez. Comment ? une séance ou deux ? c'est une bonne idée. Non, là, je vais m'absenter quelques jours, mais je vous rappelle sitôt rentrée. Oui, c'est promis. À bientôt, alors... »

Callie raccrocha le téléphone et retourna dans la salle de bains.

La caméra s'arrêta de filmer.

La petite station thermale s'était d'abord appelée Ball's Town, puis Ballstown Springs, avant de recevoir son nom définitif, Ballston Spa.

Elle devait naturellement son existence et sa réputation à ses eaux « miraculeuses », pas pour leur goût de soufre et de sel, mais bien pour leur pouvoir (présumé) de guérison de la

191

goutte, de l'hydropisie et de l'asthme. Au temps de sa gloire, Ballston Spa était une station très courue, mais les temps avaient changé et sa splendeur passée n'était qu'un souvenir.

C'est pourtant là, pour trouver d'autres souvenirs, que Callie commença son enquête. Simplement parce que le journal de E. W. Hale laissait supposer qu'il y était passé un siècle et demi plus tôt.

Son intention était de repérer le moindre signe de la présence de E. W. dans le comté pendant ces fameuses « années obscures » 1859-1864 où l'on perdait complètement sa trace. Callie projetait aussi de se pencher sur les années qui avaient suivi sa « descente au purgatoire ». L'importance de cet épisode dans son journal l'avait convaincue que l'endroit, quel qu'il soit, où avait échoué E. W. avait joué un grand rôle dans son existence.

Malheureusement, Mme Riverton, la charmante dame à la face ridée comme une pomme reinette qui la reçut à la mairie, se chargea bien malgré elle de faire fondre son enthousiasme.

— *1859 ?* Ma pauvre petite, les documents qui vous intéressent sont bien trop anciens pour être consultables...

Quand ils n'avaient pas purement et simplement disparu dans les oubliettes du temps, ils avaient été transférés dans diverses sociétés historiques spécialisées ou remis à des collections privées. Dans tous les cas, le public n'y avait pas accès.

— Avant 1880, expliqua-t-elle, l'État de New York ne réclamait pas de statistiques en matière de naissances, mariages et décès. Les églises se chargeaient la plupart du temps de consigner ces événements.

— Et certaines églises du comté ne pourraient pas avoir pieusement conservé leurs registres de l'époque ? demanda Callie sans trop oser y croire.

Mme Riverton en doutait.

— Si, mais dans la plupart des cas les documents ont été retournés aux familles concernées.

— Et après 1880 ?

— Là, c'est différent. Ils sont normalement conservés dans les hôtels de ville locaux.

Le visage parcheminé de la vieille dame s'éclaira.

— Nous aussi, nous avons notre département des archives

où est entreposé tout ce que nous possédons sur cette période. Libre à vous de les consulter, bien sûr, mais je ne vous promets rien.

Ce fut laborieux, mais Callie finit par mettre la main sur un livre consignant les ventes, donations et transactions de la décennie 1890-1899. À cette époque, ces opérations ne faisaient pas forcément l'objet d'un enregistrement en bonne et due forme. Les accords se scellaient souvent plus par une poignée de main que par contrat.

Mais la ténacité de Callie se vit récompensée par une maigre indication grosse de promesses : *en 1890, Emmet Wilton Hale, de Cleveland, Ohio, avait obtenu un permis de construire sur les rives du lac Saratoga, à Saratoga Springs.*

Aucun document annexe ne précisait s'il était propriétaire du terrain et, si oui, quand il l'avait acheté, ni à qui. Mais une plus ample recherche fournit à Callie le nom de la personne qui payait l'impôt sur ce terrain avant l'octroi du permis de construire : un certain McAllister.

Impossible de savoir en revanche si ce McAllister avait cédé sa propriété à Hale, ou à quelqu'un d'autre qui la lui aurait ensuite revendue. L'acte de vente aurait permis de l'apprendre, mais, hélas, il manquait au dossier. Peut-être se trouvait-il aujourd'hui dans l'une des sociétés historiques évoquées par Mme Riverton...

En tout cas, Callie n'avait aucun doute sur son étape suivante : Saratoga Springs !

Avant de quitter Ballston Spa, elle décida de tenter tout de même sa chance avec les registres d'état civil de l'époque, même mal tenus et incomplets. Bien lui en prit : tout au bout d'un rayonnage, elle repéra une série de grands cahiers, très anciens à en juger par la couche de poussière sur leur tranche. Elle parcourut le premier, le deuxième, et un sourire éclaira son visage quand elle découvrit des listes de mariages et de naissances.

Elle emporta les lourds registres sur la table en chêne placée au centre de la salle de consultation, tira un siège et se plongea studieusement dans leur lecture. Le faible éclairage ne facilitait pas le déchiffrage de l'écriture manuscrite à l'encre pâlie, mais la curiosité la stimulait.

Deux heures durant, Callie tourna les pages sans que rien ne retienne son attention. Elle finit par sauter aux années immédiatement postérieures à la grande tempête. Ses yeux fatiguaient, l'encre semblait se délaver de plus en plus. Elle faillit le manquer au passage, mais un déclic dans sa tête la ramena sur ce nom. *Clémence*.

Hale en parlait dans son journal !

Je suis venu en ce lieu en quête de Clémence. [...] Je voue désormais mon existence à trouver Clémence, quel que soit le prix à payer ! Parce que c'est la Voie par laquelle je trouverai aussi Grace.

Clémence... Callie avait pensé au pardon divin, alors qu'il s'agissait d'un nom propre ! Le Vieux n'avait pas la manie de flanquer des majuscules « mystiques » partout, comme l'avait supposé Chapin : il en mettait en toute logique aux prénoms, comme Grace, et aux *noms de famille*, comme Clémence !

Un sourire de triomphe aux lèvres, elle relut le discret paragraphe à moitié effacé du registre de l'année 1894 :

East Galway, 6 novembre 1894 · mariage de Sarah Clémence et du Dr Jeremiah Holstein.

East Galway se situait à quelques kilomètres à l'ouest du lac Saratoga. Callie ne voyait pas comment elle le savait – mais le fait est qu'elle le savait.

Elle savait aussi que si elle parvenait à retrouver un ou plusieurs descendants de la famille Clémence ils pourraient peut-être lui parler de Grace. Et alors elle aurait franchi une nouvelle étape vers la vérité qu'avait dissimulée E. W. Hale. Et qui concernait aussi son arrière-arrière-petit-fils, Wilty.

L'après-midi touchait presque à sa fin quand Callie arriva à Saratoga Springs. Elle descendit au manoir Batcheller, ravissante petite auberge victorienne construite en 1873.

Elle sortait de sa chambre après s'être rafraîchie quand la porte d'en face s'ouvrit sur...

194

— Chapin !

— Callie ? Par quel heureux hasard... ?

— Vous vous moquez de moi ? Vous me suivez !

— Pourquoi, ça vous plairait ?

— Sinon, que feriez-vous ici ?

— Ma chère, je mène mon enquête.

— Dans mon hôtel ?

— Simple halte avant le lac George. Et vous ?

— Simple halte avant le lac Saratoga.

Ils se regardèrent l'un l'autre avec suspicion, puis éclatèrent de rire.

Ezra lui expliqua qu'il était venu sur place pour tenter d'en savoir plus sur l'accident de bateau dont avait été victime Huntington Hale sur le lac George.

— Et vous ? Quel bon vent vous amène ?

Elle lui révéla le but de son voyage et ce qu'elle avait appris dans les archives de Ballston Spa. Ezra l'écoutait sans faire de commentaire, mais il lui sembla que son regard d'ambre la couvait avec le plus vif intérêt.

L'union fait la force. Partant de ce principe, ils avaient décidé de se rendre ensemble sur les rives du lac Saratoga pour découvrir ce que E. W. Hale y avait fait bâtir. Quand ils avaient demandé à la réception de l'auberge où se situait le terrain en question et s'il était possible de le visiter, on les avait regardés bizarrement avant de répondre que « ça » se trouvait derrière le champ de courses et qu'ils ne pouvaient pas ne pas le voir.

Bien entendu, cette réaction n'avait fait qu'aiguiser leur curiosité et, en chemin, les paris allaient bon train. Callie était persuadée que le Vieux avait financé la construction d'un hôpital ; Ezra penchait carrément pour une église.

— J'ai lu son journal, il y règne par endroits un ton qui ne trompe pas ; ce type était un illuminé qui usait et abusait d'images religieuses, comme l'Apocalypse. Quelque part par ici, il s'est produit un événement qui l'a affecté de manière quasi mystique, comme une révélation. D'où mon idée d'un sanctuaire.

— Ça se tient, opina Callie, mais je crois tout de même qu'il a voulu rendre un service plus « matériel » à la communauté qui l'avait sauvé de la tempête de neige. Église ou hôpital, nous serons fixés dans une minute.

Ayant longé un impressionnant mur d'enceinte, ils s'arrêtèrent devant un haut portail en fer forgé, encadré par deux énormes piliers de pierre. Sur l'un d'eux, une plaque en cuivre leur annonça qu'ils se trouvaient devant l'entrée de Liberty Park.

Callie pressa le bouton de l'Interphone probablement connecté à la maison du gardien qui se dressait quelques mètres derrière la grille.

Une voix peu aimable lui demanda qui elle était et la raison de sa visite.

— Callie Jamieson du *City Courier* de New York. Mon confrère et moi écrivons un grand article sur E. W. Hale. Nous aimerions rencontrer le directeur.

— Le nom de votre collègue ?

— David Fox, improvisa Callie en donnant le nom d'un journaliste du *City* qu'elle savait en vacances.

S'il leur prenait l'envie de vérifier leur identité auprès du journal, ça pourrait passer. À moins que Brad Herring ne l'ait fait radier des cadres !

— Un moment, s'il vous plaît. Nous vérifions.

— Eh bien, la confiance règne, commenta Ezra.

En accord avec Callie, il avait pensé qu'il valait mieux ne pas révéler qu'il était de la police. Les langues se délieraient peut-être plus facilement. Il commençait déjà à le regretter.

Au bout d'un bon laps de temps, il rappuya sur l'Interphone.

— Dites donc, ça va être encore long ?

— J'attends l'autorisation, monsieur, répondit la voix. Un peu de patience, je vous prie. On n'entre pas ici comme dans un moulin, vous comprenez bien.

Ezra et Callie se regardèrent. Non, ils ne comprenaient pas. Sauf que ce n'était pas une église... ou alors c'était celle d'une secte très méfiante ! Liberty Park n'avait pas non plus l'air ni le nom d'un hôpital traditionnel. Ils en étaient là de leurs réflexions quand le portail s'ouvrit enfin.

Ils remontèrent la longue et belle allée de sable ocre qui serpentait entre des milliers de plantes et d'arbres harmonieusement mélangés pour créer une oasis de verdure et de calme. Ni l'un ni l'autre ne parlait, soucieux de s'imprégner de l'essence de ce lieu où l'on ne rencontrait âme qui vive.

Callie se sentait un peu comme la petite Dorothy du *Magicien d'Oz*, marchant sur une route de rêve dans l'espoir de découvrir une pépite de sagesse et de vérité au bout du chemin.

Elle s'étonnait à chaque pas de l'incroyable variété de la flore du parc : des épicéas de Norvège, des sapins des Vosges, des pins noirs d'Autriche ; des pins parasols, sylvestres, australiens, Laricio... et tant d'autres qu'elle ne connaissait pas. À croire que chaque espèce de conifère terrestre était représentée !

Une drôle d'idée se mit à lui trotter dans la tête : en créant Liberty Park, E. W. n'avait pas seulement fait œuvre de bâtisseur, il avait accompli un *geste d'amour*.

Les pensées d'Ezra suivaient un tout autre cours. La beauté de l'endroit ne lui échappait pas, mais il ne croyait pas que c'était là le but recherché par E. W. Hale. Qu'il ait voulu joindre l'utile à l'agréable, d'accord, mais il fallait que ces « *verts pâturages* » aient d'abord eu une utilité.

De deux choses l'une, réfléchit-il. Ou bien E. W. avait acquis ce terrain pour en faire le « sanctuaire familial » avant de changer d'avis et d'édifier un peu plus loin Long House, au bord du lac George. Ou bien – et cette option le séduisait davantage – cet emplacement n'était autre que celui où il s'était réfugié pendant la grande tempête de 1888.

Rien dans les quelques pages du journal retraçant sa « descente au purgatoire » ne contredisait cette hypothèse. À l'époque, ce parc souriant devait être un territoire désolé perdu dans les collines sauvages, assez éloigné de la route et de la ville pour qu'un voyageur puisse s'y égarer pendant une effroyable tempête. En outre, il surplombait un à-pic, ce qui pouvait expliquer les hurlements du vent soufflant en rafales évoqués par le texte.

Autre indice : le nom de *Liberty* Park renvoyait bien à la « *libération* » dont parlait E. W. pour désigner sa délivrance, ou sa « sortie du purgatoire » si on voulait rester fidèle à son style…

Plus il y réfléchissait, plus Ezra pensait avoir vu juste. Il se rappelait le texte quasi biblique du journal où Hale parlait d'apocalypse, de châtiment divin et de pénitence. Il se demanda s'il n'avait pas cherché à *expier un crime*, à *racheter une faute* en reboisant (les « *verts pâturages* » !) une terre dévastée…

À un détour de l'allée, ils découvrirent brusquement un gigantesque manoir de style victorien, juché sur sa butte telle une forteresse, et aussi impressionnant que le Xanadu de Koubilaï khan. E. W. Hale avait fait les choses en grand : tout était monumental et magnifique, mais à peu près aussi convivial et sympathique que le château du comte Dracula.

Comme Callie s'approchait avec Ezra du grand escalier de pierre qui conduisait à l'entrée principale, elle eut l'impression de capter des mouvements derrière plusieurs des fenêtres du premier étage.

Elle leva vivement la tête et vit des rideaux bouger légèrement. Des visages apparurent fugacement derrière les carreaux. Ils s'échappèrent tous comme des moineaux effarouchés – sauf un qui resta à observer Callie.

Ses deux paumes collées à la vitre, les doigts écartés, une grande femme blonde la fixait de ses yeux démesurément ouverts. Leurs regards se soudèrent, puis l'inconnue recula précipitamment et le rideau retomba.

Cet échange muet n'avait duré qu'une seconde, mais le cœur de Callie cognait à grands coups dans sa poitrine. *Seigneur ! ces yeux hallucinés…*

Sa mère avait les mêmes à Stonehaven.

18

— Bonjour, ou plutôt bonsoir, monsieur Fox, madame Jamieson...

L'homme qui les attendait en haut des marches était un vieux gentleman au crâne luisant comme un œuf et d'une élégance affectée. Avec son costume en tweed, sa chemise à carreaux et son nœud papillon motif cachemire, il était la caricature vivante du style *british*. Il ne manquait à la panoplie que le chapeau melon et le parapluie.

Ses lèvres dessinaient un sourire poli, mais ses yeux exprimaient une distance qui confinait à la condescendance.

— Bienvenue à Liberty Park.

Il n'accorda qu'un coup d'œil à Callie pour concentrer son attention sur son visiteur masculin.

— Je suis Hiram Wellington. J'ai cru comprendre que vous effectuiez des recherches sur Emmet Wilton Hale. Malheureusement, personne ne vous sera ici d'un grand secours.

— Avec tout le respect que je vous dois, *sir*, appuya Ezra, attendez peut-être d'apprendre ce dont nous avons besoin avant de nous refuser tout espoir.

La mâchoire de Wellington se contracta et tout sourire, même poli, déserta son visage.

— Eh bien, allons droit au but. Que désirez-vous savoir ?

Callie laissa Chapin mener la conversation à sa guise. Elle avait immédiatement ressenti de l'antipathie pour ce grand seigneur dédaigneux et misogyne. Non parce qu'il ne l'honorait pas même d'un regard, mais parce qu'elle n'aimait pas les gens fabriqués. Et tout était fabriqué chez lui, à commencer par son accent britannique. Rien que sa façon théâtrale de rester en haut des marches sans les inviter à le rejoindre – pour mieux les dominer sans doute – trahissait son autosatisfaction, un problème d'autorité certain, voire un complexe dû à sa petite taille.

Ezra expliqua qu'ils recherchaient des informations sur la genèse de Liberty Park et les motivations de E. W. Hale.

— Les travaux de construction ont débuté en 1893. Trois ans plus tard, l'établissement ouvrait ses portes, résuma sèchement Hiram Wellington.

Callie et Ezra échangèrent un regard. Le deuxième volume du journal en leur possession avait justement été écrit en 1896. Toujours sibyllin, E. W. Hale y évoquait l'achèvement d'un « *projet salutaire* » et sa fierté d'avoir « *accompli pareille œuvre* » sans donner plus d'éclaircissements.

Callie se remémora un passage qui lui paraissait particulièrement important, celui où Hale déplorait que :

Clémence rime désormais avec Silence et Absence. Quoi que je fasse, je n'obtiendrai pas le Pardon ni l'Oubli...

Elle revint à la réalité présente en entendant Chapin hausser le ton.

— Si vous n'en savez pas plus sur l'histoire de cet établissement, peut-être auriez-vous une brochure à nous donner où nous puiserions...

— Mais où vous croyez-vous, monsieur Fox ? le coupa Wellington, outré. Nous ne distribuons pas de brochures ! Vous n'êtes pas dans un site touristique ici, mais dans un hôpital psychiatrique des plus respectables.

Le sang de Callie s'arrêta de couler dans ses veines. Les jambes flageolantes, elle s'appuya discrètement au mur de l'escalier. Voilà pourquoi le regard de cette femme à sa fenêtre l'avait tant troublée. Ç'aurait pu être celui de sa mère.

— Je suis psychiatre et chef de service, reprit Hiram Wellington avec hauteur. Mon personnel se compose exclusivement de médecins et d'infirmiers de premier ordre, tous spécialisés dans le traitement des maladies mentales. Nos patients viennent ici sur recommandation pour bénéficier des meilleurs soins. Eux comme nous avons d'autres chats à fouetter que le pourquoi et le comment des travaux de 1893 !

Ezra avait été aussi surpris que Callie d'apprendre la vocation de Liberty Park, mais il rebondit rapidement. Il présenta ses excuses à Wellington en l'assurant qu'ils ignoraient complètement la mission de l'établissement, sinon vous pensez bien...

Caressé dans le sens du poil, le médecin se radoucit et reconsidéra sa position.

— Je suis sûr que vous me comprenez, monsieur Fox. L'un de mes principaux soucis est de préserver l'intimité de mes malades et de leur garantir un environnement propice à leur bien-être. Or la présence de journalistes en ce lieu...

— Professeur, pour rien au monde ma collègue et moi ne voudrions troubler leur quiétude, affirma patiemment Ezra. Mais pourquoi voulez-vous qu'une simple interview dans votre bureau compromette...

Tandis que Chapin et Wellington continuaient leur joute verbale, Callie examinait avidement et craintivement à la fois les fenêtres du bâtiment d'en face.

À présent, aucun rideau ne bougeait, rien ne signalait une présence.

Elle était sur le point de détourner les yeux quand une ombre passa derrière l'une des fenêtres. Un rideau s'écarta, montrant un visage. Une femme. Pas celle d'avant.

Celle-ci était plus petite, belle mais très pâle, affreusement pâle, avec des cheveux châtains relevés en chignon. Elle appuyait son front contre la vitre.

Ses yeux se posèrent sur Callie qui lui sourit. L'autre lui rendit son sourire, puis l'image s'évanouit d'un coup.

Callie se frotta les yeux, scruta la fenêtre, et comprit. Le rideau n'avait jamais bougé. La femme qui venait de lui apparaître ne se trouvait pas dans cette chambre. *Elle n'était pas de ce monde.*

— Callie ? fit la voix d'Ezra, ténue, lointaine.

Quand Callie le regarda, il se tenait juste à côté d'elle et la fixait avec insistance.

— Le Dr Wellington a la courtoisie de nous inviter à

prendre le thé dans son bureau. Il est même disposé à répondre à quelques questions, si nous n'abusons pas...

Elle hocha la tête sans parvenir à ébaucher un sourire, et suivit les deux hommes sur la terrasse et à l'intérieur du bâtiment. Elle tremblait de tous ses membres en franchissant le seuil de l'hôpital psychiatrique.

— À ma connaissance, il n'y a rien d'écrit sur les motifs qui auraient poussé Emmet Wilton Hale à construire cet asile. En tout cas, rien d'officiel.

Le Pr Wellington prit le temps de finir son thé et de reposer sa tasse bien au centre de sa soucoupe.

— Officieusement, reprit-il dans un silence attentif, des légendes ont couru sur la naissance de Liberty Park. J'ai moi-même entendu certaines rumeurs locales.

Ezra haussa les épaules.

— Avant de venir ici, nous avons prêté l'oreille à la rumeur. Une bonne légende, ce serait déjà un progrès.

Wellington ne se fit pas prier. À l'en croire, Liberty Park était ce que Callie avait soupçonné : un cadeau aux habitants de Saratoga. Une façon très « halienne », spectaculaire, de les remercier de l'avoir sauvé de la grande tempête.

— Liberty Park devait être un établissement psychiatrique dès l'origine ? insista Callie.

— Parfaitement. Il n'a jamais eu d'autre vocation.

— Hale aurait donc eu l'idée d'un refuge pour malades mentaux après avoir été pris au piège dans un refuge bloqué par les neiges ? Parce qu'il avait frôlé la mort et bien cru y rester ?

Le psychiatre écarta les bras en signe d'impuissance.

— Qui peut le dire ? C'est très possible, mais ce n'est pas ce qu'a retenu la légende. Elle veut qu'il ait fondé Liberty Park pour accueillir – abriter, si vous préférez garder l'image du refuge – une jeune femme...

— Qui ? firent en même temps Callie et Ezra.

— La victime d'une tragédie qui en avait réchappé avec un grave déséquilibre mental. Toujours est-il que le sort de cette malheureuse a profondément ému Emmet Wilton Hale, au point qu'il a fait de sa guérison une croisade personnelle. On peut d'ailleurs encore voir non loin d'ici un mémorial en forme de stèle qui commémore cet événement.

Ezra s'agita sur son siège.

— Cette jeune femme, qui était-elle ? Une infirmière qui l'aurait soigné *après* la grande tempête ? Ou Hale l'avait-il connue *avant* la tragédie dont vous parlez ? Étaient-ils amis ? amants ?

Wellington croisa les avant-bras devant son visage comme pour se protéger de ce bombardement de questions.

— Désolé, monsieur Fox, j'ignore totalement comment il l'avait rencontrée et quel était leur degré d'intimité ! Mais il ne fait aucun doute qu'elle comptait assez à ses yeux pour qu'il...

— Connaissez-vous l'origine de son déséquilibre mental ? l'interrompit Callie.

Ezra s'étonna de cette brusque intervention qui risquait de vexer leur hôte, mais celui-ci s'écoutait parler à présent et ne parut pas s'en offusquer.

— Oui, elle a perdu son mari dans un incendie. Puis, probablement à la suite de ce choc, l'enfant qu'elle portait. Sa douleur fut telle que plusieurs années après elle était encore catatonique, incapable de parler, d'entendre, de répondre quoi que ce soit à qui que ce soit.

— Oh...

« *Clémence rime désormais avec Silence et Absence* », récita mentalement Callie.

Son regard fixe, vitreux, n'échappa pas à Wellington. Cette histoire l'avait visiblement troublée. Il poursuivit son récit en l'épiant du coin de l'œil :

— La psychiatrie en était encore à ses balbutiements. Emmet Wilton Hale fit venir des médecins du monde entier, sans se soucier de leur spécialité. Il était prêt à tenter n'importe quoi. Un seul sembla réussir à établir un contact avec la pauvre femme. Hale l'installa à Saratoga, payant tous ses frais, et lui promettant un institut en échange du rétablissement de sa patiente.

Il sourit et ajouta, fier de son effet :

— Vous êtes dans cet institut.

— Elle a donc... recouvré la raison ?

Callie semblait enrouée, comme si les mots avaient du mal à sortir de sa gorge.

Pour la deuxième fois, Wellington l'observa, fronçant les sourcils devant sa pâleur.

— Voulez-vous une autre tasse de thé, madame ?

— Je vous en prie, dites-moi si elle a guéri.

— Oui, répondit gravement le psychiatre en l'enveloppant d'un regard professionnel. Finalement, elle a guéri.

— Merci, murmura-t-elle.

Les deux hommes échangèrent encore quelques mots sur le fonctionnement de Liberty Park, tout en surveillant discrètement Callie.

Soudain, elle se dressa de son siège.

— Je ne me sens pas très bien. Si vous voulez bien m'excuser...

Elle défaillit avant d'atteindre la porte. Ezra la rattrapa au vol.

Wellington avait bondi avec une rapidité étonnante pour son âge.

— Monsieur Fox, allongez-la sur ce divan.

Ezra allait suivre cette suggestion, mais il sentit le corps de Callie se crisper. Ses paupières battirent et s'ouvrirent sur un regard apeuré.

Il lui glissa à l'oreille :

— Vous ne voulez pas vous reposer un moment sur le divan ?

Elle secoua farouchement la tête en signe de dénégation et ses doigts s'accrochèrent au veston d'Ezra.

— Emmenez-moi hors d'ici, ajouta-t-elle dans un souffle.

Il la saisit fermement par la taille pour l'aider à tenir debout. Elle retrouvait ses esprits, mais il ne la lâcha pas tandis qu'il s'adressait au médecin qui les regardait avec contrariété, rectifiant machinalement son nœud papillon.

— Nous avons eu une dure journée. Je vais la reconduire à notre auberge. Ce qu'il lui faut, c'est un bon repas et une nuit de sommeil. Encore merci, docteur.

Hiram Wellington les accompagna jusqu'au portail et les regarda s'éloigner de Liberty Park.

— Cette femme a besoin de beaucoup plus qu'un bon repas et une nuit de sommeil, marmonna-t-il. Elle a besoin d'aide.

Une fois de retour au manoir Batcheller, Ezra conduisit Callie dans sa chambre et, en dépit de ses objections, lui intima l'ordre de se mettre au lit.

— Ou vous vous couchez comme une grande fille, ou je serai dans l'obligation de vous y aider... Notez qu'il y a des corvées plus pénibles, ajouta-t-il avec une mimique appuyée.

— Je pense que je peux me déshabiller toute seule, mais merci pour l'offre.

— À votre service.

Il sortit de la chambre, mais repassa une tête par la porte au moment où elle déboutonnait déjà son chemisier. Ses yeux d'ambre riaient.

— Je reviens dès que vous serez visible.

Callie referma la porte derrière lui, non sans regret. Elle sentait encore son bras enroulé autour de sa taille et la chaleur de son corps contre le sien. En arrivant devant leur auberge, il l'avait gentiment recoiffée de la main et ce geste tout bête l'avait troublée plus que de raison. C'était si bon de se sentir protégée...

— Non, décréta-t-elle à haute voix, refusant d'écouter le désir qui s'infiltrait insidieusement en elle. Pas maintenant. Et pas avec lui.

Son idylle avec Wilty avait pris fin il y avait des mois de cela. Mais la disparition brutale de l'homme qu'elle avait aimé avait ravivé la douleur de leur séparation. De plus, Ezra enquêtait sur le meurtre de Wilty, une aventure avec lui aurait été d'un goût douteux. Non, il n'y fallait pas songer. Elle avait bien assez de problèmes comme ça pour ne pas en rajouter !

— Toc toc, on peut entrer ?

Du fond de son lit, Callie vit arriver un chariot-repas fleurant bon le ragoût, poussé par un Ezra tout sourires.

205

— Là ! Bœuf bourguignon, bordeaux rouge et pain frais. Le dîner de Mademoiselle est servi.

— Oh ! mais il ne fallait pas, voyons. Je vais très bien.

Gênée parce que sa chemise de nuit était aussi courte que transparente (en quittant New York, elle n'avait pas prévu qu'elle aurait de la visite dans sa chambre), Callie fit néanmoins mine de se lever, mais il la sauva en l'arrêtant net.

— Pas question, pas question. Ce soir, vous mangez au lit !

Et pour éradiquer toute velléité de désobéissance, il la coinça avec le chariot et posa un plateau sur ses genoux.

— Il faut que vous repreniez des forces, dans l'intérêt de l'enquête. Demain, nous avons du pain sur la planche. À propos, je vous le coupe en rondelles ou en tartines ?

— Écoutez, commença-t-elle en se redressant sur ses oreillers, je ne sais pas ce qui m'est arrivé là-bas, mais...

— N'en parlons plus, Callie. Disons que vous n'aviez probablement rien avalé de solide de toute la journée. Je me trompe ?

Elle secoua la tête en le remerciant d'un sourire, et répondit finalement :

— En tartines, s'il vous plaît. C'est mieux pour saucer.

De fait, ce ragoût sentait délicieusement bon, s'avoua-t-elle en se découvrant de l'appétit.

Ezra coupa le pain, installa son propre plateau sur le lit à côté d'elle et remplit deux verres de vin.

— À prendre en apéritif. Ordre de la Faculté ! Ça va vous remonter.

Ils trinquèrent et elle but son bordeaux avec plaisir. Un vrai délice. Il avait raison, ça faisait du bien. Ils mangèrent en parlant de la cuisine française, qu'ils aimaient autant l'un que l'autre. Elle apprécia ce moment de détente.

De temps en temps, Callie tirait négligemment le drap sous son menton, car elle avait remarqué que les yeux d'Ezra avaient une tendance naturelle à loucher sur sa poitrine.

Ezra détournait alors innocemment son regard pour s'intéresser aux dessins du dessus-de-lit, aux dentelles du baldaquin du lit, aux cuivres des montants du lit... à tout sauf à la créature de rêve qui était dedans.

Quand il se rendit compte qu'il ne pourrait pas rester une

206

minute de plus dans cette chambre sans l'embrasser, il prétexta qu'elle devait avoir sommeil pour se retirer.

Quand Callie se réveilla, les aiguilles fluorescentes de son réveil lui apprirent qu'il était plus de neuf heures du matin.

Les rideaux tirés ne laissaient filtrer aucune lumière, et elle mit quelques secondes à se souvenir de l'endroit où elle se trouvait. Elle se sentait reposée – forcément, elle avait dormi presque onze heures –, pourtant elle avait un mal infini à ouvrir les yeux tant elle était oppressée.

Callie tâtonna sur sa table de nuit à la recherche de l'interrupteur de sa lampe, le trouva, s'humecta nerveusement les lèvres et alluma la lumière en même temps qu'elle se dressait sur son séant.

Elle regarda partout autour d'elle. Les deux fauteuils de velours rouge étaient vides, vide la chaise près de son lit, vide aussi l'angle de la cheminée...

Pas de spectre de femme, pas d'Étranger gris.

Elle respira, soulagée, tout en sachant que leur absence à cet instant ne signifiait pas qu'ils n'étaient pas venus la visiter pendant son sommeil.

Callie sortit de son lit et courut ouvrir les rideaux. Une explosion de lumière dorée inonda la chambre, chassant les dernières ombres qui auraient pu vouloir la hanter. Elle regretta de ne pouvoir mettre ce soleil en bouteille pour l'emporter partout avec elle et éclairer ses nuits.

Après s'être douchée et habillée, elle s'arrêta devant la chambre d'Ezra et frappa à sa porte.

Pas de réponse.

Elle supposa qu'il était descendu prendre son petit déjeuner, mais non. Installée toute seule dans la salle, elle expédia son thé, jus d'orange et pain grillé en se demandant où il était passé.

Elle finit par poser la question à Beverly, la jeune fille de la réception.

— M. Chapin est sorti de très bonne heure, mademoiselle Jamieson. Mais il a laissé un message pour vous. Tenez.

Callie ouvrit l'enveloppe et lut :

Je vous ai laissée au bois dormant pour aller faire un petit tour au musée historique du coin : on ne sait jamais. Bien reposée, j'espère ? À tout de suite. E.

Elle était ennuyée qu'il soit parti sans elle, mais elle ne pouvait pas lui en vouloir. Il s'était montré si gentil et si plein de tact la veille au soir. Pas une fois il ne l'avait interrogée sur son malaise.

— M. Chapin ne vous a pas dit à quelle heure il pensait revenir ?

— Non, je suis désolée.

Callie se mordilla la lèvre. Elle n'avait pas la moindre envie de retourner à Liberty Park. Elle serait bien allée au lac George, mais pas sans Ezra : il avait fait le voyage de New York pour cela. Pour le moment, il épluchait les archives de Saratoga et, pour avoir fait de même la veille avec celles de Ballston Spa, elle savait que ça prenait un certain temps.

Il ne lui restait qu'à se promener en ville en attendant le retour du flic prodigue.

Callie marchait au hasard, plongée dans ses pensées, quand elle se rendit compte que ses pas l'avaient conduite dans les vieux quartiers. La plupart des bâtisses qui se dressaient devant elle dataient de l'âge d'or de Saratoga, quand la ville vivait du jeu et des courses de chevaux. C'était un autre siècle, presque un autre monde.

Et pourtant...

Elle regarda autour d'elle avec le sentiment croissant de vivre un rêve éveillée. Ces rues, ces maisons... sans pouvoir se l'expliquer, Callie se prit à les *reconnaître* une à une.

Elle reconnaissait la couleur des murs de la cuisine de cette maison sur Church Street, le motif floral du papier peint des couloirs de ce petit pavillon de Hathom. Elle était sûre d'avoir joué dans la cour de derrière ! Et cette résidence à l'angle de Spring Street, elle aurait pu décrire le lustre de cristal dont les bougies illuminaient la salle à manger...

Telle une superwoman de bande dessinée, elle avait l'impression que ses yeux pouvaient transpercer les murs de ces manoirs vieillissants et violer leur intimité. Chaque portrait de famille, théière de porcelaine, napperon brodé, soupière qui brillait doucement à la lueur d'une lampe à pétrole lui était familier.

Lampe à pétrole ?

Callie se rendit compte avec un temps de retard qu'elle ne voyait pas seulement ce qu'il y avait *derrière* ces façades : elle y voyait ce qu'il y avait eu *avant*, à une époque largement antérieure à sa naissance.

Elle se cacha les yeux dans le pathétique et dérisoire espoir de chasser ces visions de son cerveau.

— Ce n'est rien, souffla-t-elle. J'ai lu trop de chroniques de l'époque au cours de mes recherches... regardé trop de photos anciennes...

En exprimant ses pensées à voix haute, elle avait l'impression de mieux se raisonner et de maîtriser la situation.

— Il y a une explication à tout. Là aussi, il y en a forcément une, décida-t-elle avec un optimisme forcé. C'est juste une impression de déjà-vu, comme cela arrive à tout le monde. Paula en a tout le temps. C'est elle aussi qui m'a parlé de réminiscence en disant... Voyons, quelle était sa théorie ?

Elle fouilla sa mémoire comme si sa vie en dépendait.

— Ah oui : « C'est une réminiscence *parce que cela ne peut être que ça.* » Voilà. Ce n'est pas plus compliqué.

Bon, il fallait bien admettre que l'argument valait ce qu'il valait, mais il avait au moins le mérite d'exister. Et surtout, elle ne voyait pas à quoi d'autre se raccrocher.

Callie se répéta jusqu'à se l'enfoncer dans le crâne que ses visions n'étaient pas signe de folie.

Non, je ne suis pas folle !

19

Non, je ne suis pas folle !

— Salut, poupée blonde ! On se promène ?

La tête de Callie pivota en direction de la voiture qui klaxonnait.

Ezra Chapin souriait de toutes ses dents par la vitre grande ouverte de sa portière.

— Où étiez-vous passé ? aboya-t-elle.

Elle s'en voulut aussitôt de sa réaction involontaire.

Il haussa un sourcil, surpris et par le ton et par la question.

— On ne vous a pas remis mon message ? Je n'ai pas voulu vous réveiller, donc je suis allé visiter...

— Ah oui, le musée d'histoire.

Callie utilisa les quelques secondes que mit Ezra à faire demi-tour en voiture pour se recomposer un visage serein.

— Je suis désolée, dit-elle en se glissant à côté de lui. J'étais perdue dans mes pensées...

— Alors il faut en changer, celles-ci ne vous vont pas, la taquina Ezra en démarrant. J'ai du nouveau !

— Votre visite a porté ses fruits.

— Des fruits juteux.

— Vite, racontez-moi !

— Vous aviez vu juste sur les « années obscures » de E. W. : c'est carrément un trou noir, mais voilà ce que j'ai pu reconstituer. Il entre très jeune en apprentissage dans des journaux comme *The Morning Times*, le futur *Times Union*, dont le siège est à Albany, mais qui a des bureaux dans toute la région. Et comme E. W. ne tient pas en place, il passe d'un bureau à l'autre, travaillant un mois ici, un mois là. À un moment, pourtant, il doit bien se fixer parce que, fin 1864, son nom figure en toutes lettres dans la liste des collaborateurs de... je vous le donne en mille : *La Dépêche de Saratoga*. Ah ! Alors, qu'est-ce que vous dites de ça ?

Ezra avait l'enthousiasme communicatif. Callie, qui se sentait déjà mieux, en oublia ses problèmes personnels pour se fendre d'un chaleureux sourire de félicitations.

Elle avait l'impression de sortir d'un trou noir, elle aussi. Et les progrès de leur enquête se révélaient le meilleur des antidotes aux ombres qui embrumaient son cerveau.

— J'en conclus, continua-t-il sur sa lancée, que notre homme a parfaitement pu connaître dès cette époque la jeune femme dont Wellington nous a parlé. Elle était peut-être même sa bonne amie quand il l'a quittée pour rentrer à Stroudsburg. Et c'est peut-être elle qu'il cherchait à retrouver quand la tempête de neige s'est abattue sur lui. Peut-être avait-il appris ses malheurs et revenait-il l'aider.

— Ça fait beaucoup de « peut-être », observa doucement Callie. Et si cette jeune femme...

— Son nom ! lança Ezra en donnant un coup de freins. Avec notre sortie... précipitée de son bureau, j'ai simplement omis de demander son nom à Wellington. Peut-être – bon, d'accord, encore un – s'agit-il tout bonnement de la Clémence du journal !

— Vous croyez ? fit Callie qui avait la même idée.

— Eh ! Pourquoi pas ?

— Où... où allez-vous ? bégaya-t-elle en le voyant amorcer un demi-tour.

— Devinez. À Liberty Park, tiens !

— Non !

Ezra donna un nouveau coup de freins, mais cette fois-ci il coupa l'allumage.

— Que se passe-t-il avec Liberty Park ? demanda-t-il dans le silence qui suivit.

— Cet endroit me glace le sang.

Elle disait la vérité. Pas toute la vérité, mais elle espérait qu'il s'en contenterait.

Ce ne fut pas le cas.

— Vous me cachez quelque chose. Pourquoi ? Vous n'avez pas confiance en moi ?

Elle secoua la tête, mais resta coite.

— Qu'est-ce qui vous a troublée à ce point à Liberty Park ? Vous n'étiez pas la même en sortant qu'en y entrant. Ce n'est tout de même pas l'accueil de Wellington ni la couleur de son nœud papillon qui vous ont mise dans un état pareil. Alors quoi ? Avant même d'écouter son récit dans son bureau, vous étiez « ailleurs ». Quelque chose vous a frappée ? Le fait que ce soit un asile de dingues ? C'est ça qui vous...

Ezra se tut brusquement. Au fond des prunelles assombries qui le fixaient, il avait lu une supplication douloureuse.

— D'accord. On oublie Liberty Park.

Il appellerait Wellington à son retour à New York, c'est tout.

— À la place, vous n'avez rien contre un petit tour au lac George ?

Son ton mi-inquiet mi-sarcastique disait bien ce qu'il voulait dire : Vous ne piquerez pas de crise là-bas, au moins ?

Callie adopta une moue provocante.

— Au contraire, j'en frétille d'impatience.

— Heureux de l'entendre.

Ezra étouffa le commentaire sur les bonnes femmes qui lui montait aux lèvres et tourna la clef de contact en soupirant.

Le voyage ne fut pas un ratage complet, mais presque. Le shérif Jack Carlson – qui avait jadis mené l'enquête sur la mort accidentelle de Huntington Hale – n'était ni décédé ni en vacances, mais en arrêt maladie prolongé après une crise cardiaque.

Ezra dut se contenter d'un de ses assistants, l'officier Gayle, lequel parut trouver complètement débile qu'on déterre un accident vieux de trente ans pour résoudre un meurtre récent. Mais les papiers officiels que lui présenta l'inspecteur Chapin de la criminelle de New York requéraient sa pleine et entière coopération. Il s'engagea donc à lui faire parvenir tous les documents et renseignements qu'il désirait.

— En toute discrétion, insista Ezra. C'est strictement confidentiel.

Callie intervint pour demander s'il leur serait possible de visiter Long House. Après avoir vu les photographies de la maison dans l'appartement de Wilty, elle souhaitait se rendre sur place pour y chercher un éventuel indice.

La réponse de l'officier Gayle tomba, claire et nette :

— Rigoureusement impossible.

Pour pénétrer à Long House, il fallait impérativement avoir l'autorisation écrite d'un membre de la famille Hale, laquelle se résumait désormais à Carolyne.

Ezra et Callie repartirent bredouilles vers leur voiture.

— Cette brave Caro, railla-t-elle. J'aurais dû lui demander un laissez-passer la dernière fois que nous avons papoté. Nous sommes de grandes copines, vous savez !

Ezra eut un petit rire gêné.

— C'est ce que j'ai cru comprendre, oui...

Callie lui avait raconté la pression exercée par la Veuve pour obtenir son renvoi. Lui-même avait eu l'occasion de constater de visu la haine que la mère de Wilty vouait à l'ex-compagne de son fils : juste avant l'interrogatoire de Ben Schirmerhorn, Jorge et lui avaient escorté Carolyne qui avait manifesté le désir de « se recueillir » dans l'appartement de Wilty, encore placé sous scellés. Étrange conception du recueillement...

Après coup, Jorge – mais il ne pouvait pas la sentir – avait comparé cette visite à la tournée d'inspection d'un adjudant dans une chambrée de bidasses... en moins sentimental ! Le fait est que la Veuve, l'œil sec et le menton hautain, avait foncé de pièce en pièce, comme pour vérifier que rien ne traînait. Elle ne s'était arrêtée que deux fois, devant des photos, et Ezra avait discrètement observé ses réactions.

La première photo lui avait arraché un soupir nostalgique. Il s'agissait d'un cliché montrant Wilty à l'âge de dix ans environ, juché sur un cheval superbe, en bottes, veste rouge et bombe noire. Carolyne se tenait fièrement à son côté.

La seconde était celle de Wilty et Callie en randonneurs, bras dessus, bras dessous et s'amusant comme des fous.

Carolyne n'avait même pas touché le cadre : ses yeux s'étaient plissés de dégoût. Deux fentes d'où coulait du venin.

La voix de Callie le ramena au présent.

— Vous vous souvenez de la collection de cannes de golf que nous avons trouvée chez Wilty ?

— Bien sûr. Il y en avait même de très anciennes, qui avaient sûrement appartenu à E. W. Et alors ?

— Alors le manche d'un de ces vieux clubs, un pot-de-terre-plate ou un truc comme ça...

— Un putter à tête plate, corrigea Ezra.

— Voilà ! Eh bien, je me rappelle qu'il portait le nom de Liberty ! À mon avis, Liberty Park était un terrain de golf avant d'être un établissement de soins.

— Sûrement pas, décréta Ezra en prenant la sortie pour Saratoga Springs.

— Comment pouvez-vous être si affirmatif ?

— J'ai découvert au musée que c'était un haras.

Callie ressentit un étrange picotement à l'intérieur de son crâne, comme si des rouages oubliés se mettaient subitement en branle, réveillant un pan de sa mémoire.

Des images spectrales envahirent son cerveau, des silhouettes grises, ô combien familières, se mirent à danser dans sa tête une sarabande infernale.

Puis le monde gris bascula brutalement dans l'orange vif.

Elle entendit l'abominable grésillement de chairs dévorées par les flammes. L'horrible bruit devenait plus fort et plus affreusement précis. Elle reconnut avec épouvante des hennissements torturés de chevaux...

Impossible d'y échapper en se bouchant les oreilles : ça venait *de l'intérieur* de son crâne.

Callie ouvrit précipitamment la vitre, sortit la tête et respira l'air frais à pleins poumons, les yeux grands ouverts sur le ciel ensoleillé pour conjurer les ombres.

L'air qui fouettait son visage lui fit comme un électrochoc. L'horreur se dissipa aussi vite qu'elle était apparue. Par bonheur, Chapin semblait n'avoir rien remarqué.

Les yeux rivés sur le rétroviseur, Ezra épiait la Saturne gris métallisé qui les suivait depuis un bon moment. Il aurait mis sa tête à couper que c'était la même voiture qui les avait accompagnés jusqu'au lac George.

Quand il s'était garé devant le bureau du shérif, la Saturne avait disparu et il s'était dit que c'était simplement un accès de paranoïa, comme en ont souvent les flics. À présent, ses premiers soupçons se confirmaient.

Il jeta un œil à Callie. Elle avait l'air préoccupé, et il décida de ne pas l'inquiéter avec ça.

— Je disais donc que McAllister, le premier propriétaire, était éleveur de pur-sang. Dans une ville où tout tournait autour des courses, il faut qu'il ait eu une sacrée bonne raison pour céder son domaine à Hale !

— Il l'a fait, voilà le principal. Le reste est secondaire.

Ezra n'était pas de cet avis. Rien de plus important qu'un « pourquoi » judicieusement posé ! Exemple : pourquoi Callie paniquait-elle dès qu'on parlait de Liberty Park ? Et pourquoi les suivait-on ?

— J'ai besoin de connaître les tenants et les aboutissants. Besoin d'avoir toutes les pièces du puzzle pour pouvoir les assembler. Pas vous ?

— Ce n'est pas toujours possible, répondit tristement Callie. Il y a des pièces qui manquent, et d'autres qui ne s'ajustent pas, malgré tous nos efforts.

Comme les rêves qui refusent d'avoir du sens... Les peurs qui refusent de se dissiper... Et les souvenirs qui refusent de coller aux expériences vécues.

Ils étaient arrivés devant leur auberge – et la Saturne avait à nouveau disparu, constata Ezra en se garant dans le parking. Il alla galamment ouvrir la portière à Callie.

Il mourait d'envie de lui demander quelles pièces de son puzzle intime lui posaient problème, mais ce n'était ni le moment ni l'endroit.

— J'ai bien enregistré qu'il faut vraiment que vous ayez très faim pour accepter de dîner avec moi. Et je suis conscient qu'hier soir vous n'avez fait une entorse à votre règle que par faiblesse. Mais, bon, je me suis laissé dire qu'il y avait un excellent restaurant à deux pas, au bord du lac Saratoga. Qu'en pensez-vous ? Pourriez-vous être prête pour sept heures trente ?

Callie se rendit parfaitement compte qu'il lui refaisait le coup du regard d'ambre, mais s'entendit tout de même répondre :

— Je dois mourir de faim, alors, parce que j'ai bien l'impression que ce sera parfait pour sept heures.

La carte des desserts – une œuvre d'art à elle seule – était rédigée dans une calligraphie fleurie magnifique à contempler, mais difficile à déchiffrer.

Le temps que son invitée la décode, Ezra avait déjà commandé une autre bouteille de Dom Pérignon. Callie n'en fut pas autrement étonnée : pendant tout le repas, il avait choisi pour eux deux ce qu'il y avait de meilleur.

Ce dîner dans un cadre enchanteur avait été parfait de A à Z.

— Pour célébrer les progrès de notre enquête, clama Ezra en levant sa coupe.

Ils trinquèrent. Callie dégusta son champagne à dose homéopathique, laissant les petites bulles lui chatouiller délicatement le palais.

— Chercheriez-vous à m'enivrer, inspecteur ?

— Vous n'avez pas la tête qui tourne, n'est-ce pas ? s'inquiéta automatiquement Ezra.

— Non, je plaisantais. Je vais bien. Vraiment !

C'était la vérité. À leur retour à l'auberge, elle avait pris le temps de se reposer, puis cette soirée détendue et conviviale lui avait fait un bien fou. Elle se sentait... bien, pour la première fois depuis... oh, depuis très longtemps.

Elle le vit hésiter dix secondes avant de se jeter à l'eau :

— J'aime mieux ça, parce que je vous avoue que je ne vous ai pas trouvée très en forme hier soir, ni ce matin d'ailleurs.

Et encore, songea-t-elle, il n'avait pas remarqué son malaise en voiture un peu plus tôt !

— Je suis désolée... Je ne pensais pas que ça se voyait tant.

Impulsivement, il avança le bras et posa la main sur la sienne.

— Ne soyez pas désolée. Quelque chose vous trouble et je sais très bien écouter.

Callie retira sa main. Rectification, rumina-t-elle : ce dîner aura été idyllique de A à Y. Rien n'était jamais parfait...

Mais au fond d'elle-même, elle savait que tôt ou tard un policier comme lui ne pourrait pas s'empêcher de lui poser des questions, et qu'elle ne pourrait pas se taire indéfiniment. Chapin avait déjà eu le mérite d'attendre le dessert !

— Il m'arrive parfois de faire des cauchemars. Des rêves réellement pénibles.

Ezra ne broncha pas, attendant la suite.

Elle le regarda, débattit rapidement avec elle-même et, à la fin, décida de faire quelque chose qu'elle n'avait jamais fait, même avec Wilty : lui dire la vérité, toute la vérité et rien que la vérité.

— En fait, c'est plus que « parfois » et que « pénible ». Je fais les mêmes cauchemars abominables depuis mes sept ans.

— Qu'est-ce qui provoque ces cauchemars ?

— Je donnerais cher pour le savoir. Cette fois, ils ont recommencé la nuit où Wilty est mort. Et depuis, ils ne me lâchent plus.

Un long frisson la parcourut des pieds à la tête. Elle se recroquevilla dans son siège et avoua l'inavouable d'une voix altérée.

— C'est comme si son meurtre avait réveillé une bête sauvage... Une bête qui habite en moi et me dévore de l'inté-rieur. Plus je creuse dans l'histoire de la famille Hale, plus j'essaie de percer ses mystères, plus mes rêves se vengent sur moi.

— Et personne ne peut vous aider à combattre ces cauchemars ?

— J'ai consulté le meilleur spécialiste des rêves récurrents et des terreurs nocturnes.

— Et... ?

Elle haussa les épaules.

— Ce n'est pas ce que j'appellerais une expérience concluante.

— C'était inutile ? déplaisant ?

— Les deux, et en plus dangereux. Tout récemment, mon thérapeute a tenté d'explorer mes rêves au moyen d'une régression sous hypnose. C'est à partir de là que j'ai commencé à « voir des choses » le jour aussi. J'avais décidé de tout arrêter, mais...

— ... vous êtes prête à recommencer.

— Au point où j'en suis, je n'ai pas vraiment le choix. C'est ça ou...

Callie laissa sa phrase en suspens, mais le ton de sa voix et la lueur paniquée dans ses yeux se passaient de commentaires.

Ezra savait qu'il allait encore empiéter sur sa vie privée. Tant pis. Il fallait crever l'abcès.

— ... ou finir comme votre mère ? Callie, vous croyez qu'elle était folle ?

Elle se pétrifia. Cette question la troublait moins par son audace que parce qu'elle exprimait sa propre pensée à la fraction de seconde près.

— Mon père l'a cru, répondit-elle lentement. Il a cru le diagnostic des médecins : « schizophrénie paranoïaque », et il a fait interner ma mère dans l'institution psychiatrique où elle s'est donné la mort. Il ne se l'est jamais pardonné et n'a plus été le même après le drame.

Ezra se passa une main sur la nuque. Il comprenait mieux le malaise qu'avait éprouvé Callie à Liberty Park.

— Je suis désolé... Cela a dû être terrible pour vous.

Il aurait voulu lui tenir la main, tenter de la réconforter, mais elle se tenait droite, le visage fermé à double tour.

— Je n'ai pas répondu à votre question, articula-t-elle.

Elle se pencha en avant et déclara :

— Le pire, c'est que je n'ai jamais cru ma mère folle.

— Alors, pourquoi l'aurait-on enfermée ?

— Parce qu'on ne savait pas la guérir. Parce que les médecins la disaient trop malade pour rester à la maison. Parce qu'elle avait des crises où elle pouvait se montrer violente. Parce qu'elle faisait ces rêves...

Cette dernière information provoqua un déclic dans le cerveau d'Ezra.

— Quoi ! *Les mêmes* que les vôtres ?

— Oui.

Elle conclut avec un pauvre sourire :

— Ou nous sommes folles toutes les deux, ou nous ne le sommes ni l'une ni l'autre.

Il se pencha vers elle et planta son regard dans le sien.

— Callie, je ne vous connais pas depuis longtemps, mais s'il y a une chose dont je suis sûr, c'est que vous n'êtes pas folle !

— Qu'est-ce qui vous permet de l'affirmer ?

— Mon instinct. Et il ne me trompe jamais ! À la criminelle, on m'a surnommé Ezradar.

Elle le remercia d'un autre sourire, mais deux minuscules larmes perlaient aux coins de ses yeux.

— Dommage que je ne vous aie pas rencontré plus tôt. Je me serais sentie plus « normale »...

Ezra sentit, lui, son cœur se serrer.

— Personne ne vous a rassurée dans votre famille ?

— À part mon psy, ma meilleure amie... et vous, personne n'est au courant de mes rêves. Maman m'avait fait jurer de garder le secret.

— De peur qu'on vous regarde... bizarrement, devina-t-il.

Les prunelles de Callie brillaient d'une douceur étrange quand elle dit simplement :

— Merci.

— De quoi, grands dieux ?

— D'essayer de m'aider. Et de vous faire du souci pour moi.

— Je voudrais tellement vous aider pour de bon. Et je me fais beaucoup de souci pour vous.

Elle cacha son émotion sous un petit rire perlé.

— C'est vrai que vous êtes doué pour écouter. Et en outre, votre compagnie est très agréable, Ezra Chapin. J'aime bien être avec vous.

Il rayonnait.

— Eh bien, pour ne rien vous cacher, c'est réciproque.

Pendant qu'Ezra allait récupérer leur voiture, Callie fit quelques pas au bord du lac, savourant la beauté irréelle des reflets argentés de la lune sur les eaux noires. Un tableau de maître !

Mais le plus génial des peintres n'aurait su rendre le

clapotis de l'onde caressant le rivage, ni ce frêle esquif surgi de nulle part...

Callie se figea. Comme le vaisseau fantôme sortant des brumes de la légende, un petit bateau venait de se matérialiser sous ses yeux. Elle cilla à plusieurs reprises, fronça les sourcils. Mirage ou réalité ?

Lentement, les contours de la vision se précisèrent, les lignes de la barque devinrent nettes.

Callie distingua deux personnes à bord. Un couple.

Elle frémit en reconnaissant la Femme pâle qui lui était apparue fugitivement, la veille, à une fenêtre de Liberty Park. Là, elle portait une robe à col montant avec tablier et *tournure*, un de ces jupons à armature métallique qui faisaient bouffer l'arrière des jupes dans les années 1870. Elle tenait un parasol et souriait avec adoration à son compagnon qui ramait vigoureusement.

Callie ne pouvait voir le visage de celui-ci, mais, même assis et de dos, il paraissait grand et fort. Quand l'embarcation vira de bord, elle l'identifia à son tour, non sans un choc au cœur : il s'agissait ni plus ni moins de l'Homme gris de son cauchemar, celui qui finissait la tête en sang dans les flammes orange.

20

La sonnerie du téléphone la réveilla en sursaut. Sans ouvrir les yeux, elle tendit la main vers le combiné sur sa table de nuit.

— Mmm ?

— Luke Crocker à l'appareil.

Elle n'avait dormi que deux heures, mais l'appel de son ancien patron dissipa d'un coup les brumes du sommeil.

— J'ai un boulot urgent pour toi : une overdose à couvrir dans le cadre de ton enquête sur ton toubib préféré. *« Devy... à trépas ? »* Ça te rappelle quelque chose ? Eh bien, l'une de ses clientes vient de trépasser. Ouvre ton calepin ou tes neurones, voici l'adresse...

Pendant qu'il la lui donnait, Callie se redressa sur son oreiller, sidérée par son aplomb. Elle ne pouvait pas lui en vouloir d'avoir été virée, mais tout de même...

— Tu as noté ?

— Non. Je ne travaille plus pour le *City*, Luke.

— Quelle idée, bien sûr que si ! Tu es simplement en congé.

— En *congé* ?

— Mais oui, tu as juste pris.. un peu de recul... le temps de souffler.

C'était une manière de voir les choses.

— Le temps de rien du tout, corrigea Callie. Mme Hale a carrément réclamé ma tête – et Brad Herring la lui a servie sur un plateau d'argent.

— Il m'a raconté ce qui s'était passé.

Elle doutait que Luke ait eu droit à l'histoire complète.

— Nous avons tous ici été scandalisés par ce diktat, Callie, Brad le premier. Confiance, nous retravaillerons ensemble.

— Je ne suis pas sûre d'en avoir envie...

— Allons ! Où est passé ce fameux esprit Jamieson que tout le monde connaît et admire ?

— Il s'est juste mis en congé, le temps de souffler et de prendre un peu de recul...

Luke rit – jaune – et retrouva sa voix de rédacteur en chef :

— Trêve de plaisanterie, Callie. J'ai besoin de toi là-bas. Notre photographe est sur place ; il t'attend. Tu ne voudrais pas que le *City* se passe des services de celle qui a révélé les turpitudes de Devy au moment où ce fumier fait une nouvelle victime ? Nos lecteurs ne le comprendraient pas.

— Moi non plus, maugréa-t-elle. Redonne-moi l'adresse.

Le corps gisait à même le carrelage de la salle de bains, la tête dans une mare de vomi. Du sang noir et un peu d'écume verdâtre s'étaient figés au coin de ses lèvres bleuies. Les larmes avaient barbouillé deux traînées de mascara sur son visage à jamais livide malgré la couche de maquillage. Vanna était entrée dans l'au-delà les yeux ouverts, les pupilles dilatées comme de son vivant, mais avec un seul de ses inséparables faux cils.

Ezra rejoignit Alvarez, déjà sur les lieux, en prenant garde à ne pas gêner le travail de la police scientifique. Tous deux veillaient également à ne pas empiéter sur les plates-bandes de leurs collègues des stups, directement chargés des affaires de drogue liées aux activités de l'insaisissable Dr Devy.

Ezra et Jorge étaient là parce que la victime avait été identifiée comme Savana Larkin, un témoin cité dans le meurtre de Wilton Hale.

— Avec la dose d'alcool et de médicaments qu'elle a ingurgitée, la pauvre gosse n'avait pas l'ombre d'une chance d'en réchapper, grommela Jorge.

Ezra revit en pensée cette grande rousse trop maquillée, l'œil cerné de noir, juchée sur d'impossibles talons hauts, en minijupe Chanel et chapeau, telle qu'elle s'était présentée à son bureau pour sa déposition.

Sa déposition... parlons-en. Le vide sidéral, le néant. La drogue avait achevé de transformer la tête de cette jolie potiche en passoire ; en comparaison, la mémoire de Schirmerhorn était un disque dur à haute capacité.

« Si j'ai vu quelqu'un chez Wilty ? Ah, je ne crois pas, non. S'il attendait une visite ? Oh... ben non, pas que je sache. S'il avait l'air bizarre ? Pfff... pas plus que d'habitude. De quoi nous avons parlé ? Ouh là... je ne sais plus. À quelle heure il m'a appelé un taxi ? Euh... j'avais bu des mélanges, alors forcément... Mais je me souviens qu'en me réveillant chez moi j'avais de ces maux de crâne ! Vous ne direz rien à mes parents, commissaire ? Mon père me couperait les vivres ! »

Vanna Larkin était une charmante perruche, avec un grelot dans la tête et un plumage chatoyant. À présent, le grelot se s'agiterait plus, quant au plumage...

Ezra jeta un dernier regard à la dépouille de la dernière victime des ordonnances du Dr Devy, et sortit de la pièce, Alvarez sur les talons.

— Bon, récapitulons : des traces d'effraction ?

— Aucune.

— Des traces de vol ?

— Apparemment non.

— Qui a découvert le corps ?

— La femme de ménage, Rosa Fuentes, à son arrivée à... sept heures du matin, vérifia Jorge dans ses notes.

— Overdose... ou meurtre déguisé en overdose ?

— Ça... il est trop tôt pour le dire.

Alvarez y avait pensé, lui aussi. Comment écarter cette hypothèse quand on savait que Vanna Larkin avait été la dernière personne à avoir vu Wilty en vie la nuit du crime, hormis l'assassin évidemment ?

— Attendons le verdict du labo et les résultats de l'autopsie, ajouta-t-il.

Ezra hocha pensivement la tête.

— Pas de collusion possible avec ce taré qui fait mumuse avec des rats ?

— Raju ? Plover a eu un entretien entre quatre yeux avec lui. Il en a tiré tout ce qu'on pouvait en tirer : rien. C'est un pauvre type, juste bon à faire peur aux femmes. Il n'a rien à voir dans cette histoire.

— Reste Devy. Toujours aux abonnés absents ?

— Toujours. Un drôle de numéro, celui-là...

— À propos, tu as eu le temps de te renseigner au sujet de la plaque d'immatriculation ?

— Qu'est-ce que tu crois ?

Alvarez reprit son calepin, tourna les pages et claqua la langue.

— Ta Saturne gris métallisé a été louée à New York par un certain Fred Northrup. Inconnu au bataillon.

— Faux nom ?

— Et fausse adresse, comme de bien entendu. Véhicule sorti le vendredi à onze heures du matin et rentré le dimanche à la même heure.

— Une description du type ?

— Un mètre quatre-vingts. Plutôt balaise. Très bronzé. Crâne rasé. L'air pas commode. Yeux bleu acier. Regard salace. La minette de la location se souvient aussi qu'il portait un tatouage en forme d'éclair au poignet gauche.

Ça, c'était un signalement, au moins ! Callie avait rencontré Frank Devy au cours de son enquête. Elle pourrait dire immédiatement s'il s'agissait de lui. Il y avait cent autres moyens de vérifier, mais celui-ci offrait un avantage à nul autre pareil : il fournissait à Ezra une bonne excuse pour la relancer.

La veille, Callie avait quitté leur auberge de Saratoga Springs aux aurores. Comme ça, sans prévenir. Ezra avait tenté de la joindre à plusieurs reprises, mais ou elle n'était pas rentrée chez elle, ou elle ne voulait pas répondre au téléphone. Il avait laissé plusieurs messages sur son répondeur, sans succès.

Pourquoi avait-elle filé comme une voleuse ? s'interrogea Ezra pour la millionième fois depuis vingt-quatre heures.

Ils ne s'étaient pas disputés dans ce restaurant. Au contraire, il avait eu l'impression qu'ils s'étaient rapprochés. Au dessert, Callie lui avait même lancé un regard ému, ou il ne s'y connaissait pas. Il l'avait laissée cinq minutes, le temps d'aller chercher la voiture au parking – et patatras. À son retour, elle tirait une tête de six pieds de long.

224

Elle lui avait à peine dit bonsoir, et puis plus rien. Plus aucun signe de vie.

Incompréhensible, même pour une femme...

Il s'aperçut que ce pauvre Jorge parlait dans le vide et essaya de rattraper le train en marche. Apparemment, il y avait un problème avec Schirmerhorn...

— ... Shakespeare en fait une tragédie ! Son avocat hurle à l'acharnement policier, et le juge dit qu'on n'a rien de solide qui justifie son maintien en détention. C'est vrai qu'un bide à Broadway ne pèse pas lourd comme mobile. Tu me diras qu'on peut s'appuyer sur la haine héréditaire pour justifier la présomption de meurtre, mais faute d'élément nouveau il va falloir remettre Bennie en circulation...

L'allusion à une vieille haine fit prendre un nouveau détour aux pensées d'Ezra, le ramenant à Saratoga et à un autre élément séculaire de l'affaire Hale : le désir de E. W. de se racheter en bâtissant Liberty Park pour une femme. Une femme sur qui ni lui ni Callie n'avaient encore pu mettre un nom.

Dès la veille, il avait recontacté Hiram Wellington pour en avoir le cœur net. Il venait de lui expliquer qui il était en réalité, et pourquoi il s'était fait passer pour un journaliste, quand le médecin avait brusquement quitté son bureau. Au bout d'un petit moment, une femme – sa secrétaire ? une infirmière ? – avait repris la communication en assurant que le docteur avait été appelé pour une urgence et qu'il se ferait un devoir de le rappeler dès que possible. Ezra attendait toujours.

— Quels dénominateurs communs entre Schirmerhorn et Vanna Larkin ? demanda-t-il à Alvarez.

— Les mêmes fournisseurs de drogue : Devy, pour ne pas le nommer, et Prodyot Raju, le pharmacien véreux. Plus le bar de *L'Onyx*, que Vanna et Ben fréquentaient... comme Wilty.

— Tout ce petit monde s'y retrouvant le soir du grand plongeon..., acheva Ezra avec une moue significative.

— Tu crois vraiment que Devy trempe dans le faux suicide de Hale ?

— On ne peut pas écarter cette option. Réfléchis : Devy

connaît Schirmerhorn et Vanna, qui lui achètent sa camelote... et qui connaissent tous les deux Wilty. Il connaît Callie Jamieson, qui le démolit dans son article... et qui connaissait très bien Wilty. Même s'il n'est nulle part, on le retrouve partout !

Ezra vit que son équipier n'était pas convaincu. Parce qu'il avait son suspect préféré depuis longtemps. Sa suspecte, plutôt.

— Jorge, je sais que tu n'as pas envie de rétrograder Carolyne Hale du statut d'ennemi public numéro un à celui de numéro deux ou trois, mais réserve tout de même deux petites places sur ta liste à Devy et Schirmerhorn. On ne sait jamais.

— L'ennui, c'est que nous n'avons de mobiles solides pour aucun des trois, soupira Jorge.

— Attends, on y verra peut-être plus clair tout à l'heure après notre prochain entretien.

— Avec qui ?

— Dan Kalikow. Selon le barman de *L'Onyx*, il a rejoint Wilty là le soir de sa mort...

Carolyne Hale périssait d'ennui.

À part son dîner chez *Daniel* avec Peter Merrick, et son pèlerinage chez Wilty (gâché par la présence de ces deux inspecteurs qui ne l'avaient pas lâchée d'une semelle !), elle n'avait plus mis le nez dehors. Noblesse oblige, elle se privait de sorties pour respecter les usages du deuil et consolider son auréole de mère martyre cloîtrée chez elle par le désespoir. Excellent pour son image de marque, mais épouvantablement contrariant.

Pour couronner le tout, voici que son conseil, Harlan Whiteside, se présentait avec de fâcheuses nouvelles...

— J'ai trouvé l'avocat qui s'occupe du testament de Wilty. Dan Kalikow.

Carolyne sentit son estomac se nouer. Ainsi donc, ses craintes étaient fondées : cet insensé de Wilty avait bel et bien confié ses dernières volontés à un illustre inconnu. Un compagnon de beuverie, sans doute.

— Comment dites-vous ?

— Dan Kalikow. J'ai vérifié son curriculum vitae. Wilty l'a connu à Yale.

— Un tocard, je suppose ?

Whiteside eut l'air surpris.

— Mais non… pas du tout.

Son énumération des diplômes et des faits d'armes de Kalikow ne la rassura pas pour autant. Au contraire.

— Vous lui avez parlé ?

— Il ne répond pas à mes appels.

De plus en plus inquiétant…

— Pourquoi donc ? s'offusqua Carolyne.

— Je suppose qu'un juge a ordonné le black-out sur tout ce qui a trait au testament de Wilty jusqu'à ce que la police ait fini ses investigations.

— C'est légal, ça ?

— C'est même normal.

L'avocat marqua une pause, choisissant prudemment ses mots pour ce qui lui restait à dire.

— Cela signifie qu'aucun chèque ne pourra être tiré sur aucun des comptes en banque de Wilty jusqu'à nouvel ordre.

Il vit les joues de Carolyne s'empourprer de fureur et pâlit dans les mêmes proportions. Elle allait encore moins aimer la suite…

— J'ai aussi entendu dire que la police a donné son feu vert à la presse pour publier la nouvelle que Wilty a été assassiné.

— Je leur ai pourtant dit que je m'y opposais !

Elle se mit à marcher de long en large dans son salon, horrifiée. Une catastrophe. Une véritable catastrophe ! Tous les journaux en feraient leurs choux gras pendant des jours et des jours. Elle voyait d'ici les manchettes : « Bain de sang à la cour des Hale ! », « L'héritier de l'empire Hale victime d'un meurtre », « La malédiction des Hale a encore frappé ! »…

Quelle aubaine pour les amateurs de sensationnel ! Ah, ces pourceaux de journalistes allaient s'en donner à cœur joie, se vautrant tout leur soûl dans la fange, et tartinant sur la malédiction des Hale jusqu'à épuisement de leurs lecteurs. Ce qui risquait de prendre du temps, vu l'état de leur porcherie mentale à eux aussi...

— C'est une catastrophe, répéta-t-elle à haute voix.

Harlan Whiteside crut bon de relativiser.

— Bien sûr, c'est ennuyeux, mais...

Carolyne le foudroya du regard. Qu'en savait-il, cet idiot qu'elle payait une fortune et qu'elle invitait dans son lit par-dessus le marché ?

La révélation de l'assassinat de Wilty et la publicité faite à cette malédiction de malheur allaient lâcher une meute de sales fouineurs sur les morts *accidentelles* du père et de l'oncle de Wilty. Quant à la divulgation de l'immense richesse de la famille Hale, désormais privée d'héritier mâle, elle risquait de susciter toutes sortes de convoitises et de contestations. C'était un épouvantable désastre.

Un désastre qu'elle pouvait encore éviter. Il ne serait pas dit qu'elle, Carolyne Hale, laisserait la police livrer le souvenir de son fils en pâture à la presse !

Remontée à bloc, elle se dirigea vers le téléphone d'un pas résolu.

— Ne faites pas ça, Carolyne. Surtout pas !

Elle avait la main sur le combiné, mais quelque chose dans la voix de Harlan l'alerta, la freina dans son élan.

— Et pourquoi pas ? lâcha-t-elle du bout des lèvres.

L'avocat s'avança d'un pas, mal à l'aise.

— Parce que la police a une idée en tête en laissant diffuser la nouvelle : elle espère obtenir des informations, des réactions... comme la vôtre, Carolyne. Si vous exigez d'eux qu'ils continuent à garder le silence sur la nature de la mort de Wilty, ils risquent de mal interpréter votre geste, de le trouver... étrange, voire suspect, vous les connaissez. Ils peuvent même imaginer... que vous voulez leur mettre des bâtons dans les roues, allez savoir ! Et alors, évidemment, ils voudront comprendre pourquoi...

C'était exactement ce qu'il imaginait lui-même. Mais il préférait ne pas pousser trop loin son introspection.

228

— Alors, messieurs, que me vaut le plaisir de votre compagnie ? demanda Dan Kalikow avec un calme olympien.

L'inspecteur Chapin répondit, laconique :

— Wilty Hale.

S'il guettait une réaction quelconque, il en fut pour ses frais. Le visage de l'avocat resta impassible. Il enchaîna :

— Nous nous sommes laissé dire que vous aviez déjeuné avec M. Hale le jour précédant sa mort.

— On ne vous a pas menti. Mais on a peut-être oublié de vous dire que j'ai même revu Wilty en début de soirée, ajouta Dan en regardant les deux policiers.

Ils apprécièrent. Ça les changeait agréablement des interrogatoires au forceps d'une Carolyne Hale ou d'un Ben Schirmerhorn.

— Deux rendez-vous le même jour..., commenta l'inspecteur Alvarez. Cela vous arrivait souvent ?

— Non.

— Alors, cette fois, vous deviez avoir beaucoup de choses à vous dire...

— Oui.

— On peut savoir quoi ? risqua Ezra.

Dan lui opposa son sourire de refus le plus aimable.

— Inspecteur Chapin, Wilty Hale n'était pas seulement mon ami, mais mon client. Et vous n'ignorez certes pas qu'il existe une relation de confiance entre un avocat et son client. Une clause morale de confidentialité.

— Mmm. Je vous vois venir, vous allez me parler de secret professionnel...

— On ne peut rien vous cacher. Désolé, messieurs.

— Mais votre ami et client est mort, mon cher maître. La confidentialité n'est plus de mise, et le secret levé.

Dan hésitait, visiblement en lutte avec sa conscience. Wilty Hale avait dû acheter son silence très cher, devina Jorge qui chercha à faire pencher la balance du bon côté :

— Je ne sais pas si cela fait une différence pour vous, monsieur Kalikow, mais la mort de votre ami n'est pas due à un suicide. On l'a assassiné.

Dan encaissa le choc comme un uppercut au menton. Sonné, il trouva à peine le souffle pour balbutier :

— Qu'est-ce... qu'est-ce que vous me chantez là ? Wilty... *assassiné* ?

— Vous ne vous sentez pas bien ? s'enquit Ezra, déconcerté.

— Accordez-moi une minute, voulez-vous ?

— Naturellement. Voulez-vous un peu d'eau ?

Il acquiesça de la tête et Alvarez lui apporta aussitôt une bouteille fraîche. Les deux inspecteurs regardèrent Dan se servir un verre d'une main mal assurée et le boire avidement comme si cela pouvait l'aider à faire passer la nouvelle.

— J'avais du mal à croire au suicide de Wilty, avoua-t-il à voix basse. Je pensais plutôt qu'il s'était tué accidentellement, en tombant dans un moment d'ivresse. Mais un *meurtre*... ?

Il releva la tête et dévisagea alternativement les deux inspecteurs.

— Ce n'était pas prémédité, au moins ? Rassurez-moi. Il a été la victime d'un mari jaloux ou d'un cambriolage qui a mal tourné...

— J'ai peur que non, monsieur Kalikow.

Le teint de Dan vira au verdâtre. Il posa les coudes sur la table et enfouit son front dans les mains. Au bout d'un moment, il releva la tête et croisa le regard des policiers, qui l'observaient avec intérêt.

— Comment puis-je vous aider, messieurs ?

— En répondant à quelques questions.

— Je vous écoute.

— Ce jour-là, M. Hale vous a-t-il parlé de quelque chose d'important ou d'insolite ?

Le visage tendu de Dan Kalikow se marqua d'une moue empreinte de tristesse et de révolte.

— Ça, vous pouvez le dire !

21

Quand Callie appela pour changer leur rendez-vous, Peter craignit le pire. Mais c'était à cause d'un nouveau travail pour son journal. Il la félicita de sa réintégration au *City Courier*, tout en se demandant si cela se faisait avec ou sans l'accord de Carolyne.

Elle lui parla alors d'une nouvelle mission en free-lance, et il sourit : Brad Herring avait trouvé un stratagème pour contourner le diktat de la Veuve. Un bon point pour lui.

Callie devait avoir meilleur moral – c'est du moins ce qu'il pensait avant de la voir entrer dans son cabinet, les mâchoires serrées et le teint terreux.

— Heureux de vous retrouver, Callie.

Merrick avait vu trop de malades usés par des terreurs nocturnes répétées pour ne pas reconnaître le symptôme au premier coup d'œil.

Il lui offrit un siège ou, si elle préférait, le divan. Callie opta pour le fauteuil et il prit place juste en face d'elle. La pauvre ne savait visiblement pas quoi faire de ses jolies jambes. Son regard le fuyait. Les deux mains crispées sur ses genoux serrés, elle semblait se contraindre à rester assise.

— Vous avez l'air un brin nerveuse…

Callie lui sembla aussi plus mince, pour ne pas dire amaigrie. Ses cauchemars ne lui laissaient plus de repos, devina-t-il sans mal.

— C'est vrai.

Le sourire de Merrick se voulut rassurant.

— Je comprends, mais ne vous inquiétez pas. Comme je

vous l'ai promis au téléphone, nous ne ferons rien qui aille contre votre volonté.

Callie hocha la tête en avalant sa salive.

Elle s'était pourtant juré de ne plus remettre les pieds dans cet endroit dangereux où les puissances maléfiques de ses rêves s'étaient déjà libérées, *déchaînées* au sens propre comme au figuré. Mais une force irrésistible l'avait finalement ramenée ici. *Il fallait qu'elle sache*, une fois pour toutes, quel que soit le prix à payer.

Et Merrick était probablement la seule personne au monde capable de l'aider à comprendre ce qui la tuait à petit feu.

— Il s'est passé quelque chose, n'est-ce pas, depuis notre dernière rencontre ?

Peter savait qu'il voyait juste. Le genre d'obsessions et d'angoisses dont elle souffrait avait toujours tendance à monter en puissance comme en fréquence avec le temps. Voilà pourquoi il avait été sûr qu'elle reviendrait.

— Vous ne vous étiez pas trompé...

Sa voix était à peine plus forte qu'un chuchotement. Il devait tendre l'oreille pour l'entendre.

— Les rêves ne sont pas partis, au contraire. Et j'ai eu encore plusieurs de ces cauchemars en plein jour... hallucinations... hantises...

Une expression désemparée passa sur son visage.

— Je ne trouve même pas de nom pour décrire cette abomination.

— Le poète Gérard de Nerval en a trouvé un très beau. Il appelait ce phénomène l'« épanchement du rêve dans la vie réelle ». Ce grand écrivain savait de quoi il parlait : lui aussi souffrait de visions nocturnes devenues diurnes et de l'intrusion du passé dans le présent.

— Et il s'en est sorti comment ?

Peter se troubla et avoua à contrecœur :

— À vrai dire, Nerval ne s'en est pas sorti, Callie. Il a fini par se pendre... Mais c'était il y a longtemps, avant les progrès de la médecine, ajouta-t-il précipitamment en la voyant pâlir.

Il approcha son siège et lui prit les deux mains.

— Je voudrais maintenant que vous gardiez bien à l'esprit

que les rêves sont des avertissements que nous envoie notre cerveau, et les cauchemars une façon pour lui d'attirer notre attention sur l'importance du message qu'il essaie de nous délivrer. Ce message vital que votre inconscient vous lance depuis des années, nous allons tenter de le déchiffrer parce que c'est le seul moyen d'effacer vos cauchemars. Vous êtes prête à essayer ?

Callie fit oui de la tête sans desserrer les dents.

— Bien. Alors dites-moi ce que vous avez vu.

Pour son malheur, elle n'avait que l'embarras du choix entre l'Étranger gris apparu dans le vestiaire du *Royalton*, la Femme d'un autre monde à la fenêtre du Liberty Park, le haras en flammes et les hennissements des chevaux brûlés vifs (sa première « vision sonore » – un raffinement dont elle se serait passée !), la Dame du lac et l'Homme gris qui ramait dans la barque... sans oublier l'étrange lumière grise dans son appartement et les murs *transparents* du vieux quartier de Saratoga Springs.

Optant finalement pour sa dernière hallucination en date : le mystérieux couple du lac, elle prit une profonde inspiration et se concentra pour raconter ce qu'elle avait vu de la manière le plus fidèle et objective possible.

Peter l'écouta jusqu'au bout sans l'interrompre, gravant dans sa tête le moindre détail – ce qui ne l'empêchait pas d'enregistrer Callie (discrètement, de peur que le micro ne la congèle), de manière à pouvoir réécouter la bande à tête reposée, autant de fois qu'il le faudrait.

— Ce rameur qui a le visage en sang, commença-t-il dans le silence qui suivit le récit, ressemble-t-il à l'homme au crâne fracassé de vos cauchemars ?

— C'est lui. Mais la Femme à l'ombrelle et au chapeau de paille n'apparaît pas dans le cauchemar des Gens gris.

— Si vous le voulez bien, prenons un rêve à la fois.

À sa demande, Callie s'attacha à la description de la tenue de la passagère de la barque.

Les manches à gigot de sa robe et surtout sa tournure inté-ressèrent au plus haut point Peter. D'autant que Callie avoua qu'elle ne connaissait pas cette acception du terme

« tournure », mais que le mot lui était venu spontanément à l'esprit, comme si elle avait porté toute sa vie ce style de vêtement.

— La Dame du lac, comme vous l'avez surnommée, est-elle blonde comme vous ?

Merrick espérait que ce trait commun permettrait de voir en cette femme une aïeule de Callie. Il eut du mal à cacher sa déception quand elle secoua la tête.

— C'est difficile à dire avec ce chapeau, mais... non, ses cheveux sont d'un joli châtain brillant, légèrement auburn. Attendez, c'était beaucoup plus net dans son autre apparition...

Elle plissa les yeux, comme pour affiner la réception des images qui lui parvenaient de très, très loin, d'un autre temps. Et retrouva celle de la Femme si pâle du Liberty Park.

Merrick contemplait Callie avec un étonnement ravi. Elle semblait appeler ses visions à volonté pour les consulter, aussi aisément qu'on télécharge et qu'on ouvre un fichier informatique...

— Elle a le front large, les pommettes hautes, la peau laiteuse. Elle ne porte aucune trace de maquillage, et n'en a nul besoin : elle est jeune et belle.

Cette description ressemblait point par point à Callie : Peter reprit espoir.

— Ses yeux sont-ils bleu-vert comme les vôtres ?

— Non, brun clair, noisette.

Peter nota à regret cet autre élément contrariant le rapprochement entre sa patiente et la femme de ses visions. Il fit une troisième tentative :

— Est-elle grande comme vous ?

— Non, petite. Avec des hanches très étroites.

Soudain, les traits de Callie se tendirent. Elle ferma les yeux. Sa tête s'inclina comme si elle était subitement trop lourde à porter. Ses lèvres remuèrent sans articuler un son, puis elle gémit :

— Oh, Seigneur... Elle a besoin d'aide ! Au secours !

Les paupières de Callie se rouvrirent et elle se dressa de son fauteuil, l'œil hagard. Merrick aurait juré qu'elle ne percevait rien de ce qui l'entourait présentement. *Elle était restée là-bas !*

— Que se passe-t-il ? Qu'avez-vous vu ?

— De l'aide ! Vite...

Elle était plus loin qu'ailleurs, elle était *autrefois*...

Peter craignait qu'elle ne s'évanouisse. À son réveil, elle resterait si effrayée par cette expérience qu'elle abandonnerait définitivement leurs séances de thérapie. Un désastre pour elle et pour lui.

— Callie, que voyez-vous ? Dites-le-moi. Parlez.

— Sa ligne, elle l'a perdue...

— Je ne comprends pas. Quelle ligne ?

Elle secoua la tête, les sourcils froncés. Sa respiration devenait rapide, saccadée.

— Elle a un ventre rond. C'est affreux, je crois qu'elle est enceinte, expliqua-t-elle en frémissant.

— Pourquoi est-ce affreux ?

— Parce qu'elle saigne ! hurla Callie.

Ses yeux s'emplirent de larmes tandis qu'elle ajoutait d'une voix à la limite de l'hystérie :

— Sa robe est toute tachée de sang ! Oh, mon Dieu, l'enfant ! L'enfant...

Et elle se mit à sangloter sans pouvoir s'arrêter.

Merrick attendait, suspendu dans le vide, sans oser poser de questions. Enfin, quand ses pleurs s'apaisèrent, il demanda d'une voix sourde :

— Quel est son nom ? C'est très important, Callie. Réfléchissez. Qui est cette femme ?

Il pouvait presque la voir chercher frénétiquement dans sa tête, fouillant les replis les plus sombres de son esprit, osant se risquer là où, normalement, elle n'osait jamais s'aventurer.

— Je ne sais pas qui elle est, répondit-elle finalement en laissant percevoir un cruel sentiment d'échec.

— Si, vous le savez ! rétorqua sèchement Merrick.

Callie le dévisagea, stupéfaite, partagée entre un reste d'espoir et une incrédulité totale.

Il poursuivit en martelant ses mots.

— Vous connaissez les noms de tous ceux qui vivent dans vos rêves, Callie. Pour le moment, les liens avec eux peuvent vous sembler rompus, inexistants, incompréhensibles... mais avec un peu de temps, si vous laissez une chance à cette thérapie, vous vous souviendrez de tout et de tous. Ça, je vous en donne ma parole.

Tout en se rendant au siège de GenTec Sciences, Peter essayait de recouvrer son calme. Il avait eu chaud, mais Callie Jamieson avait finalement consenti à se prêter à une nouvelle régression sous hypnose ! Rendez-vous était pris pour le surlendemain, ce qui laissait à la jeune femme un jour plein pour se remettre des émotions de l'après-midi.

Évidemment, il aurait préféré l'hypnotiser plus tôt, mais prudence : Callie était beaucoup trop près de percer le mystère de ses cauchemars et l'identité de ses tourmenteurs pour courir des risques inutiles.

Étonnante coïncidence : à peine avait-elle quitté son cabinet que Guy Hoffman téléphonait à son « cher confrère ». Il allait accorder une grande interview télévisée et souhaitait sa présence parmi les « rares élus » invités à assister au tournage de l'émission.

Au son de sa voix, Peter avait compris que Hoffman allait parler de son P 316, et il ne voulait rater cela pour rien au monde.

Quand Peter entra dans la grande salle de conférences transformée en studio d'enregistrement, il eut la surprise d'y trouver Carolyne Hale en compagnie d'autres membres du conseil d'administration de GenTec.

Elle lui fit aussitôt signe de venir s'asseoir à côté d'elle, au premier rang d'un public manifestement trié sur le volet où il salua quelques sommités. Peter chercha des yeux son vieux mentor, mais Hiram n'était pas là. Dommage. Il aurait été content de lui parler de Callie.

Pendant que les techniciens effectuaient les derniers réglages de son et d'éclairage, Carolyne lui confirma que Hoffman avait beaucoup avancé avec sa protéine P 316. Comme toujours, elle prit un malin plaisir à les mettre en concurrence.

— Guy se dit prêt à l'expérimenter sur des cobayes

humains. Je suppose que cela pourrait dynamiser vos propres recherches... Avez-vous enfin trouvé un candidat valable ?

Peter n'apprécia ni le terme « cobaye » ni le ton condescendant.

— Mieux que valable, exceptionnel, répondit-il, agacé et vexé malgré lui.

— Ah, tout de même. Quelqu'un que je connais ?

— Carolyne, je ne vous dirais pas son nom même si vous me le demandiez.

— Quand comptez-vous utiliser la protéine de Guy sur lui... ou sur elle ?

Merrick se renfrogna.

— Je ne suis pas encore décidé à l'essayer. Le P 316 comporte malheureusement un facteur de risque pour les humains.

— Je vous trouve bien timoré, mon cher Peter. Ne faut-il pas savoir prendre des risques dans une carrière ?

— Pas si cela peut mettre une vie en danger.

— En son temps, votre père n'a pas tant tergiversé quand il a fallu qu'il tente ses premières greffes, et ça ne lui a pas trop mal réussi, que je sache !

— Les circonstances étaient différentes, et je ne suis pas mon père, se défendit Peter.

Elle eut un petit sourire qui signifiait que c'était justement ce qu'on lui reprochait.

La discussion s'arrêta là, car Ansel Moreland, l'interviewer vedette de la chaîne, venait d'entrer avec Hoffman. Peter essaya de se concentrer sur l'émission qui allait commencer, mais la remarque perfide de Carolyne distillait son venin.

Peter jouerait sans hésiter sa carrière – il aurait joué sa tête s'il le fallait ! – sur le cas Callie Jamieson. Mais avait-il le droit de risquer la santé mentale de sa patiente pour parvenir à ses fins ?

La voix moralisatrice de son père sonna à ses oreilles : « Mon garçon, il n'y a pas trente-six façons de récolter de hautes récompenses : il ne faut pas hésiter à prendre de grands risques. La fortune sourit aux audacieux ! »

Ezra ouvrait la porte de son appartement quand le téléphone sonna.

Callie ? songea-t-il en se précipitant pour décrocher. Ce ne serait pas trop tôt !

— Inspecteur Chapin ? Hiram Wellington à l'appareil.

— Bonsoir, professeur.

Eh bien, ce n'était pas trop tôt non plus !

— Je suis désolé de n'avoir pu vous rappeler plus tôt, reprit la voix *so british*. Je ne vous avais pas oublié, mais vous savez ce que c'est... le travail... la vie de fous qu'on mène !

Normal... dans un asile, releva Ezra. Mais le docte professeur ne plaisantait apparemment pas. Cela lui arrivait-il, d'ailleurs ?

— Ah, ne m'en parlez pas ! « Ils » auront notre peau, prophétisa-t-il sans rire. Je vous remercie d'autant plus d'avoir trouvé une minute pour me joindre.

— Que puis-je pour vous ?

— Eh bien, voilà : en relisant mes notes, je me suis rendu compte que je ne vous avais pas demandé le nom de la femme pour qui E. W. Hale a édifié Liberty Park. Vous ne sauriez pas de qui il s'agit, par hasard ?

— Mais si. Elle s'appelait Sarah Clémence.

Quand Callie saura ça ! se répétait encore Ezra cinq bonnes minutes après avoir raccroché.

Il brûlait de lui annoncer la nouvelle, mais encore fallait-il pouvoir la joindre. Autant essayer d'attraper un courant d'air.

Il alluma son téléviseur, mais ses pensées ne quittaient pas Callie.

Même quand elle était physiquement présente, son esprit restait inaccessible, ses pensées insaisissables. Cette femme représentait une énigme vivante, douce et adorable une minute, fermée à double tour la minute suivante. Mais toujours irrésistiblement attirante. Troublante. Si forte et vulnérable en même temps...

Pas de doute, grogna mentalement Ezra en se laissant choir dans son fauteuil, il était sacrément accroché. Cette Callie l'avait ensorcelé !

Son doigt tapotait machinalement les boutons de la

télécommande à la recherche d'une émission regardable quand une phrase attira son attention au passage :

« … mais, mon cher Ansel, les souvenirs eux aussi passent d'une génération à une autre ! »

Ezra se redressa devant le poste. Ansel Moreland interviewait un savant à lunettes rondes et cheveux fous.

« Vous voulez dire : comme un cadeau de nos ancêtres qu'on se refilerait de père en fils ?

— Ou de grand-tante en petite-nièce ! L'héritage se transmet sous forme de morceaux du passé qui viennent s'emmagasiner quelque part dans notre cerveau. »

Ezra augmenta le volume et lut le nom de l'invité qui défilait à l'image : *G. Hoffman, microbiologiste. Directeur de GenTec Sciences.*

« Si l'on trouvait le moyen de "débloquer" ces informations, expliquait ce dernier, nous pourrions revivre l'Histoire telle qu'elle s'est déroulée, par les témoignages de témoins contemporains !

— Cela ouvre des perspectives… fascinantes ! »

Hoffman eut un rire satisfait.

« Je ne vous le fais pas dire. »

Ezra était scotché devant l'écran. Pour le policier qu'il était, l'idée de pouvoir disposer de témoins oculaires permettant de reconstituer les pages troubles de l'Histoire relevait du rêve ! L'incendie de Rome par Néron, comme si on y était… Le procès de Jeanne d'Arc… Le mystère du Masque de fer… L'assassinat présumé de Napoléon Ier… Tout cela résolu *parce que la vérité existait quelque part*, stockée dans un coin du cerveau des descendants des protagonistes de l'époque.

« Mais si ces souvenirs sommeillent en nous, intervint Ansel Moreland, pourquoi sommes-nous incapables de les faire remonter à la surface tout seuls ?

— Et pourquoi n'utilisons-nous que dix pour cent à peine de notre cerveau ? Eh oui, même vous, mon cher Ansel ! La capacité d'"accéder" aux données ancestrales emmagasinées dans notre mémoire est une des potentialités cérébrales que nous négligeons, une parmi tant d'autres !

— Comment proposez-vous de collecter ces données ? En ayant recours à l'hypnose ? »

Ezra se pencha vers l'écran, de plus en plus intéressé.

« L'hypnose est effectivement une voie à suivre. Une voie où nous pourrons marcher de concert avec les psychiatres et psychanalystes qui pratiquent la thérapie de régression.

— La thérapie de... régression ?

— C'est une expérience de régression sous hypnose qui aide le patient à transcender les capacités normales de sa volonté. Le "régressé", l'hypnotisé si vous préférez, peut ainsi retrouver les souvenirs enfouis dans les méandres de sa mémoire. »

Les souvenirs aussi passent d'une génération à une autre. Callie avait hérité génétiquement de la mémoire torturée de sa mère. *Hypnose... thérapie de régression...* Elle devait supporter tout cela pour s'en sortir. Non, pas pour *s'en sortir*, rectifia Ezra avec un frisson : pour expulser ce danger qui venait *de l'intérieur*, cette *bête sauvage*, comme l'avait désignée Callie, qui la guettait *dans sa tête*, tapie dans l'ombre de souvenirs surgis d'outre-tombe.

« Mais si cette thérapie se conclut par un échec ? » demanda Moreland.

Guy Hoffman s'autorisa un petit rire suffisant.

« Mon équipe et moi venons justement de réussir à isoler une protéine qui "dopera" le gène mnémonique de façon à accroître les chances de retrouver ses souvenirs ancestraux. »

Ezra fronça automatiquement les sourcils. Il n'aimait pas le tour que prenait la discussion.

« Ne touchons-nous pas là à l'aspect dangereux du traitement ? » insista l'interviewer.

Son invité cilla deux fois de l'œil gauche et s'humecta les lèvres avant de répondre.

Cela n'avait duré que deux secondes, mais Ezra avait procédé à trop d'interrogatoires pour ne pas deviner quand quelqu'un s'apprêtait à mentir, ou tout au moins à dissimuler une partie de la vérité.

« Ansel, tout le monde sait que le risque zéro n'existe pas. Alors, oui, quand on passe de l'expérimentation en laboratoire à l'utilisation sur des patients volontaires, je dis bien volontaires, il y a toujours une part de danger. »

— C'est regrettable ! grinça Ezra dans le lourd silence télévisuel qui suivit.

« C'est fâcheux, constata juste après l'interviewer. La mémoire du malade risquerait d'être détruite ? »

Hoffman décroisa les jambes, les recroisa dans l'autre sens.

« Il est rigoureusement impossible d'affirmer une telle chose.

— Oui, mais la chose est-elle *possible* ?

— Tout est possible, monsieur Moreland. Je mentirais en prétendant le contraire. »

Ezra nota automatiquement que Hoffman n'appelait plus « mon cher Ansel » le traître qui se permettait de le faire passer pour un apprenti sorcier devant des millions de téléspectateurs.

« Même la mort du malade ? »

Le microbiologiste prit le temps d'essuyer ses lunettes rondes, et répondit en pesant ses mots :

« Je regrette que vous n'ayez pas invité sur ce plateau un des malheureux que nous désirons aider. Son témoignage éclairerait sans doute les spectateurs sur le bien-fondé de notre démarche. Le P 316 représente une chance inespérée pour eux, celle de retrouver enfin une vie normale. J'en connais beaucoup qui signeraient les yeux fermés pour bénéficier de cette thérapie. Parce qu'ils vivent un enfer et qu'ils se savent parfois à deux doigts de la folie. »

Ma pauvre Callie... Ezra eut l'impression que le sol aspirait son sang par ses pieds, laissant son visage livide et ses mains glacées.

Hoffman avait marqué un point. Moreland n'en reprit pas moins la parole avec pugnacité.

« Comment vos expériences pourraient-elles aider les malades s'ils en ressortent la mémoire en lambeaux ? Si leur cerveau a souffert, ou s'ils ne survivent simplement pas ? »

Ezra savait lire sur les visages. Derrière le masque impassible du microbiologiste, il devinait du dépit, pour ne pas dire de la fureur à l'encontre des organisateurs de cette émission à laquelle il avait jugé bon de participer. À en croire sa moue, il se jurait, mais un peu tard, qu'on ne l'y reprendrait plus !

« Je dois à la vérité de reconnaître qu'en ce cas, hélas, nous ne les aurons pas aidés, admit Hoffman en adoptant un ton et une mine de circonstance. Mais – je pense que vous en conviendrez avec moi – la science progresse sur la base de ses échecs. Il en a toujours été ainsi et il en sera toujours ainsi. »

22

Callie alla s'asseoir au bar de *L'Onyx*, sous le regard intéressé des rares clients – tous masculins – présents à cette
heure matinale.

— Qu'est-ce que je vous sers ? lui demanda Gus.

— Un cocktail de fruits frais avec une paille... et deux ou
trois tuyaux, s'il vous plaît.

Il haussa un sourcil tandis qu'elle lui montrait sa carte de
presse.

— À quel sujet ?

— Vanna Larkin. Elle a succombé à une overdose, et
j'essaie de découvrir s'il y a un lien entre sa mort et celle de
Wilty Hale.

— Et pourquoi c'est moi que vous interrogez ?

— Parce qu'ils fréquentaient tous les deux cet établissement. Qu'ils y étaient encore le soir même de la mort de
Wilty. Je veux savoir qui ils ont rencontré. Et qui leur fournissait leurs médicaments.

— Ils sont morts. Qu'est-ce que ça peut vous faire, à
vous ?

— J'aimais Wilty, expliqua-t-elle simplement.

Gus lui prépara son cocktail de fruits en silence, puis le lui
apporta et s'accouda sur le comptoir.

— La petite Larkin se droguait à mort... mais pas de ça
chez moi : je ne connais pas son fournisseur, grogna-t-il.
Quant à Wilty, je tombe des nues : il buvait, mais on ne me
fera pas croire qu'il prenait de la came.

Moi non plus, songea Callie. Ce qui signifiait que la digitaline retrouvée dans son organisme lui avait été injectée à son

corps défendant, probablement alors qu'il gisait sans connaissance dans son appartement, assommé par son agresseur.

— Vanna sortait-elle avec Ben Schirmerhorn ?

Gus partit d'un rire aussi énorme que les battoirs qui lui servaient de mains.

— Ce pauvre tocard ? Sûrement pas !

Puis il se frappa le front et son sourire s'effaça.

— Mais j'y pense... Hier soir, je les ai vus ensemble. Ils se sont même isolés quelques minutes dans un box.

Callie venait de récolter deux informations importantes. Primo, Vanna était passée à *L'Onyx* le soir de sa mort. Secundo, Schirmerhorn n'était plus en garde à vue.

Quant à Gus, il était vert : c'était la première fois qu'il réalisait que les boxes de son bar pouvaient servir à un trafic de médicaments, ou pire. Et il n'était pas fier.

Callie lui planta une photo sous le nez.

— Vous avez déjà vu cet homme ici ?

Il prit le temps d'étudier le cliché.

— Ça se peut. Mais je n'en suis pas sûr. Qui est-ce ?

— Le Dr Frank Devy.

— Oh. Celui qu'on démolit dans le *City Courier* ?

— Lui-même. Il est recherché par la police. Si jamais il réapparaissait dans le coin, soyez gentil d'appeler ce numéro. Idem pour Schirmerhorn s'il revenait faire du vilain.

— Comptez sur moi.

Gus lut les coordonnées de l'inspecteur Ezra Chapin sur la carte qu'elle lui tendait, l'empocha et retourna à ses affaires.

Callie finit son cocktail en grignotant quelques noix de pécan. Machinalement, elle regardait les clients dans le miroir fixé au-dessus du comptoir quand une silhouette vaguement familière capta son attention. Où avait-elle déjà vu ce grand costaud chauve ? Il lui fallut quelques secondes pour faire le lien avec l'« homme à la cigarette » qui se tenait sous le réverbère en face de chez elle, le soir où elle avait trouvé le rat dans sa boîte aux lettres.

En cet instant, assis en compagnie d'une bouteille de vodka à une petite table juste derrière elle, il fumait en la déshabillant du regard avec un sourire gras.

Callie sauta de son tabouret et marcha droit sur lui.

— Qui êtes-vous ?

— Un admirateur.

Il lui souffla en plein visage la fumée de sa cigarette sans filtre. Son haleine empestait l'alcool. À dix heures du matin, il était déjà bien imbibé.

— Que me voulez-vous ?

— Devine.

Sa main dessina dans l'air des formes voluptueuses. Callie remarqua sur son poignet gauche un tatouage en zigzag. Un éclair comme il ne risquait pas d'y en avoir dans ses yeux d'un bleu glauque.

— Pourquoi me guettiez-vous devant mon immeuble l'autre nuit ? Et que faites-vous ici ? Vous me suivez ?

L'inconnu lorgnait ouvertement sa poitrine et se lécha les lèvres avec une expression salace.

— Tu prends tes désirs pour des réalités, poupée ! Mais si je te plais, ça peut s'arranger.

Il repoussa sa table et se tapota la cuisse pour l'encourager à venir s'asseoir sur ses genoux.

— T'es sacrément bien roulée, tu sais, ajouta-t-il avec un rire gras.

Callie mit tout son mépris dans sa voix pour siffler :

— Je vous conseille de ne pas vous approcher de moi !

Elle pivota sur ses talons, lança un billet sur le comptoir, et sortit en sentant le regard de ce porc vrillé dans son dos et plus bas. Comme elle poussait la porte, elle vit du coin de l'œil qu'il lui envoyait un baiser.

Callie tourna à l'angle pour trouver un taxi, mais en vain. À la station suivante peut-être... Elle se dirigeait vers la 1re Avenue en remontant une rue déserte quand, à la hauteur d'une porte cochère, un bras sorti du noir la happa au passage.

Le cou pris dans un étau, la bouche écrasée sous une main qui étouffait ses cris, elle se retrouva attirée dans une petite cour sombre.

— Tu vas payer pour ce que tu m'as fait, espèce de petite salope ! gronda une voix dans son oreille.

C'était l'occasion ou jamais de mettre en pratique les cours d'autodéfense auxquels l'avait inscrite son père pour ses dix-sept ans.

Elle n'avait pas tout perdu, songea-t-elle en réussissant à donner à son agresseur un coup de coude dans l'estomac que n'aurait pas désavoué un karatéka.

L'autre relâcha son étreinte en poussant un juron. Elle en profita pour se dégager et lui envoyer un coup de pied sous la ceinture. Il se tordit de douleur, mais elle l'avait touché à l'aine et il récupéra vite, se jetant sur elle et la projetant contre le mur de toutes ses forces.

La violence du choc assomma presque Callie, qui porta la main à sa nuque. L'homme s'abattit contre elle et enfonça une jambe entre les siennes pour la bloquer.

À moitié paralysée, elle trouva pourtant le moyen de lui labourer le visage de ses ongles, lui arrachant un hurlement de rage. La réplique vint, immédiate, sous la forme d'un coup de poing au visage qui atteignit Callie sous l'œil gauche et d'un direct au foie qui lui coupa le souffle.

— Avec les compliments du « Dr Devy... à trépas », pouffiasse ! Ça t'apprendra à foutre la vie des gens en l'air !

Il s'était reculé pour jouir du spectacle, mais Callie mit un point d'honneur à ne pas tomber à genoux devant lui.

Pliée en deux par la douleur, elle articula péniblement :

— C'est vous qui... avez sciemment... détruit des vies. Ce qui vous arrive... n'est que justice ! Vous ne pouvez... vous en prendre... qu'à vous-même.

— À cause de toi, j'ai dû prendre la fuite, me cacher comme un vulgaire malfrat ! J'ai été radié de l'ordre des médecins ! On m'a traîné dans la boue, on a jeté mon honneur aux chiens...

Il osait parler de son honneur ? Callie redressa la tête.

— Une autre de vos patientes est morte hier soir. Vanna Larkin. Vous vous souvenez d'elle ?

— Tais-toi !

— On a retrouvé un paquet d'ordonnances chez elle. Devinez qui en est le médecin prescripteur.

— Ta gueule !

— Demain, votre nom va faire les gros titres et on placardera partout un avis de recherche pour meurtre.

— Mais tu vas la fermer, à la fin ?

Il tira un revolver de sa ceinture et le pointa sur elle.

— Un mot de plus à mon sujet dans ton journal de merde, et je t'abats. C'est clair ?

Il essuya d'un geste rageur le sang qui coulait de son visage et s'éloigna à reculons en agitant son arme comme un forcené.

— C'est clair ? répéta-t-il. Au point où j'en suis, je n'ai plus rien à perdre, alors autant me faire plaisir !

Quand elle fut assurée qu'il s'était suffisamment éloigné, Callie se laissa tomber à genoux et rampa jusqu'à l'endroit où gisait son sac. Sa tête la lançait épouvantablement. Elle trouva son téléphone cellulaire et appela police secours.

— Voilà, voilà, j'arrive...

Courbatue et le dos en marmelade, Callie mit un bout de temps à atteindre la porte. Elle avait dormi tout l'après-midi sous l'effet des calmants que lui avait administrés l'interne des urgences, mais au réveil la remise en route se révélait difficile...

Elle posa la main sur la poignée mais – chat échaudé craint l'eau froide ! – jeta d'abord un œil au judas. Avec tous les fêlés qui lui tombaient dessus en ce moment, on n'était jamais trop prudent ! Elle eut la surprise de découvrir le visage d'Ezra et s'empressa d'ouvrir.

Planté sur son paillasson, les mains dans le dos, il resta bouche bée en la voyant paraître. Elle comprit que son coquard s'était encore étendu.

— Mais ce n'est rien à côté de sa tête à lui ! plaisanta-t-elle dans une piètre tentative pour détendre l'atmosphère.

— Ça ne me fait pas rire, Callie.

Le fait est qu'Ezra avait l'air hors de lui, et quand elle devina plutôt qu'elle n'entendit qu'il jurait entre ses dents : « Ce salaud ne l'emportera pas au paradis ! » elle songea qu'elle n'aimerait pas être dans la peau de Devy lorsque Ezra lui mettrait la main au collet.

— Entrez, voyons.

Il lui tendit gauchement le bouquet qu'il cachait dans son dos.

— Tenez. C'est pour vous.

— Des pivoines roses ! Je les adore.

Elle essaya de sourire, ce qui lui arracha une petite grimace.

— Merci, Ezra.

C'était la première fois qu'elle l'appelait par son prénom, remarquèrent-ils en même temps.

Il referma la porte et la suivit dans la cuisine, la regardant chercher un vase, le remplir et arranger les fleurs. Il porta le bouquet dans le salon, tout ça sans échanger un mot.

Une fois installés dans deux fauteuils en vis-à-vis, ils retrouvèrent l'usage de la parole pour évoquer l'agression. Ezra savait déjà tout par ses collègues de police secours, mais il voulait entendre le récit de la bouche de la victime.

— Avec le visage balafré, Devy ne nous échappera plus longtemps. Bien joué, Callie !

— Euh... dans le feu de l'action, je n'ai pas vraiment pensé à l'enquête, avoua-t-elle. Mais tant mieux si ça peut aider à le coincer : il a assez joué les courants d'air !

Le visage d'Ezra revêtit une expression sarcastique.

— Cela vous va bien de dire ça !

— Pourquoi ?

— *Pourquoi ?* s'étrangla-t-il. Saratoga Springs... une petite auberge, le week-end dernier... Ça vous dit quelque chose ? C'est drôle, moi, il me semble bien me souvenir que vous y avez joué la fille de l'air. « Mlle Jamieson est déjà descendue ?

— Oh, depuis longtemps, monsieur ! Elle a réglé sa note et elle est partie... Ah non, elle ne vous a pas laissé de message. » Je ne sais pas comment on appelle ça dans votre métier ; dans le mien, c'est *filer à l'anglaise*.

— D'accord, j'aurais au moins dû vous dire au revoir, convint Callie en piquant du nez, les joues rouges.

Dieu, qu'elle était belle ! Charmé, Ezra agita pour le principe un index grondeur.

— Allez, je veux bien vous pardonner pour cette fois, mais seulement parce que vous en avez bavé hier soir. Sinon, vous n'auriez pas une once de pitié à attendre de ma part !

— Je m'en doute. Dès que je vous ai rencontré, j'ai su que

vous aviez un cœur de pierre ! marmonna-t-elle. Qu'est-ce que je vous sers ?

— Et vous aviez raison ! La même chose que vous.

— J'adore avoir raison. Un thé citron, alors ?

— Ça, je m'en étais aperçu ! Va pour le thé.

Elle grimaça en se levant mais le rassura d'un petit geste de la main.

Ezra la suivit des yeux tandis qu'elle gagnait la cuisine en se tenant les reins. Il ne voulait pas l'effrayer davantage encore, mais le conducteur de la Saturne pouvait être Devy. Il avait besoin de le vérifier.

— À propos, lança-t-il dès qu'elle revint avec deux tasses sur un plateau, à quoi ressemble Frank Devy ?

— *Avant* ou *après* ? Quand je l'ai rencontré pour mon enquête, il donnait dans le genre grand escogriffe, mince, les yeux bruns, les cheveux châtains. Je ne sais pas ce qu'il fabrique depuis qu'il est en cavale, mais il a doublé de volume. Ses traits se sont empâtés et sa taille a enflé comme une chambre à air.

Vu. Ou ce type était malade, sous cortisone par exemple, ou il s'était mis à boire. Dans les deux cas, ce n'était guère rassurant, songea Ezra qui n'avait pas du tout aimé sa sortie : « Au point où j'en suis, je n'ai plus rien à perdre, alors autant me faire plaisir ! »

— Où est le problème ? demanda Callie.

— Quand nous nous sommes rendus au lac George, j'ai repéré une voiture qui nous suivait. Renseignements pris, il s'agissait d'un véhicule loué sous un faux nom et avec un faux permis. Nous avons bien une description du conducteur, mais elle ne correspond pas du tout à Devy. À moins qu'il ait mis une perruque, des lentilles et une sacrée gaine !

Il affectait d'en rire, mais Callie sentit qu'il était plus inquiet qu'il ne voulait le laisser paraître.

— De quoi le vôtre a-t-il l'air ? s'enquit-elle en portant sa tasse à ses lèvres.

— D'un grand chauve bronzé aux yeux bleu acier. Avec un éclair tatoué...

Callie en avala son thé de travers.

— ... sur le poignet gauche, acheva-t-elle en reposant sa tasse.

Ezra sursauta à son tour.

— Comment le savez-vous ?

Elle lui parla de l'homme au réverbère, le soir du rat, qu'elle avait retrouvé à *L'Onyx* juste avant d'être attaquée par Devy.

— Peut-être le tatoué est-il à la solde de Devy ? À moins qu'il n'ait trempé dans l'assassinat de Wilty ? Ou les deux ?

Ezra haussa les épaules. Il aurait donné cher pour le savoir, mais il faudrait attendre qu'un des deux hommes au moins soit pris.

— Écoutez, je ne sais pas qui il est ni ce qu'il vous veut, mais je peux vous assurer qu'il ne posera pas ses sales pattes sur vous ! Jorge et moi allons le mettre vite fait bien fait hors d'état de nuire !

Callie sourit. Si sa voix était cassante, ses yeux étaient très tendres.

— Pas de nouvelles de... ?

Ils s'interrompirent en riant, ils avaient parlé en même temps.

— Honneur aux dames, lança Ezra.

— Non, vous d'abord : pas de nouvelles de qui ?

— De Victoria Moore. J'aimerais bien qu'elle remette la main sur ce quatrième journal !

— Et moi donc ! Mais non, rien de ce côté. Et vous, du nouveau avec Wellington ?

Il hocha négligemment la tête.

— Oui. Je connais le nom de la malheureuse pour qui E. W. a bâti Liberty Park.

Callie en bondit de son fauteuil, oubliant son dos douloureux.

— Et vous ne me le disiez pas ! Vite, vite, comment s'appelle-t-elle ?

— Sarah. Sarah Clémence.

— *Sarah Clémence...*

L'œil dans le vague, Callie répéta lentement ce nom sur tous les tons.

Ezra la regardait avec un peu d'inquiétude. Et plus encore quand il la vit consulter sa montre et dire :

— Non, ce n'est pas trop tard. Vous venez avec moi ?

— Hein ? Où ça ? Dans votre état ? Vous n'êtes pas sérieuse…

Elle ne l'écoutait pas, elle farfouillait dans un tiroir.

— J'ai traîné au lit tout l'après-midi. Je me sens bien et j'ai besoin de sortir d'ici. Ah, les voilà !

Callie brandit une paire de lunettes noires et vérifia qu'elles cachaient son coquard.

— Parfait. Vous savez vous servir d'une cafetière ?

Ezra feignit l'indignation.

— Je suis un vrai célibataire parfaitement autonome, madame ! Et je fais le meilleur café du monde !

— Alors, à vous de jouer. Je dois me doucher et me changer. Nous avons une exposition à visiter.

— Une expo…

— … qui vous intéressera, faites-moi confiance. Allez zou ! exécution.

La galerie Reinish consacrait une exposition de photos aux « Derniers des titans de l'Amérique ». Et toute une salle était réservée à… Emmet Wilton Hale.

Callie et Ezra s'engouffrèrent dans l'antre « halien » comme des voleurs dans la caverne d'Ali Baba. Des murs entiers couverts de clichés noir et blanc montrant E. W. et les siens sous toutes les coutures ! Des portraits et des photos de groupe légendés et *datés* !

Une première série illustrait l'« irrésistible ascension » de E. W. : le jeune magnat de la presse posant fièrement devant les premiers bureaux du *Cleveland Courier* ; campé, jambes écartées, sur une pile de ses journaux, tel Orson Welles dans *Citizen Kane* ; les trois frères Hale, bras croisés, dans une forêt, au pied d'un monceau de troncs d'arbres alimentant la papeterie Hale ; E. W. trônant dans son nouveau bureau à New York…

Plusieurs photos témoignaient de sa passion pour le golf, et Callie repensa à ces vieux clubs pieusement conservés par

Wilty. Peut-être figuraient-ils sur un de ces clichés, elle n'aurait su le dire...

C'est à la partie intitulée « Les débuts » qu'Ezra et elle s'intéressaient particulièrement. Ils s'arrêtèrent devant une photo de groupe prise à Stroudsburg avant la mort d'Addison, le père de E. W., et la dispersion de la famille.

Callie retira ses lunettes de soleil et commença à en mâchouiller les branches en s'approchant du cliché pour mieux l'étudier.

Les pauvres habits des enfants contrastaient cruellement avec le costume coûteux et l'énorme montre de gousset en or qu'exhibait leur père. Mise très simplement, Charlotte, leur mère, se tenait au centre de l'image, comme elle avait dû être au centre de la vie de ses fils, son visage rond et doux tranchant avec son corps rude et robuste de pionnière.

La photo voisine montrait les parents de E. W. en haut d'une montagne, l'expression grave, visiblement épuisés et couverts de poussière.

— Cela date sûrement de leur arrivée en Pennsylvanie, évalua Ezra, pas fâché de montrer à Callie qu'il avait bien révisé ses cours d'histoire « halienne ».

Charlotte Wilton était la fille aînée d'une riche famille noble, extrêmement dévote, de Salem, dans le Massachusetts. Rien ne la prédisposait donc à s'éprendre d'un aventurier sans le sou comme Addison Hale. Le curriculum vitae du jeune homme avait plus de trous qu'une passoire, mais il en ressortait l'image d'un grand charmeur devant l'Éternel, capable de tout se faire pardonner d'un sourire et d'embobiner un mormon par ses beaux discours.

— C'est ainsi qu'il obtint la main de Charlotte, devina Callie.

— Eh oui. Juste après leurs noces, les jeunes mariés firent leurs bagages – sans oublier la dot conséquente de Charlotte – pour partir vers l'Ouest. Brusquement cette jeune femme habituée à vivre dans le luxe et la culture se retrouva coupée de la civilisation, parcourant péniblement des pistes poussiéreuses, bivouaquant autour d'un feu de bois et dormant à la belle étoile sur un méchant plaid.

La pauvre ! Je veux bien croire qu'elle n'avait pas

vraiment l'habitude de vivre dans « la petite maison dans la prairie »... surtout sans la maison !

— Après des semaines et des semaines de camping sauvage, ils atteignirent les monts Pocano et, là, Charlotte refusa carrément de continuer. Elle descendit du chariot et commença à le décharger. Addison avait prévu de s'installer plus loin mais, cette fois, son numéro de charme la laissa de marbre. Il dut céder et construisit leur maison à l'endroit exact où la patience de Charlotte avait trouvé ses limites. Elle baptisa d'ailleurs leur demeure « Au bout du chemin ».

— Autrement dit : Terminus, tout le monde descend ! Bravo, Charlotte ! applaudit Callie.

Et bravo Ezra, ajouta-t-elle in petto, impressionnée par sa maîtrise du sujet.

Ils quittèrent les parents de E. W. pour passer aux divers portraits de sa première épouse : Winifred Colfax Hale, toujours somptueusement vêtue et couverte de bijoux. L'éclairage pourtant doux n'atténuait en rien la dureté de ses traits comme sculptés dans du silex.

Les trois enfants qu'elle avait donnés à E. W., Charles, Huntington l'Ancien et Charity, posaient entre leurs parents sur plusieurs tableaux de famille très compassés, où personne ne souriait, où chacun se tenait raide comme un piquet.

— Si je me rappelle bien, commenta Callie, Charity épousa Thomas Brighton, vice-président du *City Courier*. Je crois qu'ils n'ont pas eu d'enfants.

Décidément incollable, Ezra rectifia automatiquement :

— Si, mais deux bébés morts en bas âge et plusieurs mort-nés.

— Je me demande pourquoi elle n'en a pas adopté... Mais vous allez sans doute me l'apprendre, ajouta-t-elle avec un sourire amusé.

Il ne fit pas même mine de réfléchir, affichant une moue faussement modeste.

— Winifred s'y est catégoriquement opposée, rejetant l'idée que le nom des Hale puisse être transmis autrement que par la voie du sang.

— Et E. W. ? Il y était hostile, lui aussi ?

— Apparemment non. Selon l'un de ses biographes, il

aurait encouragé Charity et son époux Thomas à adopter un enfant. Mais Winifred en fit une telle histoire que, même après sa mort, ils respectèrent son vœu.

— Son ordre, vous voulez dire !

Callie se remémora un passage du troisième journal, celui de 1902, où E. W. déplorait l'influence néfaste de Winifred sur ses enfants : « *Elle leur aura fait plus de mal que de bien...* » Un peu plus loin, cependant, il confessait : « *Mes longues absences y sont pour beaucoup. Elles témoignent de ma faiblesse et, je l'avoue à ma grande honte, d'une abdication de mes responsabilités paternelles. Si Winifred a échoué avec notre progéniture, elle n'en est pas la seule fautive...* »

Ezra était passé à la photo suivante.

— Vous avez vu cette jolie brune en robe blanche ?

Callie le rejoignit et resta clouée sur place en reconnaissant la Dame du lac.

— Vous ne vous sentez pas bien ? s'exclama-t-il en la voyant changer de couleur.

— C'est... c'est la femme de mes visions ! À Liberty Park... Dans la barque avec le mort...

Ezra ne comprenait rien à ce qu'elle racontait. Il la prit fermement par l'épaule. Parcourue de frissons, Callie restait littéralement hypnotisée par ce portrait.

Il lut la légende de la photo et resserra son étreinte tandis qu'il lui annonçait avec ménagement :

— Callie... il s'agit de Sarah Clémence.

Sarah était la femme mystérieuse pour qui E. W. avait créé Liberty Park. Celle qui était tombée en catatonie après avoir perdu son mari dans un incendie, puis le bébé qu'elle portait.

— J'ai peur, Ezra...

Que dire ? Surtout qu'elle ne devine pas sa propre appréhension.

— Vous vous trompez peut-être...

— S'il y a une chose au monde dont je suis sûre, c'est que c'est bien elle. Je l'ai vue comme je vous vois.

Dans l'impossibilité de lui prouver le contraire, Ezra se rabattit sur l'éternel argument : elle avait dû tomber un jour sur ce portrait dans un livre, ou dans un album de photos

chez Wilty, ou même dans un couloir de Liberty Park...
Tiens, il passerait un coup de fil à Wellington pour...

Il se tut parce qu'elle ne l'écoutait pas et qu'il ne croyait pas lui-même à ces tentatives d'explication rationnelle.

Callie échappa au bras qui l'enlaçait pour s'approcher de l'image.

— On dirait une robe de mariée, mais... il y a quelque chose qui ne colle pas.

— Quoi donc ?

— Vous vous souvenez de ce que j'ai découvert dans les archives : « *East Galway, le 6 novembre 1894 : mariage de Sarah Clémence et du Dr Jeremiah Holstein.* » 1894 !

Elle tapota la fiche qui légendait la photo.

— Regardez : ce cliché a été pris en 1887. Sarah était encore loin d'épouser ce médecin.

— Oui, mais cette robe blanche pourrait être celle de son *premier mariage.*

Callie serait manifestement restée des heures devant ce portrait, mais la galerie allait fermer ses portes et Ezra l'exhorta à jeter un œil au reste de l'exposition. Il n'y avait plus rien à apprendre ici, déclara-t-il en l'arrachant presque de force à sa contemplation.

Ils passèrent rapidement devant des images de E. W. et de sa fille, Charity, pique-niquant sur la pelouse de Long House ou faisant du tandem, pour tomber en arrêt devant la dernière photographie.

Un E. W. Hale d'une vingtaine d'années y enlaçait par la taille une ravissante jeune fille. Avec sa veste de velours noir, il avait l'air d'un jeune paysan endimanché. Elle, jupon et chemisier de coton d'un blanc éclatant, portait une longue tresse qui descendait jusqu'aux reins. Tous deux fixaient l'objectif, les yeux brillants, un sourire béat aux lèvres.

Callie et Ezra se penchèrent d'un même mouvement vers la fiche et lurent :

1863 : Emmet Wilton Hale et Liberty McAllister.

23

Ezra emmena Callie dîner dans une *trattoria* en face de la galerie Reinish. Officiellement pour « faire le point ». Officieusement parce qu'il ne voulait pas la laisser seule. Confidentiellement parce qu'il mourait d'envie de passer le reste de la soirée avec elle.

La conversation tourna d'emblée autour des femmes qui gravitaient elles-mêmes autour de E. W. : sa première épouse Winifred Colfax ; la seconde, Constance Shipley ; la mystérieuse Liberty McAllister ; la totalement inconnue prénommée Grace et enfin Sarah Clémence. Quels liens avait-il eus avec les trois dernières ?

Sarah, Callie n'en démordait pas, était la fameuse Dame du lac.

Après son deuxième verre de chianti, Ezra s'enhardit à poser la question qui lui brûlait les lèvres :

— La seule Dame du lac que je connaisse est la fée qui cacha Lancelot dans son manoir aquatique… mais ça ne date pas d'hier. Cela vous ennuierait de me présenter la vôtre ?

Callie prit son courage à deux mains et lui déballa tout. Sa vision de la Femme au chignon à la fenêtre de Liberty Park pendant qu'il parlait à Wellington et l'apparition de la barque fantôme quand il était allé chercher leur voiture au restaurant de Saratoga.

Ezra comprenait mieux pourquoi il l'avait trouvée transformée au retour du parking…

— Tout à l'heure, dans la galerie, vous avez parlé d'un mort dans la barque. Quel mort ?

— Il fait partie des Gens gris. À présent, vous allez me demander qui sont les Gens gris.

— On ne peut rien vous cacher.

Il l'écouta jusqu'au bout, sans l'interrompre, lui décrire bravement des scènes à faire dresser les cheveux sur la tête. Dire qu'elle avait commencé à faire ces cauchemars à l'âge de sept ans !

Quand elle se tut, un silence les enveloppa. Le serveur qui apporta leur risotto à ce moment-là leur adressa de brefs regards en coin. Il devait les croire fâchés.

— Bon, résumons-nous, déclara Ezra lorsqu'ils furent seuls. La Femme grise qui se bat contre l'Étranger dans votre rêve n'est pas Sarah. Exact ?

— Exact.

— Elle, vous ne la reconnaissez pas ?

Callie secoua la tête comme pour s'excuser.

— D'une manière ou d'une autre, je n'arrive jamais à bien voir son visage. Peut-être parce que je le redoute…, ajouta-t-elle d'une voix sourde.

— Cette Femme grise ne vous est pas apparue autrement que dans ce rêve, toujours le même ?

— Non. Mais j'ai oublié de vous parler d'une troisième vision que j'ai eue de Sarah. Hier, chez mon psy…

Elle lui raconta son « hallucination » dans le cabinet de Merrick, quand elle avait vu Sarah en robe de mariée, enceinte et couverte de sang.

— Je me doute bien que c'est en rapport avec la perte de son bébé. Mais pourquoi est-ce que moi, je vois cela ?

— Vous m'ôtez les mots de la bouche.

Il avait l'air si impliqué dans cette histoire, si touché par ce qui lui arrivait qu'elle le remercia d'un chaud sourire.

— Peter Merrick m'a assuré qu'au fond de moi je connaissais parfaitement les noms de tous les personnages de mes rêves et qu'un jour ils me reviendraient en mémoire.

Son sourire se transforma en un rire qui sonna faux.

— J'espère que ce jour arrivera avant que je ne sois gâteuse au point de tout oublier au fur et à mesure ! Ce risotto a l'air très bon, mais je parle, je parle, et il va être froid…

Ils mangèrent sans rien dire, chacun suivant le fil de ses

pensées. Celles de Callie la ramenaient inlassablement à Sarah Clémence ; celles d'Ezra l'entraînaient du côté du Dr Peter Merrick.

Ezra avait demandé à Callie s'il était possible que ses rêves soient le résultat d'une suggestion. Elle lui avait dit que non... mais elle pensait alors à sa mère. Et son psy ? Qui mieux que lui aurait pu lui suggérer ces visions ? Rien de plus facile sans doute pour un hypnotiseur...

Ezra se demanda si ce Peter Merrick était l'un des psychiatres et psychanalystes à qui Guy Hoffman avait fait allusion à la télévision, ceux qui pratiquaient la thérapie de régression et marchaient de concert avec GenTec Sciences pour charcuter la mémoire de leurs patients à grand renfort de protéine P 316...

L'idée même que l'on puisse se servir de Callie comme cobaye lui noua l'estomac.

— Merci de m'avoir raccompagnée. Voulez-vous entr...

Les mots de Callie se figèrent sur ses lèvres quand elle ouvrit la porte de son appartement.

La lumière était allumée dans le couloir et partout ailleurs, or elle était sûre de l'avoir éteinte en partant. Et cette fois, ce n'était pas la lueur grise qui accompagnait son visiteur fantôme, mais les grandes illuminations.

Tout avait été fouillé méthodiquement par des mains bien réelles, constata-t-elle en suivant Ezra dans le salon et dans le bureau. Meubles déplacés, coussins éventrés, placards vidés, tiroirs renversés, papiers éparpillés sur le parquet, ordinateur encore allumé... Celui ou ceux qui avaient fait ça s'étaient donné beaucoup de mal pour... pour *quoi*, au juste ? Que cherchaient-ils ? Pas seulement à l'effrayer, visiblement...

Ezra sur ses talons, Callie se dirigea vers sa chambre, éclairée elle aussi – et resta pétrifiée sur le seuil.

Son beau dessus-de-lit blanc neige était éclaboussé en son milieu d'une tache rouge brunâtre qui ressemblait à du sang.

Et, au pied du lit, une couverture enveloppait une forme indéfinissable.

258

Callie, livide, avança la main vers la couverture, mais Ezra bondit pour l'en empêcher.

— Surtout pas ! Il ne faut toucher à rien, vous allez fausser l'état des lieux.

Il sortit de sa poche son téléphone cellulaire et appela l'officier Plover. Puis il ramena Callie dans le salon.

Assis l'un en face de l'autre au milieu du capharnaüm, ils attendirent.

Plover débarqua avec une équipe de la police scientifique et technique qui se mit immédiatement au travail.

— Mademoiselle Jamieson, je n'ose pas vous dire que je suis content de vous revoir, dit le jeune officier en lui tendant la main. Comment vous sentez-vous ?

— Oh, très bien, marmonna-t-elle. Mais cette fois, je ne crois pas que vous pourrez mettre ce jeu de massacre sur le dos d'un interrupteur défectueux.

Un des techniciens expliqua à Callie qu'il devait prendre ses empreintes digitales et celles d'Ezra pour faciliter le procédé d'identification. Il lui demanda si d'autres personnes avaient accès à son appartement.

— Non. Je viens de faire changer les serrures…

— Je crains qu'il ne vous faille trouver un autre toit pour la nuit…, déclara Plover. Avez-vous un endroit où aller ?

— Pas de problème, elle dormira chez moi, annonça Ezra, péremptoire. Une protection rapprochée s'impose.

Il se tourna tout de même vers Callie pour ajouter :

— Pas question que vous restiez toute seule ce soir. Pas après ce qui s'est passé.

— Je ne veux pas vous dér…

— Vous ne me dérangerez pas. Au contraire : être à vos côtés me rassurera.

— Merci, Ezra, murmura-t-elle, touchée par son tact.

Souriant avec effort, elle se secoua.

— Je ferais mieux de prévenir mon père. Nous devons déjeuner ensemble après-demain.

C'était aussi un prétexte pour s'occuper pendant que la police passait son appartement au peigne fin – et pour retrouver ses esprits loin de ce regard d'ambre qui faisait vaciller toutes ses certitudes.

— Allô ? C'est Callie. Je suis navrée de vous réveiller, Séréna. Puis-je parler à papa ? Oui, c'est important... Allô, papa ? Tu vas bien ? Non, non, rien de grave... Mais tu ne pourras pas me joindre chez moi demain matin, ni au journal, comme prévu. Ce qui se passe ? Eh bien, voilà, on a cambriolé mon appartement... Là, ce soir. Non, moi, je n'ai rien... Mais non, papa, je ne dis pas cela pour te rassurer. Tout va bien, vraiment. Oui, oui, la police est ici... Pardon ? Je ne sais pas du tout si on a volé quelque chose. À vue de nez, je n'en ai pas l'impression, mais... Non, tu es gentil, mais c'est arrangé : je vais passer la nuit chez un... ami policier. Tu es rassuré ?

Ezra qui – pure déformation professionnelle ! – avait l'oreille qui traînait ne put s'empêcher de sourire.

Callie qui – pure coïncidence – le regardait à la dérobée piqua un fard digne d'une collégienne.

— Oui. Je te rappelle très vite... là, je suis obligée de raccrocher. Moi aussi, je t'aime.

Au même instant, Plover demanda de loin à Callie et à Ezra de le rejoindre dans la chambre à coucher. Le ton de sa voix ne présageait rien de bon.

Ezra prit la main de Callie, ils entrèrent dans la pièce. Le chef de l'équipe de la police scientifique et technique souleva la couverture qui était déjà étiquetée et la défit lentement. Il en sortit un baigneur barbouillé de sang.

— Bon Dieu ! Qu'est-ce que cela signifie ? grommela Plover, écœuré. C'est un truc antiavortement ?

— Non, répondit Callie d'une voix étranglée. C'est une fausse couche.

Elle leva vers Ezra des yeux où passaient des ombres.

— C'est le bébé mort de Sarah Clémence...

Quand Ezra referma derrière elle la porte de son studio, Callie se sentit en lieu sûr et amical.

Il attrapa son petit sac de voyage et l'emporta dans sa chambre où elle l'entendit s'affairer. Vidée, elle s'écroula dans le fauteuil.

Elle était à bout, et pourtant son cerveau n'arrêtait pas de travailler à plein régime, la mitraillant impitoyablement d'images de cette folle journée. Un véritable kaléidoscope où défilaient dans le désordre et à toute allure le visage grimaçant de haine du Dr Devy, son appartement ravagé, le sourire vicieux d'un chauve tatoué, un dessus-de-lit maculé de sang, la silhouette de Liberty McAllister, une poupée sanglante, la photographie bien réelle d'une apparition jusqu'alors fantasmagorique...

S'y ajoutait la présence immatérielle et d'autant plus obsédante de Celle-qu'on-ne-voyait-nulle-part, Grace...

La tête en ébullition, trop nerveuse pour rester en place malgré son épuisement, Callie se leva pour se retrouver comme par hasard devant le tableau intitulé en capitales : « *Malédiction des Hale ???* »

Il s'était agrandi depuis la dernière fois...

Ezra y avait d'abord réécrit en rouge la défenestration de Wilty, rebaptisée *meurtre maquillé en suicide*. Il avait aussi ajouté à côté des noms les dates de naissance et de mort correspondantes.

E. W. bénéficiait à lui seul d'un système de fléchage renvoyant à des épisodes clefs de son existence : ses « années obscures », son mariage avec Winifred, sa « descente au purgatoire », la création de Liberty Park et celle du Hale Trust...

Un grand point d'interrogation planait sur les *couples* E. W.-Sarah Clémence et E. W.-Grace ???

Callie pensa à la mission de guide dont l'avait chargée Wilty par-delà la tombe : « *Dans un éclair de modestie, j'ai décidé qu'il serait bon d'avoir un œil neuf, objectif et professionnel pour me servir d'éclaireur. Je parle de toi, tu l'as deviné, qui as toujours eu plus de clairvoyance que moi.* »

— Que suis-je supposée *éclairer*, Wilty ? chuchota-t-elle. Quelles pièces du puzzle avais-tu découvertes et où cherchais-tu celles qui te manquaient encore ?

Elle ferma les yeux et se massa les tempes pour disperser les aiguilles de feu qui les transperçaient.

— Vous avez une idée de qui ça peut être ? et du pourquoi ? fit la voix d'Ezra derrière elle.

Callie se retourna en haussant les épaules.

— Si vous parlez du saccage de mon appartement, non. À part la mère dénaturée qui m'a fait virer du journal, le psychopathe qui m'a brandi un revolver sous le nez, le névrosé qui a fourré un rat crevé dans ma boîte aux lettres, le détraqué qui a promis de me passer la corde au cou et l'obsédé qui me colle aux fesses, je ne me connais pas d'ennemis.

Sa voix vibrait de colère, nota Ezra pour s'en féliciter : cela valait mieux que la peur.

— C'est surtout le *comment* qui me trouble. Comment ce désaxé, quel qu'il soit, a-t-il pu avoir connaissance de mon rêve ? Il n'a pas reconstitué une fausse couche sur mon lit par hasard !

— Oui, c'est *la* question...

Et pour l'étudier, à son habitude, Ezra se mit à tourner en rond dans le petit salon comme un fauve en cage.

Fascinée, elle se surprit à l'observer à son insu. Quand il se concentrait, deux lignes verticales se creusaient entre ses sourcils très noirs. Ses lèvres s'agitaient, murmurant des phrases qu'il était seul à entendre. Il avait une belle bouche. En cette fin de soirée, ses joues et ses mâchoires s'ombraient d'un soupçon de barbe. Et, ma foi, cela lui allait plutôt bien. De tout son être émanait une aura de virilité. Il avait remonté ses manches de chemise sur ses avant-bras couverts d'une toison sombre, et son col ouvert achevait de composer le portrait d'un homme...

— Fatal.

— Pardon ? sursauta Callie.

— Je dis que c'est fatal. On est obligé de penser à lui : en toute logique, la « fuite » vient de votre psy.

Il venait de se planter devant elle, le regard interrogateur. Callie ne répondit pas tout de suite. Quand elle s'y décida, ce fut avec moult hésitations.

— Peter Merrick est un homme estimable, un médecin réputé. Sa famille a une grande renommée. Son frère est candidat au Nobel, sa sœur à un poste de gouverneur...

— Vous m'en direz tant ! Ce bel entourage ne le met pas au-dessus de tout soupçon, que je sache...

— Quel intérêt aurait-il à compromettre sa réputation dans

le seul but de me nuire ? Je ne vois pas ! Non, j'ai toute confiance en Merrick.

Elle avait placé trop d'espoirs en lui pour ne pas s'accrocher à cette idée, comprit Ezra. Mais il ne pouvait pas la laisser se voiler les yeux.

— Callie, à part vous et moi, qui d'autre que Merrick est au courant de votre rêve d'une robe blanche tachée de sang ?

— Personne, reconnut-elle à contrecœur.

— À moins d'en avoir lui-même parlé à un tiers...

— Sûrement pas, il est très à cheval sur le secret professionnel.

— ... lui seul a pu avoir l'idée de placer une poupée sur votre lit pour symboliser le bébé de...

— Attendez !

Callie se frappa le front. Il y avait une autre possibilité. Infime, mais qui avait le mérite d'exister.

— J'ai fait un enregistrement de cette séance avec Merrick ! Il suffirait que quelqu'un ait écouté la bande...

Elle croisa le regard dubitatif d'Ezra et expliqua :

— L'hypnose m'effraie, je vous l'ai dit. Quand je sors de transe, je ne me souviens pas de ce que j'ai déclaré, je suis donc à la merci de mon thérapeute et de ce qu'il veut bien me raconter. On n'est jamais trop prudent, n'est-ce pas ? Alors...

Il éclata d'un rire amusé qui détendit un peu l'atmosphère.

— Alors, en bonne journaliste, vous préférez vérifier vos sources, en l'occurrence *vous* ! Vous avez écouté cette cassette pirate ?

— Dans ma chambre.

— Verdict ?

— Aucune distorsion : Merrick ne m'a ni menti ni rien dissimulé. Mais la cassette est restée dans le lecteur : si le « cambrioleur » l'a écoutée, il aura eu l'idée de monter cette mise en scène macabre.

— Bien sûr ! ironisa Ezra. Les as de la cambriole se promènent toujours avec un baigneur ensanglanté dans leur poche au cas où il leur faudrait mettre en scène une fausse couche ! C'est bien connu !

Elle piqua du nez, mais s'obstina :

— D'accord, mais le mien aurait pu redescendre en

acheter un dans un magasin de jouets après avoir écouté la bande et remonter ensuite... Oh, bon, ça va !

Ils savaient l'un comme l'autre que ce scénario ne tenait pas, mais il avait au moins l'avantage de laisser à Merrick le bénéfice du doute. C'était hautement appréciable, songeait Callie à la veille de le retrouver pour une expérience décisive de régression par hypnose.

Ezra la sentit si vulnérable que son cœur se serra. Il alla chercher une bouteille de rhum vieux et en remplit deux petits verres qu'ils burent en silence.

Elle aurait juré qu'il fixait sa bouche avec insistance. Comme si elle n'était déjà pas assez nerveuse ! Elle reposa son verre vide et glissa derrière son dos ses mains qui tremblaient telles des lignes à haute tension dans la tourmente.

— Callie... Avec tous ces événements, je ne vous ai pas dit le meilleur. Il y a un élément nouveau.

Elle fronça les sourcils, attentive, le questionnant des yeux.

Pour toute réponse, Ezra marcha jusqu'à son tableau, prit une craie et raya le nom Hale accolé au prénom Wilty. Callie sursauta.

— Que faites-vous ?

— Voilà ce qu'il avait découvert.

En deux mots, il lui raconta son entretien avec l'avocat et ami de Wilty, Dan Kalikow.

— Mon Dieu ! souffla-t-elle seulement.

Ezra se taisait, la regardant digérer cette information. Il avait l'impression de voir les rouages de son cerveau s'enclencher pour la jauger, la peser, la disséquer...

Là, Callie était en train de recouper les renseignements de Dan et le contenu de la lettre de Wilty. Tout concordait. À présent, elle en venait à calculer les incalculables conséquences...

— Si le document qu'il a trouvé dit vrai et que Wilty n'est pas un Hale, qu'advient-il des holdings Hale et du *City Courier* par exemple ?

Un petit rire perfide lui échappa tandis qu'elle ajoutait :

— Pauvre Carolyne Hale ! Que va-t-elle devenir sans Son journal et Sa fortune ?

— Et sans son nom ! appuya Ezra.

— C'est vrai : Carolyne ex-Hale, ou pseudo-Hale, perd tout dans cette histoire. Pour un simple bout de papier !

— Parfaitement. Si incroyable que cela paraisse, le document retrouvé par Wilty peut faire vaciller un empire financier, défaire des fortunes... comme en faire d'autres.

— Vous pensez aux dommages et intérêts qu'il faudrait verser aux authentiques héritiers de E. W. ?

— Dame ! Mettez-vous à leur place : injustement spoliés de leur dû depuis cent ans : argent et privilèges, ils ne manqueront pas de réclamer des réparations... qu'y a-t-il de plus fort que « gigantesques » ?

— Monumentales, colossales, pyramidales, astronom...

— Nous sommes bien sur la même longueur d'onde, l'interrompit-il en riant.

Callie lui rendit son sourire.

— Vous serez aussi d'accord avec moi pour trouver que c'est un mobile suffisant pour tuer ?

— Amplement suffisant. Il y a tellement en jeu ! Le meurtrier de Wilty ne s'arrêtera pas avant d'avoir mis la main sur l'original de la lettre d'adieu de Charles Hale...

— ... et sur le journal manquant de E. W. Si nous voulons résoudre cette affaire...

— ... et lui régler son compte, il faut les retrouver avant lui !

— Avant qu'il ne m'ait réglé mon compte à moi aussi, ajouta-t-elle d'une toute petite voix.

Ezra se figea.

— Il ne vous arrivera rien, promit-il d'une voix sourde. Je ne le permettrai pas.

Callie reçut de plein fouet le choc de son regard où grondait l'orage. Le pli tendre de sa bouche contrastait avec le ton belliqueux de sa voix.

Elle baissa la tête comme une petite fille. C'était, au tutoiement près, ce que son père répétait à sa mère quand elle sentait tout s'écrouler autour d'elle... et en elle.

Il ne t'arrivera rien, je ne le permettrai pas ! Mais Bill avait échoué à sauver Mara... Ezra saurait-il mieux la protéger, elle ?

Callie sentit deux bras qui l'étreignaient. D'instinct, elle se blottit contre ce torse viril et rassurant, puis, comme pour dompter le tremblement qui l'agitait toute, leva son visage et chercha impulsivement ses lèvres.

Le baiser qu'ils échangèrent les embrasa comme deux torches.

Le monde extérieur disparut, plus rien n'exista que la passion qui les dévorait.

Quand Ezra redressa la tête, hors d'haleine, il interrogea les yeux turquoise de la femme de ses fantasmes et n'y lut qu'un immense désir.

Il la souleva dans ses bras et l'emporta dans la chambre.

Étendue tout contre le corps brûlant de son inépuisable amant, revivifiée par sa présence et sa force, Callie laissa naître un sourire heureux sur ses lèvres meurtries par ses baisers de feu.

Ce soir, les Gens gris ne viendraient pas lui rendre visite : elle avait trouvé une lumière dans les ténèbres.

La marée du sommeil l'engourdit. Elle flottait dans cet état de semi-conscience où elle n'était ni complètement éveillée ni totalement endormie, quand des sons lui parvinrent de quelque part, dans le vide : ... *jus... or... par...*

Callie ouvrit brusquement les yeux dans le noir et distingua des mots qui semblaient venir de loin, de si loin...

Jusqu'à... mort... sépare...

Elle se dressa lentement sur son séant. Ezra ne broncha pas. Un bras possessif et protecteur enroulé autour de sa taille, il s'était finalement assoupi.

De toute façon, il n'aurait rien entendu, comprit-elle, puisque la Voix était dans sa tête à elle.

Callie attendit en frissonnant qu'elle revienne, car elle savait qu'elle reviendrait.

Jusqu'à ce que la mort nous sépare..., répéta la Voix, plus forte, plus insistante.

Dans un dernier élan d'optimisme, Callie tenta d'y voir une promesse de bonheur.

Jusqu'à ce que la mort nous sépare ! martela la Voix plus dure et désespérée.

Les yeux de Callie se remplirent de larmes. Ce qu'elle avait voulu prendre pour un heureux présage virait au plus sombre pressentiment.

Jusqu'à ce que la mort nous sépare ! croassa la Voix en un funeste avertissement.

Callie se boucha les oreilles en retenant ses sanglots. C'était la toute dernière promesse que son père avait faite à sa mère juste avant que sa « folie » prenne le dessus. Et la tue.

24

Cinquième Avenue, huit heures trente-cinq. En sonnant chez Carolyne Hale, Ezra se sentait plus enclin à mordre qu'à discuter. Il était à peu près aussi enchanté de revoir la Veuve qu'elle l'était de le revoir lui, c'est-à-dire pas du tout.

De nouveau, Chapin et Alvarez osaient déranger son sacro-saint rituel matinal ! Cette fois, elle prit plaisir à les faire poireauter dans l'entrée jusqu'à ce qu'elle s'estime fin prête à les recevoir.

— Cela devient une fâcheuse habitude, messieurs ! lança Carolyne en daignant enfin paraître.

— Croyez bien que ce n'est pas non plus une partie de plaisir pour nous, madame Hale, repartit Ezra. Et dites-vous que, si vous vous étiez montrée honnête avec nous, nous n'aurions pas eu besoin de revenir.

Jorge lança un coup d'œil surpris à son partenaire. Tiens ! normalement, c'était Ezra le gentil diplomate et lui le méchant rustre. Il inversait les rôles ?

À en juger par le visage de leur « hôtesse », elle n'était pas moins déconcertée.

— Je ne vois pas de quoi vous parlez, inspecteur.

— En ce cas, permettez-moi de vous rafraîchir la mémoire. Selon nos notes, vous avez prétendu n'avoir pas revu votre fils après votre déjeuner en tête à tête aux *Quatre Saisons*. Exact ?

Carolyne ne répondit pas, se contentant de toiser Ezra d'un air outragé, tant il lui manquait de respect.

— Il se trouve que nous avons des témoins oculaires qui assurent qu'il est venu vous rendre visite le soir même de son assassinat.

Il ne bluffait que sur le nombre de témoins. Dans sa déposition initiale, le portier de l'immeuble de Wilty avait déclaré l'avoir vu sortir à dix-neuf heures, point final. Mais, la veille, il s'était subitement rappelé un *détail* : M. Hale n'avait pas appelé de taxi, préférant « marcher jusqu'à la 5e Avenue ».

— Quelqu'un ment, conclut Ezra, les yeux rivés à ceux de la Veuve. Et je voudrais bien savoir qui !

La mâchoire de Jorge en tomba d'un cran. Pour sûr, Ezra ne faisait pas aujourd'hui dans le gentil diplomate, ni dans la dentelle !

— Je refuse d'être insultée sous mon propre toit, se cabra Carolyne. Je crains de devoir vous demander de sortir, inspecteur Chapin.

— Comme vous voulez, mais si nous partons, vous nous suivez.

— Je vous demande pardon ?

— Vous avez bien entendu. Je ne peux pas vous forcer à parler – non que je n'en aie pas envie…

— C'est inouï !

— … mais parce que je respecte la loi. Vous, madame, ne pouvez pas vous soustraire à cet interrogatoire. Libre à vous de le poursuivre au poste. Mais ici ou ailleurs, vous ne vous en tirerez pas.

Peu habituée à ce qu'on lui parle sur ce ton, la Veuve en resta sans voix, médusée.

— Bien, reprit Ezra. Je réitère donc ma question : M. Hale vous a-t-il rendu visite le soir de sa mort, oui ou non ?

Alvarez vit les yeux de Carolyne se plisser de rage et posa une main sur l'épaule de son équipier.

— Peut-être cette dernière entrevue lui est-elle sortie de la tête. Mme Hale est une femme si occupée. Ce ne doit pas être facile de se souvenir de tous ses rendez-vous…

— Tu vas encore me trouver bêtement sentimental, soupira Ezra, mais il me semble que je me souviendrais tout de même de la dernière visite de mon fils, juste avant son assassinat…

— Moi aussi, mais que veux-tu ? nous ne sommes que de petits fonctionnaires à l'esprit borné. Que savons-nous des soucis du grand monde ?

— Oh, je vous en prie, faites-moi grâce de votre numéro de cirque ! lâcha Carolyne. Wilty est bien venu ici ce soir-là.

— Ah.

Un temps.

— Vous aviez simplement omis de nous signaler ce détail ?

À contrecœur, la Veuve les invita d'un geste à passer dans le salon, et en profita pour choisir dans sa panoplie de masques celui de la mère-égarée-par-le-chagrin.

— Le choc de la mort de mon fils... la douleur... Mes idées se sont embrouillées.

Le visage d'Alvarez exprima instantanément la plus vive compassion tandis qu'ils prenaient tous deux les sièges qu'elle leur désignait. C'est sur un ton infiniment contrit qu'il demanda :

— Simple visite de courtoisie, ou vous aviez quelques petites affaires à régler ?

Le cerveau de Carolyne jonglait avec une sélection de réponses possibles et leurs conséquences, s'efforçant de garder toutes les balles en l'air en même temps.

— Des « petites affaires » ? répéta-t-elle, mi-amusée, mi-apitoyée à l'idée que ces policiers obtus puissent imaginer que Wilty et elle discutaient le bout de gras comme le commun des mortels.

Le téléphone sonna. Quelqu'un décrocha aussitôt dans une autre pièce.

— Bon, assez tourné autour du pot, décréta Ezra en reprenant l'offensive.

Il rapprocha d'autorité son fauteuil et se pencha vers Carolyne, sachant qu'elle supportait mal la proximité physique d'étrangers.

— Si je ne m'abuse, votre fils est venu vous trouver ce soir-là pour vous parler d'un document qui remettait en question sa filiation.

Pour la toute première fois, Jorge vit une lueur de peur passer au fond des prunelles de la Veuve. Ezra avait touché un point sensible.

— Vous êtes bien renseigné, Wilty m'a effectivement avertie qu'il avait mis la main sur un tel document.

Carolyne se recula et expliqua avec réticence :

270

— Wilty avait bu et, comme il avait le vin mauvais, il ne m'a pas épargnée. Si ce papier se révélait authentique, c'en serait fini de notre vie dorée, ricanait-il. Lui pourrait peut-être s'en sortir, grâce à certains investissements, mais moi, je dépendrais entièrement de sa générosité... C'est dur à entendre de la bouche d'un fils que vous avez élevé et qui vous doit tout, vous savez...

Lourdes entra sur la pointe des pieds dans le salon et s'éclaircit timidement la voix.

— Madame..., le Dr Merrick au téléphone.

Ezra faillit faire un bond au plafond. *Carolyne Hale et Peter Merrick... Ils se connaissaient ?*

Cette connexion inattendue ouvrait des horizons... Il se promit de les faire mettre tous les deux sur écoute sans perdre une minute.

Carolyne s'était levée, trop contente de cette diversion. Mais Ezra se tourna vers la femme de chambre.

— Dites au Dr Merrick que Mme Hale est en interrogatoire et qu'elle le rappellera plus tard.

La Veuve ouvrit la bouche pour protester, mais se ravisa. Les lèvres pincées, elle fit signe à Lourdes d'obéir à la police puis regagna son siège.

— Peter Merrick est l'un de vos amis, ou vous l'une de ses patientes ?

Ezra capta le jeu de sourcils de Jorge – traduction : Attention, tu vas trop loin, ou trop fort –, mais il ne pouvait pas résister. Entendre le nom de Merrick *ici* était un de ces coups de chance qui ne se présentent pas deux fois.

La réaction violente de Carolyne ne fit qu'attiser sa curiosité.

— Je ne pense pas que cela vous regarde en quoi que ce soit ! C'est du harcèlement ! glapit-elle.

La mâchoire d'Ezra se contracta.

— Madame, nous enquêtons sur le meurtre de votre fils, au cas où vous l'auriez oublié. Et le moins que l'on puisse dire, c'est que vous ne nous avez guère aidés jusqu'à présent. Une attitude suspecte à bien des égards.

Les yeux de Carolyne jetaient des éclairs.

— Comment osez-vous... ? gronda-t-elle.

— Ce qui signifie, continua-t-il sans se troubler le moins du monde, que jusqu'à ce que l'inspecteur Alvarez et moi-même ayons résolu cette affaire tout ce qui vous concerne nous concerne. Y compris vos appels téléphoniques. Maintenant, j'attends une réponse.

Carolyne Hale ne détestait pas l'affrontement direct, mais elle était une guerrière trop expérimentée pour ne pas savoir quand une retraite stratégique s'imposait. Elle recula donc pour mieux sauter – ou plutôt le faire sauter ! Ce serait bien le diable si, avec toutes ses relations, elle n'obtenait pas qu'on lui retire l'enquête pour acharnement. Elle avait eu la peau de Callie Jamieson pour moins que ça.

— Peter Merrick est un ami, déclara-t-elle sur un ton neutre. Il m'appelle probablement pour prendre de mes nouvelles et m'apporter un peu de réconfort. La plupart des gens, voyez-vous, respectent la douleur de la famille d'un disparu...

— Ces gens-là n'étaient pas dans cette allée où on a récupéré entre deux poubelles ce qui restait de votre fils. Moi si. Et je me suis juré d'arrêter ceux qui ont fait ça.

Le visage de Carolyne s'était décomposé.

Sur un battement de paupières d'Ezra, Alvarez reprit l'interrogatoire en revenant sur cette dernière entrevue avec Wilty.

La Veuve reconnut qu'ils s'étaient disputés à cause de ce document, lui le tenant a priori pour véridique, elle s'y refusant. Son authenticité était d'autant plus difficile à déterminer que Wilty ne lui avait montré qu'une copie. Elle répéta à plusieurs reprises – sachant que son portier confirmerait la chose – qu'elle n'avait pas quitté son appartement cette nuit-là. Et insista lourdement sur le fait qu'elle n'avait rien à gagner à la disparition de Wilty. Est-ce qu'on tuait la poule aux œufs d'or ?

S'ensuivit un développement à tirer les larmes sur ses propres malheurs, privée qu'elle était désormais du soutien de son fils unique, livrée à la solitude, en butte à l'adversité, fragilisée par d'indignes soupçons et frappée au cœur par...

Ezra n'écoutait plus. Il avait entendu ce qu'il voulait entendre : « Wilty ne m'a montré qu'une copie. » À ses yeux,

Carolyne Hale n'avait rien d'une créature fragile et on ne pouvait guère la frapper qu'au portefeuille.

Perdre son fils était certes un risque financier pour elle, mais le laisser agir à sa guise avec un document aussi explosif (comme Dan Kalikow, l'ami intime et le confident de Wilty, avait assuré qu'il en avait l'intention) se révélait cent fois plus dangereux.

Ezra se leva, imité par Alvarez, et ils prirent rapidement congé. En entrant un peu plus tôt chez la Veuve, ils avaient des soupçons. Ils en repartaient avec un mobile. Il ne leur manquait plus qu'une preuve.

— Dis donc, tu as bouffé du lion ce matin !

— Et alors ? Ça a marché, non ?

Jorge aurait voulu en savoir un peu plus, mais Ezra tapotait déjà un numéro sur son téléphone cellulaire. Voyant s'afficher en vert le nom de Callie Jamieson, Jorge s'écarta discrètement.

Ezra jura en entendant le répondeur, laissa un bref message – le troisième depuis le matin – et coupa la communication en pestant de plus belle. Après la nuit qu'ils avaient passée ensemble, il n'aurait jamais cru qu'elle lui referait le coup de disparaître comme Cendrillon !

À peine arrivé à la criminelle, Jorge s'éclipsa sous prétexte d'entrer sur ordinateur la déposition de la Veuve et du portier de Wilty, car l'inspecteur Chapin semblait toujours aussi contrarié.

Ezra trouva sur son bureau des papiers officiels qui venaient tout juste d'arriver du Tennessee : les renseignements qu'il avait demandés sur la mort par électrocution de Cole Hale. Pas trop tôt !

Deux des employés intérimaires de Cole figurant sur la liste de Noah Bryson, le shérif chargé de l'enquête à l'époque, étaient connus des services de police.

Le premier, un certain Elton Biggs, avait été employé comme palefrenier à la ferme de Cole. Il comptait déjà à son actif une série de menus larcins, mais après la mort de son patron et son propre licenciement, il s'était acoquiné avec une bande pour se lancer dans un vol à main armée qui avait mal tourné. Il avait trouvé la mort en prison, au cours d'une rixe.

Passons, songea Ezra.

On devait reconnaître à Delwin Campbell, le second « suspect possible », une toute autre envergure, si l'on peut dire. Lui s'était spécialisé dans les cambriolages de haut vol après avoir tâté de la prison pour coups et blessures. Il n'avait que seize ans au moment des faits : son père et sa plus jeune sœur avaient été tués par un chauffard ivre. Quand Campbell était arrivé sur le lieu du drame, il était devenu fou furieux et avait attaqué le conducteur et son passager à coups de couteau. Malgré son jeune âge, il avait fallu l'intervention de trois hommes pour le maîtriser. L'étiquette « individu dangereux » lui était restée.

Mû par un pressentiment, Ezra parcourut le dossier à toute allure et trouva ce qu'il cherchait : Delwin Campbell portait au poignet gauche un tatouage en forme d'éclair, signe de la seule formation qu'on lui connût : un diplôme d'électricien. Plusieurs de ses exploits de cambrioleur témoignaient de ses accointances avec la fée Électricité, puis avec l'électronique...

L'homme qui avait croisé comme par hasard la route de Cole Hale quand ce dernier s'était électrocuté était celui qui les avait suivis, Callie et lui, jusqu'au lac George ! Lac où avait péri Hunt, le frère de Cole, soit dit en passant... Ne prétend-on pas qu'un meurtrier retourne toujours sur le lieu de son crime ?

Ce même Delwin Campbell sévissait aujourd'hui à New York... où un troisième Hale venait de rejoindre son père et son oncle au cimetière. Où il menaçait de s'en prendre maintenant à Callie : elle l'avait surpris devant son immeuble, elle l'avait retrouvé à l'épier à *L'Onyx*...

Ezra était même fortement tenté de voir en Campbell l'homme qui s'était introduit deux fois chez elle en jouant les passe-muraille, d'abord pour placer la corde dans sa salle de bains, ensuite pour la cambrioler (sa première spécialité, ne l'oublions pas).

Carolyne Hale *et* Peter Merrick peu auparavant, Delwin Campbell à présent... L'enquête venait de faire un bond de géant.

Callie se situait curieusement au centre de cet improbable trio, analysa Ezra. Carolyne la poursuivait de sa haine... Merrick la suivait médicalement... Campbell la suivait tout court. Oui, Callie était la proie de ces trois-là, on la retrouvait partout...

... sauf avec lui au réveil d'une sublime nuit d'amour !

Plongé dans ses pensées, Ezra sauta presque de sa chaise quand le téléphone sonna.

— Allô ? Callie ?

— Non, je suis désolée, fit une voix jeune et féminine. Si vous attendez un autre appel, je peux vous recontacter plus tard...

— Non, je vous en prie, madame... mademoiselle ?

— Elizabeth Winters. Je suis la petite-fille de Victoria Moore. Ma grand-mère m'a donné votre numéro.

— Elle a bien fait. Vous m'appelez au sujet du...

— ... journal de E. W. Hale, oui. Je l'ai retrouvé.

— Qu'est-ce que vous dites ? s'étrangla Ezra en se dressant pour de bon de son siège.

— Le quatrième journal, celui de l'année 1900, je l'ai. Une de mes cousines l'a déniché au fond d'une vieille malle de linge de table.

— Où est-il en cet instant ?

— Euh... quelque part entre Cleveland et New York : je vous l'ai posté ce matin en recommandé. Normalement, vous l'aurez demain.

Ezra se confondit en remerciements tout en se demandant comment il allait pouvoir patienter jusque-là.

— Vous l'avez lu, mademoiselle ? Vous ne pourriez pas m'en donner un avant-goût ?

— Oh, ce serait trop dommage de le déflorer ! C'est un texte très poignant, vous savez. Et surtout...

— Oui ?

— Je crois que vous y trouverez les réponses que vous cherchez.

La main sur le combiné du téléphone de sa chambre, Callie attendit d'entendre la voix qui laissait un message sur son répondeur. Elle décrocha reconnaissant celle de Paula.

La caméra cachée se mit en marche.

— Ce n'est pas trop tôt ! Où étais-tu passée ? glapit Callie.

Elle criait presque. Surprise, Paula lui rappela qu'elle était en « repérage culinaire » dans une autre ville pour sa rubrique gastronomique dans le *City*, et commenta :

— Dis donc, toi, tu m'as l'air un tantinet à bout de nerfs ou je me trompe ?

— Tu te trompes : après tout ce que je viens de vivre, j'ai le regret de t'informer que je ne suis pas un tantinet mais carrément, totalement et définitivement à bout de nerfs.

Paula éclata de son bon rire rassurant de meilleure amie à qui l'on peut tout avouer.

— C'est bien ce que je pensais. Et je peux avoir des détails ?

Callie ne se fit pas prier, tant elle avait besoin de s'épancher.

Paula encaissa en vrac une tonne d'informations où se mélangeaient la boîte aux lettres fourrée au rat crevé, la proposition de Luke Crocker de travailler en free-lance, l'overdose d'une Vanna Quelquechose, la bagarre avec Frank Devy, le cambriolage, la corde de pendu, la poupée en sang…

— Arrête, j'ai mon compte, gémit Paula après l'évocation du baigneur. Ça va trop vite, ton histoire ! Dès qu'on rate un épisode, on ne comprend plus rien…

Et encore, songea Callie, elle n'était pas au courant de ses nouvelles visions… ni de sa nuit d'amour torride avec l'inspecteur Manitou. Ça, pas question d'en parler, même à Paula. *Surtout* à Paula !

— Écoute, reprit cette dernière, tu vas me reraconter tout ça tranquillement – et dans l'ordre ! – ce soir, au mas de cocagne ! J'y verrai peut-être un peu plus clair.

— Excellente idée ! J'avais oublié que nous avions la maison pour nous toutes seules.

— Pas moi ! J'ai un coffre plein de bonnes choses, tu verras ! À propos, on y va ensemble dans ma voiture, ou on se retrouve là-bas ?

Callie hésita.

— La première arrivée attend l'autre. Tout à l'heure, j'ai une séance de thérapie avec le Dr Merrick. Puis un déjeuner avec papa et tatie Pennie et... c'est tout.

Cette excursion dans les Hamptons allait lui permettre d'échapper un petit moment aux questions d'Ezra. Une aubaine providentielle !

— Et toi ?

— Ouh là ! Je suis prise au journal tout l'après-midi. Tu y seras forcément avant moi.

— Bon. Alors tu me trouveras dans le jacuzzi avec un cocktail bien frais !

— Profites-en, veinarde ! feignit de ronchonner Paula. Tu n'auras qu'à te servir un planteur. Je planque toujours une bouteille de ton punch préféré sous nos serviettes de bain, avec une étiquette « Pas touche ! » au cas où les copains du journal auraient de coupables pensées...

— Qu'est-ce que je ferais sans toi ? fondit Callie.

— Je me le demande ! Euh... tu me rappelles le chemin du pays de cocagne ?

— Encore !

— Quoi : encore ?

Elles y étaient bien allées une douzaine de fois, mais le manque de sens de l'orientation de Paula était en passe d'entrer dans *Le Livre des records*.

— Toi, je t'ai trouvé ton prochain cadeau d'anniversaire ! s'esclaffa Callie. Une grande boîte de petits cailloux et de miettes de pain : tu pourras jouer au Petit Poucet.

— Gna gna gna. Dis-moi plutôt ce que je fais après avoir bifurqué sur la route de Montauk.

— Tu as de quoi noter ? Alors, tu dépasses les trois grandes bâtisses en vieilles pierres ocre, tu prends la première à droite, puis tu tournes tout de suite à gauche. C'est la troisième maison sur ta gauche. C'est bon ? Alors à ce soir là-bas. Je brûle d'y être !

— Tu ne crois pas si bien dire, murmura l'homme qui n'avait rien perdu de la scène sur son écran.

Au moment de pousser la porte du cabinet de Merrick, Callie prit le temps de réfléchir une dernière fois à ce qu'elle était sur le point de faire. Toute la matinée, elle avait pesé le pour et le contre. À la fin, deux considérations avaient prévalu.

Le fait que sa nuit proprement divine avec Ezra avait été suivie et gâchée par un avertissement spectral l'avait plus que jamais déterminée à se débarrasser des visions et des voix qui la tourmentaient. Elle voulait pouvoir vivre et aimer sans toujours craindre de voir des fantômes se pencher sur son épaule.

Deuxièmement, si Merrick se servait d'elle comme d'un cobaye pour sa carrière ou pour Dieu sait quel coup tordu, elle le découvrirait et le mettrait hors d'état de nuire.

Elle prenait un gros risque, mais la vie était pleine de risques. Et, pour obtenir l'amour, elle était prête à tout.

— Une lumière blanche forme un cercle devant vous. Laissez-la couler le long de votre corps, de votre tête jusqu'aux orteils, comme un ruisseau d'eau claire. Prenez votre temps, Callie. Ouvrez-vous à cette lumière blanche pour qu'elle éclaire chaque zone d'ombre de votre être. La lumière blanche vous guide et vous protège. Quand vous vous sentirez prête, dites-le-moi.

Pendant plusieurs minutes, Callie resta figée comme une statue. Sa respiration était lente et profonde ; son visage paisible, détendu.

Merrick l'observait intensément. Cette séance était d'une importance capitale, il fallait que tout se passe parfaitement.

— *Je suis prête.*

Peter sourit. Elle était incroyablement belle quand elle dormait, même avec son visage encore tuméfié.

— Nous allons remonter le temps, Callie, et revenir dans ce lieu familier qui vit dans votre esprit et dans vos rêves.

Sa tête oscilla légèrement. Elle était nerveuse.

— Vous n'avez à vous soucier de rien. Vous n'avez rien à faire, ni à craindre. Rien que vous relaxer et laisser le passé remonter à la surface.

278

Elle inspira profondément. Son corps sembla se libérer de toutes les tensions du présent tandis qu'elle voyageait vers autrefois.

— La lumière blanche est votre guide, Callie. Elle vous emporte jusqu'à ce jour d'antan qui retient notre attention.

Ses doigts se crispèrent, puis se desserrèrent.

— Vous n'êtes pas seule. Je suis à vos côtés là-bas, pour vous aider. Vous ne risquez rien avec moi.

Peter regarda ses paupières palpiter et attendit qu'elle retrouve une respiration ample et régulière.

— Commençons notre visite à la fin de ce jour, Callie, après que le gris a explosé en orange et est finalement redevenu gris... Quand vous avez trouvé cet homme et cette femme gisant sur le sol...

Il parlait d'une voix sereine, volontairement monotone, lénifiante.

— Vous y êtes ? Tout est calme maintenant. Il n'y a pas de mouvement, nulle part. Aucun bruit. Seulement vous. Et moi.

Lentement, Callie s'aventura dans le monde mystérieux qui survivait dans un pli de sa mémoire.

— Êtes-vous *là-bas* ? demanda Merrick en guettant le moindre signe sur son visage, ses mains, son corps.

— *Oui*, souffla-t-elle d'une voix lointaine.

Peter frémit et s'astreignit à garder son contrôle.

— Bien. Maintenant, regardez en bas, à vos pieds. Que portez-vous ?

— *Ben, des chaussures !*

Son ton disait qu'elle trouvait la question idiote. Mais ce n'était plus la voix de Callie qui s'exprimait.

— À quoi ressemblent-elles ? Décrivez-les-moi.

— *Elles sont marron, mais couvertes de poussière.*

— Vous êtes en jupe ?

Ses lèvres ébauchèrent une moue légère. Autre question idiote, traduisit-il.

— Une jupe longue ?

— *Oui.*

— De quelle couleur est-elle ?

— *Bleue. C'est ma couleur préférée !*

— Tiens, comme moi, dit-il à l'enfant qui parlait par la bouche de Callie. Maintenant, raconte-moi où nous sommes.

Ses doigts semblaient tourmentés par une agitation intérieure.

— *Dans le gris. Je me cache derrière quelque chose. C'est sale. Il y a de la poussière partout ! C'est plein de cendres,* ajouta-t-elle en fronçant un peu le nez. *On dirait que... on dirait que...*

— Sors de ta cachette. Là, ça y est ? Que vois-tu à présent ?

— *Le mur dans la cour... mais pas comme d'habitude : il est tout noir. Il fume. Tout fume.*

— Tu es déjà allée dans cette cour ?

— *Oh oui.*

— C'est là que tu habites ?

— *Ben non ! C'est pour les chevaux ! Ma maison, elle est un peu plus loin.*

— Il y a des chevaux dans l'écurie ?

Elle se mit à pleurnicher, et il vit deux grosses larmes rouler sur ses joues.

— Que se passe-t-il ? Dis-moi ce qui se passe.

25

— *La cloche sonne. J'entends des bruits de sabots. Des gens qui crient. Les chevaux hurlent aussi ! C'est... terrible ! J'ai tout vu !*

— Qu'est-ce que tu as vu ?

Elle renifla et s'essuya le nez avec sa manche.

— *C'est l'Étranger qui a fait ça. Il est très méchant. Il leur a crié dessus... aux Gens gris... il leur a fait du mal. Et il a mis le feu pour cacher les mauvaises choses qu'il a faites.*

Le débit de son discours avait complètement changé, devenant de plus en plus rapide et enfantin.

— *J'ai hurlé, je voulais l'arrêter... mais elle m'a crié de me sauver !*

— Qui t'a dit de te sauver ?

Elle sanglotait sans pouvoir s'arrêter.

— Qui te dit de te sauver ? répéta Merrick.

Les doigts de Callie désignèrent le sol, là où gisaient les corps des Gens gris.

— *Maman. C'est maman, viens vite, elle a mal !*

Peter se passa une main sur le front.

— À qui parles-tu ?

— *À Sarah.*

— Sarah ? Qui est Sarah ?

Ses lèvres tremblantes s'illuminèrent d'un sourire. L'enfant aimait cette Sarah.

— *La femme de Mac.*

Soudain, le fragile sourire s'évanouit, chassé par un rictus d'horreur.

— *Oh, non ! Mac ! Mac !*

Il vit le corps de Callie frissonner, se contracter. Ses paupières frémissaient comme si elle était sur le point de se réveiller. La scène était si pénible que son subconscient cherchait à la protéger, à la ramener au temps présent, devina Merrick.

Il ne le fallait pas ! Pas encore. *On y était presque...*

— Mac est-il un des Gens gris que l'Étranger méchant a blessés ? demanda-t-il sur un ton plat et uni.

— *Oui... La tête... Il lui a fait mal à la tête...*

— Qui est Mac pour toi ?

La poitrine de Callie se souleva, cherchant de l'air.

— *Mon grand frère.*

Elle suffoquait. Elle allait se réveiller...

Encore une seconde ! supplia Merrick en posant la dernière question :

— Et toi, qui es-tu ?

— *Grace... Je suis... Grace.*

La sonnerie du téléphone arracha à Carolyne un froncement de sourcils douloureux. On ne pouvait donc pas la laisser tranquille ! Et cette Lourdes qui mettait toujours un quart d'heure à répondre ! Dieu, qu'elle était mal entourée !

Une aspirine lui aurait fait du bien, mais ç'aurait été reconnaître que ces deux rats de la police l'avaient mise dans tous ses états.

Elle sonna Lourdes pour demander un café bien serré.

— Tout de suite, Madame. Un monsieur vous a appelée sur votre portab...

— Pas maintenant. Vous ne voyez donc pas que j'ai une migraine épouvantable ?

Carolyne la chassa de la main.

Demain, elle partirait en week-end à Long House. Elle avait bien mérité de s'aérer un peu. Elle ferait même du golf pour se calmer les nerfs. Si ce n'est que toute seule cela n'avait rien de palpitant.

En tout cas, elle n'emmènerait pas Harlan Whiteside ! Il la décevait de plus en plus, celui-là. Il fallait voir comme il avait paniqué quand elle lui avait réclamé la tête de l'inspecteur Chapin.

D'accord, Harlan avait fini par la convaincre qu'elle aurait commis une « monumentale erreur » en faisant jouer ses relations pour lui retirer l'enquête : cela aurait paru suspect à beaucoup d'imbéciles. N'empêche, elle lui en avait voulu d'être aussi timoré. Plus question de coucher avec lui, pour commencer ! D'ailleurs, elle ne perdait pas grand-chose. Peter Merrick, en voilà un qui savait s'y prendre au lit pour lui faire oublier ses soucis. Il l'avait appelée un peu plus tôt, quand elle était avec les rats. Après tout, elle aurait pu l'inviter pour le week-end. Il avait plutôt fière allure à son bras.

Elle demanda à Lourdes, qui revenait avec le café commandé, si le Dr Merrick n'avait pas laissé un message.

— Non, Madame. Mais l'autre monsieur, oui. Il n'a pas voulu me donner son nom, il a juste dit qu'il y avait du nouveau...

— Ah, fit seulement Carolyne en la congédiant.

Sa migraine oubliée, elle délaissa le téléphone fixe pour composer rapidement un numéro sur son portable. On lui répondit à la première sonnerie.

— Qu'y a-t-il de nouveau ?

— Du bon et du mauvais. Par quoi je commence ?

— Le bon, ça me changera.

— Ma surveillance a donné quelque chose. Je crois que le moment est venu de passer vraiment à l'action... Mais il me faut votre feu vert.

— Et le mauvais ?

— Ça va faire du vilain. Elle est à la colle avec un flic, un coriace. En plus elle travaille pour un journal...

— Plus maintenant. Je m'en suis occupée.

— C'est ce que vous croyez, mais ils l'ont reprise en douce. Elle opère en free-lance sur la mort de la rouquine. Et, pour tout arranger, elle a oublié d'être idiote.

— Racontez-moi ce que vous savez, siffla Carolyne en dressant la liste d'une belle charrette au *City*, avec Brad Herring en tête des condamnés.

Il lui rapporta ce qu'il avait entendu, après quoi elle étudia la situation sous tous les angles. Il apparut rapidement qu'elle n'avait pas beaucoup d'options à sa disposition.

— Vous avez un plan ?

Carolyne l'écouta le lui expliquer et hocha la tête.

— Ça me paraît parfait. Réglez-moi ce problème une bonne fois pour toutes.

Pénélope James serra sa nièce et filleule contre elle si long-temps que Bill Jamieson dut l'écarter pour pouvoir embrasser sa fille à son tour.

Après avoir à moitié étouffé Callie de baisers, il la tint à bout de bras pour l'inspecter des pieds à la tête.

— Tu as une mine de papier mâché ! Et ces cernes... Ce n'est pas possible d'avoir des valises pareilles !

— Ne commence pas, Bill. Laisse-la souffler un peu, le gronda gentiment Pennie.

S'emparant du bras de Callie, elle l'entraîna au premier étage du *21*, le restaurant où ils avaient réservé un box pour être plus tranquilles.

À la demande de son père, Callie raconta son cambriolage – en lui épargnant toutefois les détails macabres. Pour ne pas trop les affoler avec l'enquête qu'elle menait avec un inspec-teur de la police criminelle depuis le meurtre de Wilty, elle s'empressa de dévier la conversation sur son renvoi « officiel » du *City* – suite à l'intervention de Cruella – et son retour « officieux ».

Sa situation professionnelle les indigna, bien sûr, mais ils s'inquiétèrent beaucoup plus de l'agression physique dont elle avait été victime le matin même de son cambriolage.

Remonté à bloc, Bill était décidé à régler son compte à « cet enfant de salaud » qui avait osé s'en prendre à sa fille chérie.

Pour simplifier les choses, Callie mit tout sur le dos du Dr Devy, expliquant qu'il avait voulu se venger de son article.

— La police l'a arrêté, j'espère !

— C'est pour ainsi dire fait, papa.

— À propos, parle-moi de cet « ami policier » qui t'a hébergée la nuit dernière.

— Que je te parle de lui ? répondit-elle pour gagner du temps, mal à l'aise.

Elle chercha du renfort du côté de sa tante, mais loin de l'aider Pennie enfonça le clou :

— De lui... et toi. Il y a quelque chose entre vous ?

— Mais qu'allez-vous imaginer ? Nous travaillons ensemble sur une affaire, c'est tout.

— C'est vrai, ce mensonge ? insista Pennie. Pas de fiançailles à l'horizon, alors ?

— Tatie ! Toi, à force de jouer dans des feuilletons à l'eau de rose, tu maries tout le monde !

Bill s'éclaircit la gorge.

— Eh bien, puisque nous parlons de mariage, j'ai quelque chose à vous annoncer à toutes les deux. C'est pour cela que j'ai organisé ce déjeuner. Alors, voilà : j'ai quitté Séréna. Je suis temporairement, mais – je vous rassure – très confortablement installé à l'hôtel Lowell

Callie en resta sans voix.

Non moins étonnée, Pennie laissa paraître immédiatement un franc sourire de satisfaction.

— Pourquoi, Bill ?

— Ce mariage n'était qu'une erreur et qui n'a que trop duré. J'aimais passionnément ta maman, Callie – et je l'aime toujours au-delà de la mort. En fait, Séréna a rempli un vide, comme moi-même je meublais sa solitude. Aujourd'hui, chacun reprend sa route de son côté, c'est bien mieux ainsi.

— Qu'est-il arrivé ? demanda Callie.

Bill haussa les épaules.

— Mais *rien*, justement. J'ai simplement réalisé que j'avais perdu des années dans une relation privée de sentiments. Ne fais jamais comme moi, ma chérie. La vie est courte, ne laisse pas passer ta chance ! Il n'y a rien de plus fort, ni de plus beau sur cette terre que l'amour, le vrai.

Callie était bien de cet avis ; malheureusement, elle devait affronter ses démons avant de pouvoir inviter qui que ce soit à partager sa vie, laquelle pour l'instant n'était que chaos.

Le garçon eut la bonne idée d'interrompre cette conversation délicate en venant prendre leur commande. Hélas, cet intermède ne dura pas bien longtemps. Bill ne tenait plus à parler de Séréna, et Pennie saisit aussitôt l'occasion de réattaquer sur son sujet préféré : l'avenir de sa nièce.

— Comment vois-tu ton avenir ?

— Embourbé dans le passé, soupira mécaniquement Callie. Mais j'y pense, pendant ses... divagations, maman n'a jamais mentionné devant vous une certaine Sarah Clémence ?

Pennie secoua sa tête. Ça ne lui disait rien du tout.

— Pas que je sache, répondit Bill après un temps de réflexion. Pourquoi ? Qui est cette femme ?

Callie hésita. Devait-elle leur révéler d'un coup ses visions ? Tous deux étaient bien placés pour savoir ce que ses rêves avaient fait de Mara.

Les derniers mots que lui avait dits sa mère tourbillonnèrent dans sa tête, tels qu'ils avaient résonné à ses oreilles de petite fille : « *N'en parle jamais à personne. Jamais ! Tu m'entends ?* »

Elle avait juré, certes ; mais vingt-deux ans s'étaient écoulés, et la vie l'avait amenée à rompre son serment par trois fois déjà – avec Paula, avec Merrick, avec Ezra.

Elle décida de tout leur dire.

Pennie et Bill l'écoutèrent, bouche bée, de plus en plus accablés à mesure qu'elle évoquait – et encore, en les édulcorant – ses séances de régression par hypnose, ses cauchemars, ses rêves éveillés qui rappelaient sinistrement le mal qui avait emporté Mara.

Quand elle se tut, il y eut un long silence atterré.

Tatie Pennie, toute pâle, les yeux humides, tapotait la main de sa nièce comme si elle avait une leucémie.

Bill retrouva le premier l'usage de la parole.

— Ma pauvre petite, commença-t-il d'une voix altérée par l'émotion, je comprends mieux pourquoi tu es seule...

— Papa...

— Tu ne veux pas t'engager avec un homme parce que tu as peur de devenir comme ta mère. Peur surtout, si ce malheur t'arrivait – que Dieu nous en préserve ! –, qu'il se conduise avec toi comme je me suis conduit avec elle...

Callie était stupéfiée par la clairvoyance de son père. Ce matin même, aux premières lueurs de l'aube, elle avait fui Ezra pour cette raison.

Pour ne pas faire son malheur et réciproquement.

— Papa, c'est pour cela que je suis une thérapie.

— Qui est ton médecin ? s'enquit Pennie, effondrée.

— Peter Merrick.

Pour leur remonter un peu le moral en leur montrant qu'elle s'était adressée à l'un des tout meilleurs spécialistes, Callie ne tarit pas d'éloges sur lui, vantant les qualités de son best-seller sur la mémoire génétique, *Le Présent antérieur*.

Pennie en avait entendu parler, comme tout le monde, mais n'était pas convaincue.

— Et cette Sarah Clémence dont tu nous as parlé, elle t'est apparue en rêve... Et tu penses que ta mère la voyait aussi...

— J'en suis sûre. Comme elle voyait les Gens gris et... dis, papa ?

Callie se tourna vers lui avec une intense attente au fond des yeux.

— Maman n'a jamais évoqué devant toi une femme du nom de Grace ?

Le visage de Bill perdit toute couleur.

— Si. À Stonehaven. Mara répétait qu'elle *était* Grace.

Comme chaque fois qu'il était confronté à un dilemme, Merrick décrocha son téléphone pour appeler son vieux mentor. La voix seule d'Hiram Wellington avait immanquablement un effet bénéfique sur lui.

— Peter ! Quel plaisir de vous entendre. Vous allez bien, mon garçon ? Et vos expériences ? Où en sont-elles ?

Peter l'informa de ses derniers progrès.

— Félicitations ! Il semble que vous ayez finalement trouvé le « cas » idéal, constata Hiram.

— Je crois bien, oui, mais ce n'est pas sans stress. Il va me falloir présenter à la communauté scientifique des conclusions irréfutables. En ayant vérifié avec la plus grande rigueur l'exactitude de la moindre donnée « historique » obtenue grâce aux régressions hypnotiques.

— Vous devez faire en sorte que les informations que vous donne votre patiente soient fiables. En la poussant dans ses derniers retranchements, vous...

— Je ne peux pas la pousser à bout, Hiram, ou plutôt je ne le veux pas. Vous savez ce qui s'est déjà passé par trois fois..., sous-entendit Merrick d'une voix tendue.

— Vous n'allez pas revenir là-dessus, mon garçon. Dans notre profession, nous avons tous eu des patients qui se sont suicidés en cours de thérapie. C'est infiniment regrettable, mais ni vous ni moi n'y pouvons rien. L'échec fait partie de notre lot.

— Trois suicides, Hiram. Des hommes jeunes...

— Tous des schizophrènes à tendance suicidaire, Peter. Vous n'avez rien à vous reprocher, tout le monde le sait.

— Mais vous pouvez comprendre que j'hésite aujourd'hui à risquer...

— C'est tout à votre honneur, mon garçon. Mais votre patiente n'est pas suicidaire ?

— Oh, non, elle veut vivre !

— Alors, aidez-la. J'ai suivi votre carrière, je vous ai vu à l'œuvre : vous êtes la chance de sa vie ! Procédez avec lenteur, et vous arriverez à vos fins sans dommages pour elle.

— Mais, justement, je n'ai pas beaucoup de temps devant moi, se lamenta Peter.

Il parla à Wellington de la pression qu'exerçait Guy Hoffman pour activer l'expérience par l'utilisation de sa protéine P 316.

— C'est un homme brillant, Hiram, et je ne doute pas de la validité de ses recherches, mais...

— ... tant qu'elles restent au stade des expérimentations en laboratoire, j'ai bien compris. Seulement les bailleurs de fonds, eux, l'entendent d'une autre oreille : ils veulent du concret et du spectaculaire tout de suite. Oh, je sais ce que c'est !

Le fait est qu'en sa qualité de médecin chef de service et directeur d'une institution privée comme Liberty Park, Wellington devait compter avec les exigences de ses bailleurs de fonds, à commencer par le Hale Trust. Plusieurs de ses projets du plus haut intérêt sur le plan scientifique restaient en attente, faute d'être assez « rentables », financièrement ou médiatiquement. Pas de profit, pas de crédits ! Une équation tragiquement simple.

Un mécène comme Wilty Hale ne regardait pas aux dépenses, mais maintenant qu'il n'était plus là... Hiram rectifia la position de son éternel nœud papillon en songeant amèrement que, si Carolyne Hale prenait le pouvoir, elle ne se montrerait pas aussi généreuse que son fils.

— Examinons le cas qui vous préoccupe, reprit-il en essayant de ne pas penser à ce que lui réservait demain. Pour commencer, qui est votre patiente ?

Peter sourit. Pas de secret professionnel qui tienne entre eux deux. Il avait l'impression de parler à son *alter ego* – sauf qu'il avait plus confiance en Hiram qu'en lui-même.

— Une jeune femme, Callie Jamieson.

— Pas cette grande blonde du *City Courier* ?

— Mais si. Pourquoi ? Vous la connaissez ?

— Je pense bien ! Et elle a vraiment besoin de votre aide !

Hiram raconta la visite de Callie et du faux journaliste - vrai policier, évoquant l'étrange attitude de la première et son évanouissement.

— Que cherchaient-ils à savoir en particulier ? s'enquit vivement Merrick.

— Ils s'intéressaient à l'origine de Liberty Park. Pourquoi et surtout pour *qui* Emmet Wilton Hale l'avait bâti. Mlle Jamieson faisait une véritable fixation sur la malade en question.

— Une malade... ?

— ... tombée en catatonie à la suite d'une tragédie personnelle, et que son bienfaiteur confia aux bons soins du Dr Jeremiah Holstein.

La gorge de Peter était si sèche qu'il pouvait à peine parler.

— Comment s'appelait cette femme ?

— Décidément ! L'inspecteur Chapin m'a rappelé pour me poser la même question. J'ai pris le temps de me renseigner.

— Et la réponse est... ?

— ... Sarah Clémence.

— *Sarah*, répéta Merrick sur un ton indéfinissable. Elle n'aurait pas épousé un certain Mac ?

— C'est votre jour de chance, Peter. En consultant les archives, j'ai trouvé ce qui vous intéresse.

— Je vous écoute, articula Peter, les nerfs à vif.

— Sarah Clémence était mariée depuis peu à un nommé Mac quand sa mère et lui furent assassinés par un rôdeur. La mère étranglée, lui le crâne fracassé.

— Et le meurtrier a mis le feu pour effacer ses traces.

— Exactement. Vous l'avez appris par des journaux de l'époque ou alors...

Wellington s'humecta à son tour les lèvres.

— ... par la bouche de votre patiente !

— Oui, c'est le rêve qui la hante depuis qu'elle a l'âge de raison. Celui qui a poussé sa mère à l'orée de la folie et au suicide, pense-t-elle.

Wellington resta silencieux un long moment.

— Nous sommes en présence d'un cas tout à fait extraordinaire, Peter. Au-delà de ce que vous avez imaginé. Parce que les victimes ne sont pas n'importe qui.

Merrick entendit l'effarement dans sa voix et eut peur de ce qui allait suivre.

— Pourquoi ? Qui sont ces deux morts, Hiram ?

— La femme étranglée s'appelait Liberty McAllister. Elle avait un fils, Mac, le mari de Sarah, mais aussi une fille, beaucoup plus jeune.

— Grace, ça je le sais déjà.

— Oui, Grace. Mais ce que vous ne savez pas, c'est l'identité du mari de Liberty. Elle va vous surprendre : le père de Mac et de Grace n'était autre que... Emmet Wilton Hale.

À l'autre bout du fil, Merrick se leva de son fauteuil, les traits tendus.

— Comment est-ce possible ? E. W. a habité à cette époque à Cleveland, puis à New York.

— Je ne sais rien de plus. Liberty McAllister Hale et Mac Allister Hale ont été tués. Sarah Clémence Hale, qui était alors enceinte, a perdu son bébé et quasiment la raison pendant des années. C'est pour elle, sa belle-fille, que Hale a fait venir Jeremiah Holstein à Saratoga et a financé la construction de Liberty Park.

— Qui a assassiné la femme et le fils de E. W. ?

— Ça, personne ne le sait. Le double meurtre reste encore à ce jour non élucidé.

Merrick secoua la tête.

— Grace le sait. Elle était là au moment des faits, elle a tout vu.

— Et Callie *est* Grace, ajouta lentement Wellington. Vous avez réalisé ce que cela signifie, n'est-ce pas, Peter ?

— Je pense, oui.

— Si Callie est la dépositaire de la mémoire de Grace, alors *Callie Jamieson est une Hale.*

— Qu'est-ce que c'est encore ?

— Madame, c'est un monsieur de la police qui a apporté du matériel de golf de M. Wilty. Il dit que vous êtes au courant.

— Évidemment. Rangez-le avec ma valise pour Long House. Ou plutôt non, apportez-le-moi. Et préparez mon jacuzzi.

Carolyne récupéra avec un sentiment de triomphe les seuls objets que la police avait bien voulu laisser sortir de l'appartement de son fils (et encore, parce qu'elle n'était pas passée par Chapin et Alvarez...). Tout le reste avait été déclaré « en investigation permanente ». Grotesque !

Elle sortit de leur housse les clubs de golf les plus anciens, ceux qui avaient appartenu au patriarche. L'un d'eux portait un nom sur son manche : *Liberty.* Encore une lubie du Vieux ! Claquer son fric dans un asile pour dingues... quelle ineptie !

Elle brandit le putter et le fit siffler dans l'air, comme pour tirer un trait sur le passé. Dire qu'aujourd'hui elle était l'unique dépositaire des clefs du royaume... Tous les Hale étaient morts, mais elle, elle était toujours là ! Elle qui était née dans le ruisseau et qui n'avait pas une goutte de sang Hale dans les veines. Quelle revanche !

Carolyne éprouvait un jouissif sentiment de puissance en serrant entre ses mains le club de golf du dernier des titans, du père fondateur de l'empire Hale. Elle le serra si fort qu'il se cassa en deux.

Elle s'était figée de stupeur, un morceau de club dans chaque main, quand elle vit un rouleau de papier qui sortait du manche. Le putter ne s'était pas brisé mais ouvert comme une canne-épée. Sauf que le destin venait de lui donner en cadeau une arme autrement plus dangereuse, comprit-elle, le cœur battant.

Avant même de l'avoir déplié, Carolyne sut ce qu'était ce document. C'était donc là que Wilty l'avait caché... Logique, admit-elle. Le secret du Vieux caché dans le club du Vieux... Elle aurait pu y penser plus tôt.

Les jambes coupées, elle s'assit pour déchiffrer les pattes de mouche qui couraient sur le papier un peu jauni.

Je soussigné, Charles Hale, sur le point de libérer le monde de ma misérable personne, signe par la présente mon dernier aveu. Pardonne-moi, mon Père, parce que j'ai péché...

C'était long, et ampoulé, et larmoyant à en donner la nausée ! soupira Carolyne, et tout ça pour aboutir à quoi ? À rien, ou presque. Wilty avait raison : Charles tournait autour du pot sans livrer clairement le « lourd secret » de E. W. Il se contentait de répéter sans autre explication : « *Je ne mérite pas de porter le nom de Hale.* » Et de pleurnicher qu'en essayant de réparer la « *très grande faute* » de son père il avait fait bien pire : « *J'ai commis l'irréparable...* »

Après avoir lu le billet pour la troisième fois, Carolyne envisagea très posément de le brûler dans la cheminée. Son avocat, cette chiffe molle de Harlan Whiteside, l'avait prévenue qu'une copie au moins circulait déjà. Et pas n'importe où : dans les mains de la justice...

— Votre fils avait confié une copie à son ami Me Kalikow, lequel l'a remise au juge. Un avis de recherche des descendants potentiels de E. W. Hale a été lancé. La succession est bloquée jusqu'à ce que la cour constate – c'est la procédure – que tout a bien été mis en œuvre pour retrouver les héritiers légitimes, s'il y en a...

Il n'y en aura pas, se jura Carolyne.

Elle n'avait aucun moyen de vérifier si Wilty avait fait d'autres copies, mais au fond, quelle importance ? Elle détenait maintenant l'original, et il n'y avait aucun risque qu'il finisse sur le bureau du juge, celui-ci ! Or, sans lui, pas de datation scientifique possible de la lettre de feu Charles-le-suicidaire, et donc pas d'authentification absolument sûre.

Aucun tribunal au monde ne donnerait l'héritage Hale à un obscur « prétendant » sorti d'une pochette-surprise ! Dans le pire des cas, on assisterait peut-être à un long procès, avec des batailles d'experts à n'en plus finir, mais elle emporterait finalement le morceau parce qu'elle ne pouvait pas perdre.

Carolyne froissa l'original dans sa main, un mauvais sourire aux lèvres, et craqua avec délectation une grande allumette.

Quand la lettre d'adieu de Charles fut réduite à un minuscule tas de cendres, elle les dispersa méticuleusement dans l'âtre du bout de la canne de golf du Vieux, puis sonna Lourdes. Elle avait besoin de boire quelque chose de fort.

— Vous m'apporterez un brandy dans mon jacuzzi.

26

Toute nue, son verre à la main, elle descendit dans le jacuzzi, soupirant de bien-être au contact de l'eau tiède et vaporeuse propulsée par les jets d'eau rotatifs. L'hydro-massage préréglé enveloppait ses pieds, ses chevilles, ses jambes... Elle avala les trois quarts de sa boisson, puis cala sa nuque, ferma les paupières et se perdit dans un monde de luxe, de calme et de volupté.

Elle rouvrit les yeux. La tête lui tournait, elle se sentait... bizarre.

Le front en sueur, elle posa son verre sur le rebord, sortit du jacuzzi et commença à claquer des dents, le corps parcouru de frissons.

Grelottante, elle se replongea vite dans la bienfaisante chaleur du bain, attendant que son malaise passe.

Il ne se dissipait pas, au contraire. La vapeur accroissait sa sensation d'étouffer. Elle voulut sortir de l'eau, mais son cerveau était comme embué, ses membres engourdis. Elle essaya de respirer calmement pour ne pas céder à la peur qui la gagnait, mais il faisait si lourd, elle était si lasse... Ses yeux se fermèrent malgré elle.

Elle les rouvrit précipitamment en se sentant couler. Elle avait de l'eau plein le nez, plein la bouche. Cette maudite vapeur la faisait suffoquer. Paniquée, elle tâtonna derrière elle pour couper les pompes, finit par trouver les commutateurs, les inversa.

Il y eut un éclair bleuté, un hurlement. Puis plus rien.

Paula était morte.

Il n'y a pas qu'au théâtre qu'on frappe les trois coups. Ce soir-là, le bureau des inspecteurs Chapin et Alvarez reçut trois coups de téléphone urgents à la suite, de gravité croissante.

Jorge décrocha les trois fois. Au premier appel, il leva un sourcil goguenard.

— Shakespeare fait des siennes...

Gus, le barman de *L'Onyx*, les prévenait qu'un Ben Schirmerhorn complètement allumé était en train de faire du grabuge, histoire de savoir qui avait « jeté son honneur en pâture aux poulets »...

Ezra hocha la tête.

Au deuxième appel, Jorge fronça les sourcils.

— Shakespeare est dans le pétrin...

Le laboratoire les informait que les empreintes trouvées sur les « remèdes miracles » qui avaient tué Vanna Larkin étaient celles de Ben Schirmerhorn. On allait délivrer un mandat d'arrêt contre lui.

Ezra se frotta le menton.

Au troisième appel, Jorge pâlit et resta muet.

Ezra eut un sombre pressentiment.

C'était le shérif des Hamptons, Lester Hancock, qui les appelait de la part de Callie Jamieson pour leur signaler un « accident mortel suspect ».

Callie restait prostrée dans un coin de la pièce d'eau, recroquevillée près du cadavre étendu sur le carrelage. Du drap qu'on avait finalement tiré à sa demande sur le corps nu de Paula dépassaient ses cheveux et ses pieds nus.

Tout autour du jacuzzi, l'équipe de la police scientifique et technique accomplissait sa macabre besogne. Par égard pour Callie, qu'ils observaient à la dérobée avec un peu d'inquiétude, ils s'efforçaient de se faire le plus discrets et délicats possible. Mais elle n'aurait pas même remarqué un régiment de hussards déchaînés.

Callie ne voyait que Paula flottant à plat ventre dans le jacuzzi, telle qu'elle l'avait découverte en débarquant là la bouche en cœur.

Épuisée d'avoir trop pleuré, trop crié, Callie n'était plus

qu'une boule de chagrin, le visage empreint d'une expression où se lisaient à la fois l'incrédulité, la désolation et – pis encore – la culpabilité.

Le shérif réussit finalement à l'entraîner dans le salon, où elle se blottit dans un coin de canapé. À peine arrivé sur les lieux, le médecin avait voulu lui administrer un tranquillisant, mais il s'était heurté à son refus. Callie avait besoin de ressentir chaque coup de poignard que lui causait la mort de Paula.

Elle croyait avoir versé toutes les larmes de son corps quand une nouvelle vague de sanglots la submergea à la vue d'Ezra et de Jorge Alvarez.

Jorge lui exprima toute sa sympathie avant de s'écarter juste assez pour entendre ce qu'elle avait à dire sans toutefois lui imposer sa présence.

Ezra s'assit à côté de Callie. Ils ne s'étaient pas revus depuis la nuit qu'ils avaient passée ensemble, et il leur avait fallu ces sinistres circonstances pour se retrouver… Que dire ? Les phrases toutes faites qu'il tournait dans sa tête lui paraissaient vides de sens, banales, stupides. Aussi s'abstint-il, se contentant de la prendre par l'épaule et de la bercer doucement.

La joue collée contre son torse, elle pleura sans bruit.

— Tu te rends compte que c'est moi qui aurais dû être à sa place ? murmura-t-elle enfin.

Ezra déglutit difficilement, pesant la gravité de la situation et la signification de ce tutoiement nouveau.

La lampe orange posée sur la table cuivrait de doux reflets les cheveux de Callie. Il les caressa tendrement tandis qu'elle lui racontait d'une voix hachée :

— C'est moi qui devais être ici la première… dans l'après-midi… Mais j'ai fait des recherches sur le net… sur la Veuve… Ça m'a pris beaucoup de temps. Et je suis partie en retard ! Quand je suis arrivée… oh, Ezra !

Elle hoquetait, revivant le spectacle abominable qu'elle avait eu sous les yeux.

— Toutes les lumières étaient allumées… il y avait de la musique. Ma bouteille de punch avait été ouverte… J'ai appelé, mais Paula n'a pas répondu. Alors je l'ai cherchée partout… jusqu'à ce que je la trouve… Quelle horreur !

J'étais terrifiée. J'ai appelé police secours, tout de suite, mais j'étais tellement paniquée que je n'ai même pas essayé de lui porter secours. Ezra ! peut-être Paula était-elle encore vivante, peut-être...

Il interrogea des yeux Jorge, qui posa une question au shérif et secoua la tête.

— Callie, Callie, ne culpabilise pas, tu ne pouvais plus rien faire pour elle, chuchota Ezra. Elle était déjà morte...

Alors qu'elle fondait à nouveau en larmes, un bruit de dispute monta de l'entrée. Sourd aux protestations du planton qui lui réclamait ses papiers, un homme d'une cinquantaine d'années s'engouffra dans la maison en hurlant les noms de Callie et Paula.

Ezra et Jorge le virent débouler dans la pièce, défait, hagard. Son œil embrassa la scène en un éclair, et il se précipita vers Callie qui lui ouvrit les bras.

— Papa !

— Ma petite fille ! Tu n'as rien ?

Ezra fit signe aux hommes du shérif que tout était sous contrôle, et rejoignit Jorge qui discutait à voix basse avec Lester Hancock.

Un voisin avait déclaré avoir vu une voiture noire stationnant le long du trottoir, en contrebas du cottage, en fin d'après-midi. Il ne s'était pas étonné parce qu'il y avait toujours du mouvement le week-end, depuis que des journalistes du *City Courier* louaient le pavillon à tour de rôle. Quand Paula Stein était arrivée, la voiture avait déjà disparu.

— Si ce n'était pas un accident, je dirais que le suspect a préparé son coup, conclut Hancock.

— Ce n'est certainement pas un accident, déclara Jorge. Il a bien préparé son coup. À un détail près...

— ... il n'a pas tué la bonne personne, acheva Ezra. Le coroner a déterminé la cause du décès de Paula Stein ? Noyade après absorption de barbituriques ?

Lester Hancock avait un peu de mal à s'y retrouver.

— Non, électrocution. Après une incroyable défaillance du système de pompes du jacuzzi...

Incroyable était le mot, pensèrent Ezra et Jorge en échangeant un autre regard entendu. Voilà qui rappelait comme deux gouttes d'eau l'« accident » de Cole Hale. *Delwin Campbell !* songeaient les deux hommes. Après la défenestration de Wilty, il serait revenu à ses premières amours...

Ezra se fit confirmer par le shérif qu'il y avait de l'alcool près de la victime.

— Vous enverrez le verre et la bouteille au labo.

Hancock partit s'en occuper sur-le-champ, ajoutant qu'il en parlerait au médecin légiste.

— Tu penses que Devy est dans le coup ? demanda Jorge.

— Je pense... à beaucoup de choses, marmonna Ezra. Et d'abord que l'eau et l'électricité composent un cocktail encore plus détonant que les médicaments et l'alcool.

— Oui, mais l'électrocution programmée n'est pas la méthode la plus facile pour éliminer quelqu'un. C'est très compliqué si l'on veut être sûr de son coup.

La mâchoire d'Ezra se durcit.

— Seulement si on ne s'y connaît pas. Pour un petit génie de l'électronique comme Campbell, c'est un jeu d'enfant. Et la plupart du temps, ça ne laisse pas de traces.

— À moins d'avoir créé un précédent... comme Cole.

— Alors, ça devient une marque de fabrique, approuva Ezra.

Plus les techniciens diraient que les préparatifs de l'électrocution avaient été sophistiqués, quasi indécelables, plus il y verrait la signature de Campbell.

Ils regardèrent en silence les ambulanciers emporter le corps de Paula dans une housse mortuaire. Soutenue par son père, Callie faisait peine à voir.

— Pauvre gosse, elle a l'air salement touchée, murmura Jorge qui, en ces circonstances, n'avait plus rien d'un tank.

— Oui...

Ezra ressentit une furieuse envie de la prendre dans ses bras et de massacrer celui qui la faisait pleurer. Qui avait froidement prévu de la rayer du nombre des vivants, comme il avait assassiné Cole, Hunt et Wilty.

Il attrapa le bras d'Alvavez.

— Tu voulais savoir ce que je pensais, Jorge. Eh bien, je me dis que Campbell savait que Callie serait arrivée ici avant son amie Paula, s'il n'y avait pas eu ce changement de dernière minute. Qu'il savait qu'elle boirait un verre de cette bouteille de planteur et pas autre chose. Qu'il savait qu'elle se délasserait dans le jacuzzi. Alors, de deux choses l'une : ou ce type devrait commercialiser ses dons de médium, ou...

— ... ou il a les oreilles qui traînent. Tu crois qu'il s'est arrangé pour la mettre sur écoute ?

— Je passerai chez Callie aux aurores, et j'en aurai le cœur net.

Il était deux heures du matin quand Ezra rentra chez lui. Trop énervé pour dormir, il passa le reste de la nuit à lire le journal de E. W., année 1900.

Elizabeth Winters n'avait pas exagéré : beaucoup de réponses s'y trouvaient. *Presque* toutes.

Le jour pointait quand la sonnerie lancinante de son portable tira Carolyne du sommeil. Sa main tâtonna sur la table de nuit, attrapa l'appareil et le porta à son oreille.

— On a un problème...

Encore brumeuse la seconde d'avant, elle se dressa instantanément sur son séant, les yeux grands ouverts dans le noir.

— Un problème... de quel genre ?

— Un *gros* problème. Et même deux. Cette fois, vous feriez bien de vous bouger les fesses et de rappliquer vite fait où vous savez !

En début de matinée, Ezra sonna à la porte de Callie. C'est son père qui ouvrit.

— Ezra Chapin ? C'est donc vous ? l'accueillit cordialement Bill, en le faisant entrer. Nous nous sommes croisés hier soir, mais...

— ... le moment se prêtait mal aux présentations, acheva Ezra en lui serrant chaleureusement la main. Ravi de faire enfin votre connaissance, monsieur.

L'appartement était toujours sens dessus dessous. Bill expliqua qu'il n'avait pas voulu laisser Callie seule chez elle, qu'il avait préféré passer la nuit sur le divan, par mesure de sécurité.

— C'est terrible... Paula et elle étaient si proches, depuis si longtemps, déplora-t-il. Quelle perte cruelle pour Callie, et aussi pour moi !

Ezra lui présenta toutes ses condoléances, puis regarda dans la direction de la chambre à coucher, dont la porte était ouverte.

— Monsieur Jamieson... où est Callie ?

— Elle est partie à l'aube. Impossible de la retenir.

— Où est-elle allée ?

— À Saratoga Springs.

L'expression de l'inspecteur acheva d'alarmer un père déjà passablement inquiet.

— Elle est allée vérifier un point au sujet d'une enquête qu'elle mène, grommela-t-il, conscient que sa fille ne lui avait pas tout dit et qu'il aurait dû la retenir de force. Une enquête sur Wilty Hale.

Ezra leva les yeux au ciel – et c'est alors qu'il l'aperçut. Un minuscule reflet tout à fait incongru dans un angle de plafond. Sous l'œil ahuri de Bill Jamieson, il s'empara d'une chaise, monta dessus et fit glisser ses doigts derrière la moulure de plâtre.

Il lâcha un juron en retirant délicatement une caméra sans fil pas plus grosse qu'une boîte d'allumettes ! Un vrai prodige de la technologie qui expliquait bien des choses... Callie était plus que sur écoute : elle était carrément sous vidéosurveil-lance ! Il y avait à coup sûr d'autres sales « mouchards » de ce genre dans la chambre, et peut-être même ailleurs.

Blanc de colère, il sauta de la chaise en cherchant à se rappeler sa dernière conversation avec Callie, ici même, entre l'agression du matin et le cambriolage du soir. De quoi avaient-ils discuté ? Voyons... C'était juste avant d'aller visiter l'exposition des « Derniers des titans de l'Amérique »...

Ah oui, ça lui revenait : ils avaient parlé de Devy, de Camp-bell – enfin, du tatoué puisqu'ils ignoraient encore son nom –, de Victoria Moore et du manuscrit perdu de 1900. Rien que ça ! En moins de dix minutes. C'était dire tout ce que l'Ennemi savait depuis qu'il espionnait Callie...

« On » l'avait écoutée organiser son week-end avec Paula. Pas besoin d'être médium ! Le lieu et l'heure du rendez-vous, le jacuzzi, la bouteille de punch... tout ! « On » avait tout entendu.

Sans s'en rendre compte, Ezra avait commencé à faire les cent pas.

Cette nuit, Campbell – on ne lui ôterait pas de l'idée que c'était lui ! – avait dû tirer une drôle de tête devant son écran en voyant Callie rentrer chez elle, bien vivante. Et ce matin...

Bon sang ! Ce matin, Campbell l'avait entendue expliquer à son père où elle allait ! *Callie était en danger !*

— Inspecteur, vous me faites peur..., déclara Bill, ne sachant comment interpréter son silence. À quoi pensez-vous ? On dirait que vous avez vu un fantôme !

Si ce n'était que ça !

Ezra secoua la tête et consulta sa montre.

— Je reviens dans une minute. Laissez-moi juste le temps de passer un coup de fil.

Il se rua à l'extérieur de l'appartement, à l'abri de l'œil inquisiteur d'éventuelles autres caméras, et appela Jorge sur son téléphone cellulaire.

— Eh ben, ouf ! Pas fâché de t'entendre ! soupira Alvarez.

— Que se passe-t-il ?

— Schirmerhorn est mort. Hier soir, pendant que nous étions dans les Hamptons, il a appelé les stups pour leur proposer un deal : il reconnaissait avoir trempé dans un trafic de drogue organisé par l'inévitable Dr Devy et leur livrait ce dernier, en échange de quoi la justice n'oublierait pas les services rendus. Le problème, c'est qu'on a retrouvé le pauvre Shakespeare par terre dans sa salle de bains, comme Vanna, avec dans le sang une dose de « cocktail Devy » à tuer un bœuf.

— Bon, je suppose que les stups sont sur les dents.

— Cette fois, Devy a liquidé son dernier patient. Sa tête est mise à prix du Maine à Miami.

— Bien.

Ezra semblait un peu ailleurs, ce qui n'était pas sans inquiéter Alvarez.

— Où est Callie ? demanda-t-il.

— En route pour les ennuis.

Ezra lui parla des caméras miniatures, insistant sur le prix astronomique d'une telle installation de surveillance.

— Que ce soit ruineux ne nous aide pas beaucoup, remarqua Jorge. Devy, Carolyne Hale, Peter Merrick... ne sont pas vraiment sur la paille ! Tiens, à propos de ces deux-là, j'ai épluché leurs derniers appels téléphoniques. Et tu sais la meilleure ?

— Non, quoi ? le pressa Ezra, nettement plus intéressé.

— La Veuve couche avec Merrick... Si, si, mon vieux ! Et aussi avec son avocat. Et aussi avec ce microbiologiste que tu as vu à la télé...

— Guy Hoffman ? Tu en es sûr ?

— Affirmatif. Cette femme a du tempérament, je l'ai toujours dit. Merrick aussi connaît Hoffman, mais moins intimement ! Ah, autre chose : Merrick a téléphoné hier à Saratoga Springs.

Ezra sursauta en entendant le nom de la ville où en ce moment même Callie fonçait tête baissée.

— Ça sent le roussi ! Qui a-t-il appelé là-bas ?

— Hiram Wellington.

— De mieux en mieux ! Et c'est tout ?

— Presque : juste encore un micmac dans le labo de microbiologie de Guy Hoffman. Ce matin. On lui a dérobé un sérum ou quelque chose dans le genre.

Le P 316 ! Les cheveux d'Ezra se dressèrent sur sa tête.

— On lui a volé quoi ?

— On n'en sait trop rien. Il paraît qu'il a piqué une véritable crise au téléphone. On ne comprend pas un mot de ce qu'il raconte, il est dans tous ses états.

Il n'y a pas que lui ! songea Ezra.

— Jorge, appelle le juge et débrouille-toi pour obtenir un mandat de perquisition concernant le cabinet de Merrick. Moi, je fonce à Saratoga.

— Minute, papillon ! Pas question de te laisser jouer tout seul au preux chevalier volant au secours de sa belle en détresse. Moi aussi je veux mettre mon armure étincelante pour sauver la veuve et l'orpheline – enfin non, rectification – pas la Veuve ! En plus, je n'ai jamais mis les pieds à Saratoga et, à ce qu'on dit, c'est la belle saison pour la pêche...

— Ou plutôt la chasse ! O.K., rendez-vous à l'aéroport.

— Allô ? Hiram ? Carolyne Hale à l'appareil. Dites, je suis en route pour Long House et j'ai envie de faire une petite halte à Liberty Park... Comment ? Oui, bien entendu, nous pourrons parler de vos futures subventions... Vous serez là ? Parfait. À tout à l'heure, alors.

Mort d'inquiétude pour sa fille adorée, Bill Jamieson faisait peine à voir. À vouloir trop le protéger, elle n'avait fait que l'angoisser davantage.

Ezra jugea préférable de l'emmener avec lui retrouver Callie à Saratoga plutôt que de le laisser, seul dans cet appartement saccagé, se ronger les sangs en guettant la sonnerie du téléphone.

Sur le chemin de l'aéroport, il s'interrogea longuement sur ce qu'il fallait ou pas lui révéler. Finalement, il pensa que le malheureux avait pleinement le droit de savoir que quelqu'un essayait de tuer sa fille. En le ménageant au maximum, il lui fit rapidement un point sur la situation. Mais – malgré ses efforts – son débit et sa voix trahissaient sa nervosité intérieure, son anxiété.

Quand, pour la dixième fois, il ordonna au chauffeur de taxi de rouler plus vite (« Foncez ! Et ne vous souciez pas des flics : on est de la maison ! »), Bill n'eut plus l'ombre d'un doute : ce garçon était amoureux fou de Callie, ça crevait les yeux.

— Ezra – vous permettez que je vous appelle Ezra ? –, quand vous dites que vous avez trouvé des réponses dans le journal de E. W. Hale, vous faites allusion à quoi ?

— Depuis le début, Callie le soupçonnait d'avoir eu une double vie. Le journal de l'année 1900 le confirme. E. W. avait bel et bien une seconde famille, avec femme et enfants. Son épouse s'appelait Liberty. Et c'est son fils Mac qui se maria avec la Sarah que Cal...

La main de Bill s'abattit sur son avant-bras.

— Qu'est-ce que vous dites ? Mac était le fils de E. W. ?

— Oui, comme Grace était sa fille.

Le visage fatigué de Bill vira au livide.

— Qu'y a-t-il ? s'inquiéta Ezra.

— Hier, Callie a eu une autre séance d'hypnose avec Peter Merrick et...

— Elle y est retournée ! Quelle imprudence ! Mais excusez-moi, je vous ai coupé. Vous disiez ? Merrick...

Décidément, ce garçon lui plaisait, songea Bill en se remettant un peu de sa stupeur.

— Il a fait « régresser » Callie jusqu'à ce jour fatal où l'Étranger a tué les Gens gris. Et elle lui a raconté tout ce que vous avez découvert dans le journal de 1900... plus l'essentiel ! Quand Merrick lui a demandé qui était Sarah, elle a répondu « la femme de Mac ». Mais quand il lui a demandé qui était Mac...

— Eh bien, qu'a-t-elle répondu ?

— « Mon frère ». Callie *est* Grace !

— Callie *est* Grace..., répéta lentement Ezra, l'esprit en déroute.

Voilà pourquoi elle avait reconnu Sarah Clémence à la galerie : c'était sa belle-sœur... Voilà pourquoi elle s'était trouvée mal à Liberty Park : c'était le théâtre du drame... Voilà pourquoi elle avait identifié la musique jouée aux funérailles de E. W. : c'était l'enterrement de son père...

Il se figea, les yeux fixes, saisi par ce qu'il venait de comprendre. *Pour avoir hérité des souvenirs d'une Hale, Callie était forcément une Hale ! Elle avait du sang Hale dans les veines...*

À un embranchement de son arbre généalogique, une de ses ancêtres maternelles (puisque ses rêves lui venaient de sa mère et de sa grand-mère) lui avait transmis du sang Hale. C'était si énorme, si lourd de menaces pour Callie qu'Ezra se décomposa.

— Monsieur Jamieson, vous êtes *sûr* de ce que vous avancez ?

— Certain : j'ai écouté l'enregistrement qu'a fait Callie de sa séance de psychan…

— Hein ? où ça ? quand ?

— Mais… chez elle, très tôt ce matin.

— Et vous ne l'avez pas écouté au casque ? Ezra, appréhendant déjà la réponse.

— Non, pourquoi ?

Mais il avait à peine formulé cette question qu'il mesurait l'ampleur du désastre… La caméra cachée, le micro ! Sans le savoir, il avait livré à l'Ennemi une information capitale…

Les doigts d'Ezra pianotaient frénétiquement sur ses genoux, résultat de l'électrochoc qu'il venait de subir. Callie avait un gros problème. « Ils » savaient maintenant qu'elle était une Hale…

— Nous devons la retrouver, articula Bill, effondré.

— Ne vous inquiétez pas, nous la retrouverons.

— Mais où ?

— À Liberty Park, répondit Ezra en se fiant à son intuition. C'est là que tout a commencé dans le gris et l'orange. C'est là qu'elle veut se libérer de ses démons une bonne fois pour toutes.

— Nous voici à l'aéroport. On sera vite sur place ?

— Très vite.

Mais *assez* vite ? Et surtout, *les premiers* ?

27

L'œil fixé sur le clocher du village, Callie bifurqua sur East Galway, à seize kilomètres à l'ouest de Saratoga Springs, et se gara à côté de la petite chapelle où Sarah Clémence avait épousé Jeremiah Holstein cent dix ans auparavant.

Callie ne savait pas au juste ce qu'elle espérait découvrir là, mais elle n'avait pas oublié le sentiment de déjà-vu qu'elle avait éprouvé en lisant le certificat de mariage de Sarah : elle avait d'emblée *su* où se situait East Galway, alors qu'elle n'en avait jamais entendu parler.

En cours de route, elle avait téléphoné au syndicat d'initiative pour demander un rendez-vous avec la femme qui s'occupait des visites. Il était convenu qu'elles se rejoindraient sur place. La dame en question n'était apparemment pas là, mais elle avait laissé la clef sur la porte.

Callie pénétra timidement dans la chapelle déserte, qui rappelait, en plus petit, les jolies églises en bois de bout de Norvège. Comme elle marchait vers l'autel, elle eut subitement l'impression qu'on la suivait des yeux.

Elle regarda à droite, à gauche : *ils* étaient tous là, assis sur les bancs en famille, les hommes en veste de velours noir, leurs chapeaux sur les genoux ; les femmes en bonnet, robe à manches gigot, la taille bien corsetée ; les petits garçons avec leurs cheveux gominés, et leurs sœurs coiffées avec des nattes ou des anglaises.

Callie continua à avancer vers l'autel, les jambes tremblantes, comme si elle venait de faire un très long voyage. Et c'en était un : elle avait fait un bond de plus d'un siècle en arrière. Il lui sembla percevoir dans son dos un mouvement

306

de foule et un bruit de pages qu'on tournait... Elle jeta un œil par-dessus son épaule en direction des bancs vides, et vit en filigrane l'assemblée des fidèles debout, chacun feuilletant son missel pour entonner un cantique avec ferveur.

Puis tout disparut d'un coup. Elle était à nouveau seule.

Elle était à nouveau aujourd'hui.

Elle était à nouveau Callie.

Deux grands livres étaient posés bien en évidence sur la chaire, avec un message « *À l'attention de la journaliste C. Jamieson* ».

Un imprévu me prive du plaisir de vous rencontrer comme convenu. J'ai juste eu le temps de vous sortir les registres des années qui vous intéressent : 1863 et 1894. J'espère que vous y trouverez ce que vous cherchez. Vous n'aurez qu'à refermer la porte de la chapelle en partant et déposer la clef au syndicat d'initiative. Encore toutes mes excuses pour ce contretemps... Bonne recherche !

Callie laissa ses doigts effleurer rêveusement la reliure de velours un peu fanée du premier livre. Il portait en titre gravé sur la tranche *Registre des mariages célébrés en l'An de Grâce 1863*. L'année où avait été prise la photographie montrant E. W. Hale souriant à la vie au bras de la jeune Liberty McAllister.

En commençant par le 1er janvier, elle parcourut une à une les pages couvertes d'une écriture minuscule aussi « datée » que le style, jusqu'à tomber sur ce qu'elle cherchait :

East Galway, comté de Saratoga, État de New York : en ce jour, seizième de mars de l'année 1863 après la Naissance de Notre-Seigneur, Liberty McAllister et Emmet Wilton Hale se sont unis devant Dieu.

Voilà donc ce que faisait E. W. pendant ces « années obscures » : il courtisait une jolie fille de Saratoga Springs et l'épousait en 1863.

Selon ses biographes, Hale était retourné à Cleveland dès la fin de l'année suivante. Et cinq ans plus tard, en 1869, il demandait – et obtenait – la main de Winifred Huntington Colfax...

Callie contempla d'un air songeur les signatures des deux époux de 1863. La jeune Liberty était-elle morte peu de temps après son mariage ? Winifred avait-elle épousé sans le savoir un veuf ou un divorcé ? Le « grand secret » de E. W. aurait été ses premières noces ? La belle affaire ! Ce n'aurait pas été le premier homme à cacher qu'il avait déjà convolé.

Mais selon son journal et d'autres sources, Hale était souvent retourné à Saratoga *après* avoir épousé Winifred. *Pourquoi*, si ce premier mariage avait appartenu au passé ? *Pour une autre ?* Cette Sarah pour qui il avait conçu et bâti une institution... baptisée *Liberty* Park en souvenir ou en hommage à sa première femme ? Sarah avait-elle été sa maîtresse ?

Callie referma le livre sans avoir obtenu de réponse et ouvrit le second registre, celui de 1894, l'année où Sarah Clémence avait épousé le Dr Jeremiah Holstein.

À la date du 6 novembre, elle découvrit leurs signatures... ou plutôt elle les *reconnut.*

Callie caressa du doigt l'encre jaunie par les ans avec l'invraisemblable certitude d'avoir déjà vu cette page... et même de l'avoir signée ! Elle baissa les yeux et frémit en avisant, sous le paraphe des deux époux, les signatures des témoins du mariage : *Emmet Wilton Hale* et *Grace Clémence.*

Callie donna son nom au gardien et attendit. Au bout de quelques minutes, le grand portail en fer forgé s'ouvrit. Elle remonta l'interminable allée de sable ocre en pressant le pas pour arriver au bout avant de perdre tout son courage.

Il émanait de cet endroit des ondes néfastes. Plus elle avançait, plus elle regrettait l'absence d'Ezra à ses côtés. Cette fois, elle ne pourrait pas compter sur lui pour la protéger. Mais il était trop tard pour reculer.

Hiram Wellington l'attendait en haut des marches, fidèle à son style guindé, mais le sourire aux lèvres.

— Mademoiselle Jamieson... Quelle bonne surprise !

affirma-t-il en lui serrant la main. Que me vaut ce plaisir imprévu ?

Tiens ! il se montre moins misogyne, aujourd'hui, nota Callie. Elle semblait même l'intéresser, à présent. Peut-être Merrick lui avait-il parlé d'elle...

— J'ai eu besoin de vous parler, professeur. Et aussi de revoir Liberty Park.

— Voulez-vous me suivre jusqu'à mon bureau ? Nous pourrions discuter en prenant un thé...

— Vous êtes très aimable, mais non, merci. Lorsque je suis venue la dernière fois, vous avez mentionné en passant l'existence d'un monument commémoratif de la tragédie qui a donné naissance à cet établissement. Une stèle, si je me rappelle bien.

— Votre mémoire est bonne. Il y a effectivement une stèle sur cette propriété.

— J'aimerais beaucoup la voir.

— Certainement, mais... puis-je vous demander pourquoi ?

Callie avait répété son scénario ; elle répondit :

— Professeur Wellington, pardonnez mon ignorance, mais j'ai appris hier seulement que vous étiez une sommité dans le domaine mnémonique. Sur le net, j'ai trouvé des références à vos nombreuses publications et conférences sur le sujet.

L'homme au nœud papillon se rengorgea.

— C'est ma foi vrai.

— Je suis personnellement suivie par le Dr Peter Merrick. Vous le connaissez, je crois ? Il me semble avoir lu quelque part qu'il vous avait eu pour mentor.

— C'est exact. Et Peter est bien le plus brillant de tous mes disciples ! Vous pouvez vous féliciter de l'avoir pour thérapeute.

— Il ne vous a pas parlé de moi ?

— Si nous allions voir cette stèle ?

Joignant le geste à la parole, Wellington s'éloigna en direction du parc. Callie lui emboîta le pas.

— Mademoiselle, pardonnez ma curiosité, mais ce pèlerinage à Liberty Park entre-t-il dans votre thérapie ? La dernière fois, si je ne m'abuse, cet endroit vous a vivement impressionnée... Croyez-vous qu'il soit bon pour vous d'y revenir ?

Il parlait d'un ton dégagé, presque badin ; pourtant, chacun de ses mots, elle en était persuadée, avait été choisi et pesé avec soin.

— Au cours de ma dernière visite à Saratoga Springs, j'ai eu plusieurs visions de scènes d'un autre temps. J'ai réagi émotionnellement à des événements que je n'ai pas vécus. J'ai su des choses que je n'aurais pas dû savoir au sujet de gens et de lieux qu'il m'était impossible de connaître. Tout se passe comme si cette ville, et plus particulièrement Liberty Park, décuplait mes capacités de...

Comme elle hésitait, il proposa :

— ... de *perception*. C'est très prometteur, ce que vous me dites là.

— Mais très déstabilisant. C'est terrible d'approcher la source même de ses cauchemars !

— Si c'est le cas, tant mieux, mon petit : vous allez enfin pouvoir vous en débarrasser.

Elle frissonna tandis qu'ils s'engageaient plus avant dans le bois.

— Ça ne va pas ?

— Les vibrations de cet endroit ont un étrange pouvoir sur moi, avoua-t-elle craintivement.

Hiram Wellington hocha gravement la tête.

— Vous croyez que ce monument commémoratif est lié d'une façon ou d'une autre à cette force hallucinatoire, n'est-ce pas ?

— Je ne sais pas. Et c'est ce que je veux découvrir.

— Vous avez raison.

Ils continuèrent à marcher en silence un petit moment dans les sous-bois, puis Callie s'immobilisa et fit face à son guide.

— Professeur, est-il vrai que certains psychothérapeutes profitent de ce que leur patient est dans un état de semi-inconscience pour « implanter » des noms et des images dans son cerveau ?

Il se raidit instantanément.

— Dans quel but ?

— Pour raviver une mémoire défaillante, pour combler

quelques « trous de mémoire »... Au réveil, les patients ont la bonne surprise de « retrouver » des souvenirs qui leur manquaient, et pour cause ! et tressent une couronne de lauriers à leur sauveur. Tout le monde est content...

— Absolument pas ! Jamais de la vie ! s'écria Hiram Wellington.

Il en vibrait d'indignation, le nœud papillon de travers.

— Les spécialistes de la mémoire, comme Peter ou moi, sont des scientifiques responsables et qualifiés. Notre éthique professionnelle, la déontologie, notre conscience nous interdisent de nous fourvoyer dans ce genre d'expérience !

— Vous êtes formel ? Le Dr Merrick ne se prêterait pas à de tels...

— Si vous aviez des soupçons à mon sujet, Callie, vous auriez dû m'en parler directement.

Callie se retourna d'un bond pour se trouver nez à nez avec Peter Merrick.

— Que faites-vous ici ? souffla-t-elle.

Les yeux d'un vert glacial du psychanalyste se rivèrent aux siens et elle eut l'impression qu'il la sondait jusqu'au fond de son âme.

— J'étais justement venu discuter de votre cas avec Hiram, mon cher maître et distingué confrère.

— Je suppose que Guy Hoffman lui aussi est l'un de vos distingués confrères ? risqua Callie d'une voix plus assurée que ses jambes.

L'eau verte de son regard se troubla.

— Oui, mais il n'a rien à voir avec vous, Callie.

— Ah non ? Pourtant, je me suis laissé dire que votre ami Hoffman a conçu une drogue miracle, un produit révolutionnaire qui, une fois injecté dans le sang du cobaye, force ses souvenirs à sortir de leur cage. Il paraît que ça marche avec les rats...

Il avait pâli, et elle y vit un aveu.

— Je ne suis pas une souris de laboratoire, docteur Merrick !

— Je n'expérimenterai jamais quoi que ce soit de dangereux sur vous, Callie. J'ai du mal à imaginer que vous puissiez même en douter une seconde !

Il avait l'air si sincère, si vertueusement outragé... Elle ne savait plus que penser.

— En outre, je n'ai que faire de drogue « miracle » : vous et moi avons accompli tout seuls de merveilleux progrès lors de notre dernière séance ! Vous êtes allée plus loin dans votre rêve que jamais auparavant, vous ne croyez pas ?

Il s'était rapproché d'un pas. Elle inclina la tête.

— Oui...

— Vous pouvez maintenant mettre des noms et des visages sur les êtres qui vous hantent. Il ne reste plus qu'à relier les fils entre eux... et vous.

Elle hocha à nouveau la tête. Il se rapprocha plus près encore, à la toucher.

— C'est ce que je veux réussir avec vous, Callie.

— C'est ce que je veux aussi.

Merrick se tenait juste devant elle, obstruant tout son champ de vision, comme pour mieux lui faire comprendre qu'il était incontournable, qu'il était son unique recours.

— Mon travail consiste à vous aider à régler le conflit sanglant qui vous torture depuis toutes ces années, affirma-t-il de cette voix apaisante, lénifiante, qu'elle connaissait bien. Et lorsque l'écho douloureux du passé se sera tu en vous, Callie, vous pourrez vous réconcilier avec le présent et sourire à l'avenir.

Il marqua un temps, puis ajouta :

— C'est là tout le mal que je vous souhaite.

Les yeux de Callie s'emplirent de larmes. Merrick lisait en elle à livre ouvert. Elle se trouvait sans défense. Peut-on résister au chant des sirènes ? Ses doutes, ses soupçons, tout s'effondrait devant la promesse qu'il lui faisait miroiter : celle de *renaître à la vie*...

— Mademoiselle Jamieson..., lui demanda doucement Wellington, voulez-vous continuer avec Peter jusqu'au mémorial ?

— Oui, croassa Callie.

Merrick le remercia du regard et revint à elle.

— Allons-y, Callie. Il est temps.

Ils marchaient tous les deux en silence. La forêt de coni- fères s'était refermée sur eux, occultant la lumière du soleil.

Enveloppée d'ombre, de l'odeur pénétrante des pins et de la résine, du bruissement des feuillages, du murmure des sources, du craquement du bois mort sous ses pas, du vent dans les branches, du chant d'oiseaux invisibles, Callie avait l'impression de franchir un passage initiatique et de fouler un sol sacré.

Elle avançait sans hésitation, cependant. Les yeux bandés, elle aurait retrouvé son chemin tant quelque chose l'attirait en avant. Elle savait aussi qu'il fallait éviter de s'approcher du ravin, tout là-bas. *On le lui avait assez répété, petite.*

Callie se rappela qu'une partie de Liberty Park donnait sur un ravin en à-pic. Elle l'avait lu dans le journal de E. W., parce que c'était ici qu'il avait effectué sa « descente au purgatoire ». Quand ce parc n'était qu'un territoire désolé enfoui sous la neige de la grande tempête et qu'il s'était perdu à cheval, se réfugiant dans une cabane glaciale où le vent montant du précipice avait hurlé trois jours et trois nuits.

Elle aussi allait descendre au purgatoire pour y tenter l'impossible : obtenir la paix de l'âme.

Des phrases entières de E. W. défilèrent dans sa tête, et il lui sembla qu'elles s'appliquaient à elle... *« J'ai retrouvé mon chemin sans trop de difficulté, mais le retour à l'ancien temps sera impossible, je le crains. Tout a tellement changé ! Là où il y avait de la chair, il ne reste que des ossements, et les rires ont fait place à des cris silencieux. »*

« Je crois que c'était la Volonté de Dieu que je revienne ici en ce moment. Il fallait que je côtoie la Mort pour aimer la Vie... Je remercie le Tout-Puissant de m'avoir envoyé cette Épreuve... quel que soit le prix à payer ! Parce que c'est la Voie par laquelle je trouverai aussi Grace... »

Ils débouchèrent enfin dans une clairière où se dressait une stèle de pierre.

Callie distingua la silhouette sombre d'un pan de mur en ruine, à moitié mangé par la végétation. Oppressée, elle remarqua en s'approchant que le lierre rampant ne parvenait pas à cacher la noirceur des pierres.

Ce mur avait été incendié, autrefois. C'était l'unique vestige d'une enceinte qui courait ici et là, tout autour de bâtiments de bois dont il ne restait rien.

Rien que des images arrachées au néant, rescapées de l'oubli, qui s'accrochaient à un pan de la mémoire de Callie comme des naufragés à un radeau.

Elle s'agenouilla près du mémorial, au milieu de ce qui avait été une écurie, et prit une poignée de terre dans chaque main.

Elle était arrivée à l'endroit exact où tout s'était passé, où tout avait commencé... mais où rien n'avait pris fin... *Au cœur du mystère*, lui soufflait la voix de sa conscience.

Dans l'œil du cyclone, gémissait son instinct de survie.

Elle ferma les paupières et se laissa envahir par ses visions intérieures.

Quand Callie rouvrit les yeux, elle se trouvait en terre connue, en un lieu où sa mère et sa grand-mère avaient vécu avant elle. Les Gens gris étaient là, mais pas tels qu'elle les voyait en rêve depuis son enfance : cette fois, en trois dimensions, assez proches pour qu'elle puisse leur parler – et assez grands pour qu'elle comprenne qu'ils étaient des adultes et elle une enfant.

Elle avait pénétré dans cet autre monde où elle était Grace, où elle vivait dans cette maison au milieu de sa famille.

Les trois Gens gris se disputaient dans l'écurie. Elle aussi s'y tenait, cachée derrière un gros tas de foin. C'est pour cela que ça sentait si fort et que le sol était si sale. Derrière elle, les chevaux raclaient la terre battue de leurs sabots et, quand ils hennissaient, elle n'entendait plus ce que disaient les grandes personnes.

Elle se tourna vers Crin d'or, son préféré, et lui souffla « Chut ! » en mettant un index sur ses lèvres. Crin d'or n'aimait pas les étrangers – elle non plus, surtout celui-ci ! Il avait l'air méchant, et il était rudement en colère...

L'Étranger gris avait clairement annoncé la raison de sa visite :

— *Le fait même que vous existiez est un affront à ma famille !*

Il parlait bien, mais ça n'avait pas l'air d'impressionner l'autre Homme gris, qui n'était autre que son frère Mac.

— *Je pourrais vous renvoyer la pareille !*

L'Étranger répondit avec mépris qu'on ne mélangeait pas les torchons et les serviettes. Il continua sur le même ton en lançant que Mac et sa mère n'étaient que des bouseux, qu'ils n'avaient rien en commun avec sa famille.

Grace tendit le cou pour mieux suivre la scène.

L'Étranger désignait d'un geste de dédain leurs vêtements de ferme et le cadre où ils se trouvaient, comme pour prouver leur infériorité.

— *Si c'est de l'argent que vous voulez, je suis disposé à vous verser une grosse somme. Une très grosse somme. À certaines conditions, bien sûr...*

— *Vous ramenez tout à ça. Ce n'est pas une question d'argent !*

L'autre rejeta sa tête en arrière et rit à gorge déployée, comme si Mac venait de sortir la plus drôle des plaisanteries.

— *Bien sûr que si. Je peux tout acheter, vous y compris.*

La Femme grise – qui était sa maman – aperçut Grace. Ses yeux turquoise jetèrent un éclair. De sa main cachée derrière ses jupes, elle lui fit impérativement signe de se cacher. Grace recula derrière sa botte de foin, mais elle ne s'éloigna pas plus.

Mac et l'Étranger s'affrontaient du regard, sur le point d'en venir aux mains.

Les yeux écarquillés, Grace vit sa mère s'interposer entre eux.

— *J'ignore le but de votre visite, jeune homme, mais si c'est pour insulter mon mari ou mes enfants, je vous prie de sortir d'ici immédiatement.*

L'Étranger recula d'un pas et se massa la nuque.

Grace sourit. Maman lui avait cloué le bec !

— *Vous n'allez pas du tout aimer ce que je vais vous dire, madame, mais sachez que je suis le fils d'Emmet Wilton Hale.*

Le sourire de Grace s'effaça, elle ouvrit des yeux ronds comme des billes. Ce n'est pas possible..., songea-t-elle. Le fils de papa, c'est Mac !

315

Sa mère aussi en restait bouche bée. Mac la prit par l'épaule.

— *Vous prétendez que vous êtes...*

— *Je ne prétends rien, je suis Charles Hale, le fils aîné de E. W.*

Mac et lui recommencèrent à se disputer de plus belle, mais Grace ne les écoutait plus. Elle essayait de lire les émotions qui passaient sur le visage de sa mère, et elles se succédaient vite : la souffrance, la colère, la tristesse, la peur...

Grace rampa vers d'autres bottes de foin d'où elle verrait mieux.

À présent, l'Étranger exigeait de savoir quand Liberty McAllister avait épousé E. W. Hale. Mac s'énervait, criant que ce jeune blanc-bec n'avait pas le droit de questionner sa mère.

Elle le fit taire, elle tenait à répondre.

— *Emmet et moi nous sommes mariés à East Galway le 16 mars 1863. Mon fils est né en 1864.*

L'Étranger serra les poings comme si elle venait de lui donner une paire de gifles avec ces deux dates.

— *Et quand avez-vous divorcé ?*

Mac eut un haut-le-corps. Il se tourna vivement vers sa mère, le visage tendu mais confiant.

— *Jamais, jeune homme. Mon mari et moi avons fait vœu de rester unis jusqu'à ce que la mort nous sépare.*

Liberty s'avança d'un pas.

— *Et vous, en quelle année êtes-vous né, « monsieur Hale » ?*

L'Étranger ne répondit pas. On l'aurait cru changé en statue.

— *Quand êtes-vous né, monsieur Hale ?*

À présent, le ton de Liberty était moins poli qu'insistant et chargé de défi.

— *1870,* lâcha-t-il d'une voix cassée.

Grace ne comprit pas exactement ce que cela signifiait, mais à voir leurs têtes à tous les trois cela avait l'air très important. Elle n'eut pas le temps de s'interroger, car c'est à ce moment-là que tout sombra dans l'horreur.

L'Étranger devient fou furieux. Je sors de ma cachette et pousse un hurlement. Il se retourne sur moi, menaçant. Oh, il est jeune ! Maman me crie de me sauver, vite, vite ! Mon frère le frappe à la tempe, l'autre lui donne un coup en pleine figure. Ils se battent comme des chiffonniers. Maman veut aider Mac, l'Étranger la pousse violemment sur un tas de bûches. Il y en a une qui roule à ses pieds, il la ramasse et frappe de toutes ses forces la tête de Mac. Maman et moi, on pousse un cri terrible. Mac s'écroule. Du sang coule de ses oreilles. Maman hurle encore plus fort, l'Étranger se jette sur elle, il la serre à la gorge pour la faire taire...

Tout n'est plus qu'une fournaise orange. J'ai les yeux qui piquent. Il y a des flammes partout. Crin d'or... il a la crinière en feu, il pousse un hennissement horrible ! Je n'arrête pas de hurler... je n'ai plus de voix. Tout brûle autour de moi. Je me dégage du corps inerte de maman. Je ne peux pas sortir d'ici, ni sauver les chevaux. On est prisonniers dans l'écurie. On va tous mourir. J'entends sonner une cloche. Je ne vois plus rien. Je n'arrive plus à respirer...

28

Peter s'agenouilla à côté du corps inanimé de Callie. Blanche et froide comme une morte, elle respirait avec difficulté. Il appuya deux doigts contre son cou, cherchant son pouls. Il finit par le trouver, mais il battait très faiblement.

Que faire ? La porter jusqu'au manoir ? Là, au moins, un personnel équipé et compétent pourrait le seconder. Mais c'était loin, ça allait lui prendre beaucoup de temps... Ou alors, courir chercher de l'aide – en espérant que son état ne s'aggraverait pas en son absence...

Un bruit de moteur lui épargna d'avoir à choisir entre ces deux options aussi mauvaises l'une que l'autre. Ouf ! Quelqu'un approchait par la route qui contournait le bois. Probablement Hiram, inquiet ou simplement curieux de voir comment les choses tournaient au mémorial.

Merrick distingua de loin un véhicule minuscule avec deux personnes à bord et leur fit de grands gestes.

— Par ici ! Venez vite !

La petite voiture – une golfette – fonça dans la clairière, conduite par un homme en blouse banche. Un infirmier. Mais la femme en pantalon à côté de lui n'était pas un médecin : c'était...

... Carolyne Hale !

Merrick cacha sa surprise de la voir à Liberty Park pour s'intéresser à son compagnon, qui s'était déjà emparé de sa trousse de secours.

— Le Dr Wellington m'a envoyé, expliqua celui-ci en se précipitant vers Callie. Il a pensé que vous pourriez avoir besoin d'assistance. Apparemment, ses craintes étaient fondées. Que lui est-il arrivé ?

— Elle s'est évanouie pendant une... Mais attendez ! Que faites-vous ?

L'infirmier venait de planter une aiguille dans le bras de la jeune femme et il lui injectait rapidement tout le contenu de la seringue, sans même avoir procédé à un examen préalable, ne serait-ce que sommaire.

Peter en eut un haut-le-corps.

— Que lui avez-vous administré ?

L'envoyé d'Hiram retira l'aiguille et jeta immédiatement la seringue vide dans sa trousse avant de répondre laconiquement :

— Adrénaline.

La colère de Merrick retomba légèrement. Cet infirmier avait l'air de savoir ce qu'il faisait. Dans de pareils cas, une injection d'adrénaline n'était pas une mauvaise chose. Cela allait accélérer le rythme cardiaque de Callie et lui infuser de l'énergie.

Il lui prit le pouls au poignet en scrutant attentivement son visage, y guettant le plus petit signe d'un retour à la normale, faute d'un regain de vigueur. Rien. Il ne se passait rien de tel.

Peter releva la tête, étreint par une sourde angoisse. Vu la dose que Callie avait reçue, elle aurait dû montrer une réaction.

— Vous êtes sûr que c'était de l'adrénaline ?

— Pour qui me prenez-vous ? Je sais ce que je fais, répliqua l'infirmier.

Comme pour bien signifier qu'il avait rempli sa mission et que pour lui tout était en ordre, il referma la trousse noire et la rangea dans la golfette.

Peter n'aimait pas du tout son attitude. Il chercha des yeux le badge de cet infirmier à la manque pour en parler avec Hiram, mais rien sur sa blouse blanche n'indiquait son nom.

De plus en plus inquiet, il se tourna vers Carolyne.

Elle attendait dans sa voiturette avec un air de profond ennui. Comme si le malaise dont était victime Callie n'était qu'un regrettable incident de parcours dans sa partie de golf.

— Que faites-vous ici, Carolyne ?

— Le monde est petit, mon cher. Je me rendais à Long House quand j'ai eu l'idée de faire un léger détour par Liberty Park pour discuter avec ce cher Hiram des subventions de l'année prochaine. Quelle surprise quand il m'a annoncé que vous étiez justement de passage ! Et comme il avait l'air ennuyé de vous avoir laissé tout seul avec une désaxée...

— Callie n'est pas une désaxée !

Elle lui opposa son sourire le plus suave.

— Je disais donc que ce pauvre Hiram avait l'air un peu dépassé. Plutôt que de le laisser appeler la cavalerie, j'ai proposé pour le rassurer de venir vous retrouver en compagnie d'un infirmier aussi compétent que fort en muscles... On ne sait jamais, quoi que vous en disiez !

Ses yeux se posèrent sur le corps inerte de Callie.

— J'étais loin de me douter que cette peste de journaliste était votre patiente. Vous auriez quand même pu me le dire ! Vous saviez que je ne l'aime pas...

En temps normal, Peter aurait rué dans les brancards, mais il avait d'autres chats à fouetter. L'état de Callie, qui ne s'améliorait pas du tout, le préoccupait avant toute chose.

Il retourna s'agenouiller auprès d'elle, réchauffa ses doigts glacés, la souleva doucement par les épaules, constata son absence totale de réaction – et celle de l'infirmier, qui assistait passivement à la scène, les mains sur les hanches.

— Ce n'est pas possible ! Quelle dose lui avez-vous injectée ?

Pour seule réponse, l'autre croisa les bras sur sa poitrine et redressa le menton dans une pose de gladiateur jaugeant son prochain adversaire.

Le regard affolé de Merrick courait de cet individu à Carolyne, cherchant à comprendre.

Il avait surpris des coups d'œil de connivence entre eux. Infirmier ou pas, cet homme était à ses ordres, et la visite de Carolyne ne devait rien au hasard. Elle n'était pas femme à sacrifier ne serait-ce qu'une minute d'un week-end à Long House pour traiter des subventions de Liberty Park, dont elle se moquait éperdument.

Dieu sait comment elle avait appris qu'il se trouverait ici...
et surtout que Callie y serait.

Que lui voulait-elle donc ? Peter réfléchissait à toute
vitesse. Carolyne n'avait pas eu trente-six moyens de savoir
qu'ils seraient ici, aujourd'hui. Il fallait qu'elle ait consulté
leurs agendas, c'est-à-dire fouillé l'appartement de Callie et
son propre cabinet, ou alors qu'elle les ait mis sur écoute
pour...

Merrick blêmit, sûr d'avoir compris. D'une manière ou
d'une autre, Carolyne avait eu connaissance de leur dernière
séance de régression sous hypnose ! *Elle savait que Callie était
une Hale...*

En même temps qu'il découvrait le pot aux roses, une autre
idée acheva de le bouleverser. En voiture, il avait entendu à
la radio l'annonce du vol mystérieux commis au laboratoire
de GenTec Sciences. Comme par hasard ce matin...

La vérité le foudroya en un éclair. Ces deux dingues
venaient d'injecter à Callie le P 316 ! Une dose massive !
Mortelle ?

— Seigneur ! Qu'avez-vous fait ? murmura-t-il, épouvanté.

— Nous l'avons juste aidée à retrouver ses souvenirs. Pour
le plus grand bien de la science, déclara froidement Carolyne.

La tête de Callie sur ses genoux, une main posée sur son
front, Merrick cherchait de l'autre un pouls si faible, si
faible...

— Taisez-vous donc ! Elle venait de reconstituer le passé
toute seule ! rétorqua-t-il en tremblant à la fois de rage et de
peur. Qu'aviez-vous besoin de...

Carolyne et son homme de main ne bougeaient pas d'un
millimètre, continuant à se pencher sur eux avec impudeur,
comme s'ils assistaient à un spectacle.

— Que savez-vous *exactement*, Peter ? insista-t-elle sur un
ton impérieux.

— Elle s'est souvenue d'un double meurtre.

Carolyne contempla la jeune femme inerte sur le sol.

— Quels meurtres ?

— Ceux d'une femme et de son fils.

— Et qui les a tués ?

À cet instant, Callie fut saisie d'un spasme violent.

Elle ouvrit les yeux.

D'un coup, elle échappa aux mains de Merrick, et le repoussa pour se redresser et sauter sur ses pieds.

Elle titubait, comme ivre, le regard vitreux, essayant de régler sa vision sur les personnes qui la fixaient en silence, raides comme des piquets.

— Callie, tout va bien..., fit une voix d'homme.

À qui parlait-il ? Les images se précisèrent, les contours devinrent plus nets, et elle recula avec effroi devant trois étrangers.

— *Ne vous... approchez... pas de moi !* gronda-t-elle, le souffle court.

— Callie, c'est moi, le Dr Merrick, la rassura doucement Peter. Regardez-moi, Callie.

Elle secoua farouchement la tête.

— *Je... m'appelle... Grace... Grace Hale !*

Carolyne sursauta et s'avança d'un pas.

— Mais qu'est-ce qu'elle raconte ?

— Vous ne bougez pas et vous vous taisez, lui ordonna Merrick. Grace est la fille de E. W. et de Liberty Hale.

— La femme de E. W. Hale s'appelait Winifred, s'entêta Carolyne.

Les yeux de Callie flamboyèrent de colère.

— *Menteuse ! La femme de papa s'appelle Liberty ! C'est ma maman.*

Merrick chuchota :

— Winifred était sa seconde épouse. En fait, E. W. Hale était bigame.

Il tenta de calmer Callie-Grace en expliquant avec le sourire que E. W. avait eu deux enfants avec Liberty : un garçon, Mac, puis une fille, Grace. Mais qu'il reconnaisse ainsi sa légitimité ne l'apaisa guère. Elle dardait sur chacun de ces inconnus un regard de défiance.

— *La seule vraie femme de papa, c'est ma maman... jusqu'à-ce-que-la-mort-les-sépare*, récita-t-elle en fronçant les sourcils.

— Elle a raison, approuva Merrick. Quand il retourna à Cleveland et qu'il épousa Winifred Colfax, E. W. n'était ni veuf ni divorcé, ce qui fait bien de lui un bigame.

Carolyne hocha la tête et conclut d'une voix dure :

— Ce qui veut dire que les enfants de Winifred sont illégitimes...

Callie était parcourue de frissons, les mains agitées d'un tremblement, les lèvres et les paupières frémissantes... Fallait-il y voir un effet du P 316 ? s'affola Merrick.

Il esquissait un pas vers elle quand elle se baissa pour soulever des jupes imaginaires et se sauva à toutes jambes dans la forêt comme une bête traquée.

Carolyne le fusilla du regard. Voilà qu'il l'avait mise en fuite ! C'était malin ! Mais finalement, elle laissa naître un sourire sur ses lèvres en observant que Callie courait droit vers le précipice...

Pendant que cet idiot de Merrick s'égosillait à lui crier de revenir, répétant que personne ne lui voulait de mal, Carolyne fit signe à Campbell de la prendre en chasse.

Combien de temps tiendrait-elle à cette vitesse ? Des branches lui griffaient le visage au passage, mais elle ne ralentissait pas. Hors d'haleine, elle courait en zigzag dans la forêt pour semer les étrangers qui la poursuivaient.

Elle avait cru avoir un avantage sur eux, connaissant les lieux pour s'y être promenée avec Mac depuis toute petite. Elle connaissait le coin comme sa poche, enfin, *en temps normal*... parce qu'à présent elle ne reconnaissait plus rien. C'était très bizarre : à part les rochers, *tout avait changé*...

Elle s'arrêta quelques secondes pour souffler, et tendit l'oreille. Un des trois était toujours à ses trousses et il gagnait dangereusement du terrain. Le cœur battant à se rompre, il lui sembla apercevoir fugitivement une blouse blanche, mais celle-ci disparut presque aussitôt derrière un rideau de branches de sapins.

Elle reprit sa course folle, à l'aveuglette, escaladant des rochers, glissant sur des aiguilles de pin, sautant par-dessus des troncs d'arbres morts. Soudain, elle trébucha sur un câble et s'étala de tout son long sur une roche plate sans se faire trop mal. Qu'est-ce que c'était que ce fil ? Il n'y en avait pas, avant... Et ce grillage ?

Elle découvrit avec stupeur la haute clôture de métal qui bloquait le passage. C'était pour protéger les chevaux du précipice ?

Les jambes flageolantes, elle se releva et longea le grillage en boitillant. Elle avait un point de côté et l'esprit en déroute. Elle connaissait une petite grotte au bout du ravin, c'est là qu'elle avait prévu de se cacher. Mais si on lui coupait la route, alors elle serait prise au piège...

Elle s'accroupit juste le temps de reprendre haleine. Une branche morte craqua à côté d'elle, elle redressa vivement la tête et...

Une main grosse comme un battoir vint la gifler à la volée tandis qu'elle se relevait ; elle ne put esquiver le coup et en vit trente-six chandelles. Ses genoux la trahirent, elle glissa à terre sans même pouvoir se retenir au grillage.

L'homme en blouse blanche la regardait de ses gros yeux bleu acier, et elle eut l'impression qu'une sale limace se promenait sur elle.

— Ttt, faut pas te sauver comme ça, ma mignonne. Je veux juste savoir ce que tu as vu. Si tu me le dis bien gentiment, je ne te ferai pas de mal, promit-il.

Elle porta sa main à sa joue, qui lui cuisait.

— *C'est même pas vrai ! Et pas la peine de me faire le sourire qui ment, comme si vous vouliez me faire avaler mon huile de foie de morue...*

Elle déraillait complètement, songea Campbell en se demandant avec inquiétude s'il n'avait pas cogné un peu trop fort.

— Écoute, insista-t-il de son ton le plus mielleux, explique-moi ce qui s'est passé et je pourrai mieux t'aider.

Elle se releva et se mit à se dandiner d'un pied sur l'autre, furieuse.

— *Sale menteur ! Vous avez pas envie de m'aider ! Vous aimeriez mieux me donner un coup de bûche à moi aussi, hein ?*

Bon sang, qu'est-ce qu'elle racontait ?

— Mais non, voyons, je...

324

— *Si ! Vous avez tué mon frère, Mac ! Et ma mère, Liberty !*

Campbell n'en croyait pas ses oreilles. D'accord, il avait dessoudé pas mal de gens dans son existence, mais ces deux-là, non ! Parole ! Ou alors dans une vie antérieure !

Non seulement la blondinette se prenait encore une fois pour la gamine de son rêve – une gosse qui, soit dit en passant, aurait pu être son arrière-grand-mère, mais bon ! –, mais voilà que, maintenant, elle lui faisait jouer un rôle dans son cauchemar. Et pas le plus beau !

Qu'importe, il entra dans son jeu :

— C'était un accident, Grace. Je m'en veux, tu sais, mais ce n'était pas ma faute…

Il crut bien qu'elle allait lui cracher au visage.

— *Non ! C'était pas un accident ! Je vous ai vu ramasser la bûche exprès pour l'écraser sur la tête de Mac. Et après…*

Ses yeux s'emplirent de larmes et elle commença à pleurnicher.

— *Vous vous êtes jeté sur maman… et après, vous avez mis le feu partout !*

— Mais toi, je ne t'ai pas tuée, tu vois bien…

— *Parce que mon pauvre Crin d'or a cassé la porte et que j'ai pu me sauver au dernier moment. Quand je suis revenue avec du secours, tout avait brûlé. Maman et Mac étaient morts. Et vous, vous aviez filé !*

— J'ai eu peur qu'on m'accuse, qu'on m'arrête, lança-t-il en espérant se couler dans le bon scénario. Heureusement, personne ne sait qui je suis…

— *Si, moi, je le connais ton nom, espèce de monstre !*

Elle couinait, trépignait et s'exprimait comme l'enfant qu'elle était.

— Ah oui ? Et qui je suis, d'après toi ?

— *Charles Hale ! Tu t'appelles Charles Hale !*

Delwin Campbell sourit. Carolyne allait faire une de ces têtes !

— Si tu en es si sûre, pourquoi tu ne l'as pas dit à la police ?

Elle piqua du nez.

— *Sarah n'a pas voulu. C'est elle qui m'a défendu de parler.*

Elle avait peur qu'on ne t'arrête pas à cause de ton nom et de tout ton argent, et que tu reviennes te venger.

— Elle n'est pas bête, ta Sarah.

Elle approuva d'un vigoureux signe de tête.

— *Elle est même très maligne ! C'est elle aussi qui a eu l'idée de changer mon nom de famille pour qu'on ne me retrouve pas. Sarah et moi, on a pris toutes les deux son nom de jeune fille à la place. C'est comme ça que je suis devenue Grace Clémence.*

— Tu en as de la chance d'avoir une amie pareille.

Elle se redressa de toute sa taille.

— Mais cette fois, vous ne vous en tirerez pas comme ça. Je vais dire à la police qui vous êtes et ce que vous avez fait.

Soudain, sa voix avait changé. Il fronça les sourcils.

— Hé ? De quoi parles-tu ?

— Vous avez tué mes deux meilleurs amis !

— Allons bon. J'ai aussi fait ça ? Décidément, tu...

Le mépris, la haine qu'il lut dans son regard étouffa les mots dans sa gorge.

— Paula et Wilty ! Vous ne saviez pas qu'il était mon ami ? Eh bien, maintenant, vous allez l'apprendre à vos dépens.

Campbell scruta son visage. *Grace était partie.* Celle qui l'accusait à présent était Callie Jamieson. Et quelque chose en elle lui donnait froid dans le dos.

Il se secoua et essaya de crâner :

— Sans blague ?

Les traits de Callie se tendirent. Elle éleva la voix sans presque desserrer les mâchoires :

— Vous vous êtes introduit dans l'appartement de Wilty pour voler la lettre de suicide de Charles, mais il est rentré plus tôt que prévu à cause de Vanna Larkin qui était malade. Pendant qu'elle cuvait, vous vous êtes expliqué tous les deux, pas forcément avec vos poings – Wilty était si imprévisible ! C'était bien dans son style de discuter avec son cambrioleur. Un cambrioleur bredouille, d'ailleurs... car vous ne l'aviez pas trouvée, cette lettre ! Et Wilty savait très bien ce que vous cherchiez et sans doute aussi *qui* vous avait envoyé...

— Continuez, ça m'intéresse, murmura Campbell.

— Je vous imagine en tête à tête, évoquant les gens que vous connaissiez en commun et rêvassant sur la mocheté de la vie tout en vidant quelques verres. Pas les mêmes, évidemment – car vous aviez déjà empoisonné sa vodka...

Il l'écoutait, fasciné. Ça s'était passé exactement de cette façon.

— Puis Wilty a appelé un taxi pour renvoyer Vanna chez elle, et vous avez eu le champ libre pour accomplir votre sale boulot... Qui sait ? en d'autres circonstances, peut-être auriez-vous épargné Wilty, mais il était trop tard, n'est-ce pas ? Le cocktail de drogue et de digitaline était en train d'agir...

Des larmes coulaient des yeux de Callie, mais elle continuait, imperturbable, inflexible, et il comprit à quelle rude adversaire il avait affaire.

— Alors, l'idée vous est venue d'en rajouter dans le « raffinement » : en passant Wilty par la fenêtre pour qu'il aille s'écraser entre deux poubelles, vous ne vous contentiez pas de vous débarrasser de lui afin d'honorer votre « contrat », vous vous garantissiez de sacrées retombées dans les médias... De quoi assouvir votre vengeance. Une vraie jouissance de minable et d'impuissant !

— Ta gueule, poufiasse ! hurla Campbell, cramoisi.

Touché au point sensible, il lui expédia un direct en pleine face, mais elle s'y attendait. Rapide comme l'éclair, elle évita le poing, qui siffla dans l'air en passant à quelques millimètres de sa tempe.

Déséquilibré, il bascula en avant, et elle en profita pour tenter de s'échapper. Mais sa grosse paluche s'abattit sur son épaule et la plaqua brutalement contre un arbre. Sa nuque heurta le tronc, elle ressentit la violence du choc en même temps qu'elle entendit le bruit sec contre le bois.

Callie ouvrit la bouche pour gémir de douleur, mais aucun son n'en sortit car le tueur s'était rué sur elle et l'étranglait de ses deux mains puissantes. Elle eut juste le temps d'apercevoir l'éclair tatoué sur son poignet gauche et ferma les yeux, asphyxiée. Il ricana, la croyant archifinie.

C'est peut-être ce rire de victoire qui donna à Callie la force de réagir. Les images affreusement réalistes des cadavres de Wilty et Paula flottèrent dans son cerveau. Avec l'énergie du désespoir, elle donna à leur meurtrier un coup de genou bien placé. Il se plia en deux de douleur et desserra son étreinte en lâchant une bordée de jurons.

Callie avala une grosse goulée d'air et se sentit revivre. Les étincelles d'or qui brouillaient sa vue se volatilisèrent. Son regard redevint clair. Campbell titubait devant elle, et elle lui expédia un tel coup de pied au niveau des côtes que celui-ci l'envoya au tapis.

Il était momentanément hors combat. Elle aurait dû se sauver à toute vitesse, mais non, pas encore. Coûte que coûte, il fallait qu'elle sache.

— Salope ! Je vais te crever, grinça-t-il en se tordant entre deux racines.

— Réponds-moi, ordure. Pourquoi t'es-tu acharné sur Wilty ? Juste parce que c'était un Hale ?

Delwin Campbell leva vers elle un visage grimaçant où brûlaient des yeux pleins de fureur.

— La ferme ! éructa-t-il en parvenant à se remettre à genoux.

Elle avait encore une poignée de secondes pour prendre ses jambes à son cou, mais elle ne bougea pas.

— Vous avez tué Hunt et Cole parce qu'ils étaient des Hale.

— Pas pour ça, rétorqua-t-il en se redressant.

L'aveu de leur double meurtre revenait à dire qu'il la considérait comme déjà morte. Callie lut sa fin programmée dans le regard qu'il lui lança.

Elle abattit sa dernière carte dans le plus beau coup de bluff de sa vie, jouant tout sur une intuition.

— Alors c'est peut-être parce qu'ils avaient tué votre père et votre sœur...

Campbell se pétrifia en l'entendant proférer la vérité qui avait déterminé toute sa vie.

— Les chauffards ivres qui conduisaient cette voiture qui a envoyé la camionnette de votre père dans le fossé, c'étaient Cole et Hunt, n'est-ce pas ? Mais ils n'ont jamais été inculpés. Pas même inquiétés...

Il restait muet. Le sang s'était retiré de son visage.

— Quand vous êtes arrivé sur le lieu du drame, vous avez failli les massacrer. Vous n'aviez que dix-sept ans, mais il a fallu trois policiers pour vous maîtriser. Et c'est vous qu'on a arrêté pour coups et blessures volontaires. Les Hale avaient tué deux innocents, mais ils n'ont rien eu.

Ses paupières se plissèrent. Il revivait cette nuit d'horreur, revoyant le corps brisé de sa petite sœur couché au milieu de la route. Elle avait été éjectée de la camionnette par le choc. Tuée sur le coup, affirmait la police. Quant à son père, la cage thoracique enfoncée par le volant, il avait mis de longues minutes à mourir pendant que les Hale cuvaient leur vin. Quarante ans que cela s'était passé, mais sa haine était aussi vivace qu'au premier jour.

— Cole et Hunt..., gronda-t-il. Ces deux fils de pute ont payé les flics pour qu'ils ne signalent pas dans leur rapport qu'ils avaient bu, et inventent que la route était glissante, qu'il s'agissait d'un regrettable accident...

Il cracha par terre avec la même hargne que s'il avait craché sur leur tombe.

— Mon père et ma sœur avaient le tort d'être des riens du tout. À côté de ces fumiers pleins aux as, leurs misérables existences ne valaient même pas qu'on fasse un procès ! Je n'ai fait que réparer une injustice.

— Non, vous avez commis des homicides volontaires ! rectifia Callie. Et avec préméditation. Après Cole et Hunt, vous avez lâchement assassiné Wilty qui n'y était absolument pour rien. Cela fait trois Hale à votre tableau de chasse...

— Exact. Et tu sais quoi ?

Il lui lança un clin d'œil.

— Avec toi, ça en fera quatre.

29

Comment était-ce arrivé ? Cela n'aurait jamais dû se produire !

Ces mêmes mots tournoyaient en boucle dans la tête de Peter Merrick tandis qu'il longeait la clôture de sécurité, cherchant sur le sol des traces du passage de Callie.

Il avançait en silence, se gardant bien de crier son nom de peur qu'elle ne s'enfuie encore plus loin, comme une biche effarouchée. Il n'entendait pas le moindre bruit – rien que le martèlement de son propre cœur, le sifflement de sa respiration, les pulsations lancinantes à ses tempes. Sa cheville tordue lui arrachait une grimace de douleur à chaque pas. Serrant les dents, il continuait tant bien que mal à avancer, propulsé par l'appréhension et la culpabilité.

Soudain, sa gorge se noua d'horreur. Le grillage de protection avait été éventré et... oh, mon Dieu, *Callie* !

Là, sur la route qui serpentait entre Liberty Park et le précipice, elle gisait sur le dos, les bras en croix, à deux doigts du vide.

Le faux infirmier était là, lui aussi, penché sur elle. Il la secouait violemment par les épaules...

— Arrêtez ! cria Peter en dévalant les derniers mètres.

Campbell se redressa d'un bloc pour encaisser le choc du fou furieux qui lui tombait dessus en hurlant.

Avec une force insoupçonnée, Merrick le jeta à terre, et s'interposa entre lui et Callie, les poings serrés, écumant de rage.

— Qu'est-ce qui vous prend ? Vous êtes fou ?

Campbell se releva avec difficulté. Il avait mal partout et le visage lacéré de traces de griffes. Avant de se laisser estourbir, cette tigresse l'avait salement amoché.

— C'est vous le dingue ! protesta-t-il en se massant les genoux. J'essayais de l'empêcher de se suicider. Elle allait se jeter dans le vide quand je l'ai retenue !

— Se... suicider ?

Merrick écarquilla les yeux, crucifié par cette idée qui réveillait de terribles échos en lui. Sa peur qu'un autre de ses patients se suicide était telle qu'elle oblitéra un instant son jugement.

Était-ce possible ? Callie n'était pas suicidaire... mais Grace ? De plus, on ne savait rien des effets secondaires du P 316 !

Campbell comprit qu'il avait marqué un point et poursuivit sur sa lancée :

— Bon, il a fallu que je l'assomme tellement elle se débattait. N'empêche, elle me doit une fière chandelle !

Merrick fronça les sourcils. Le texte était crédible, mais moins le ton dégagé, très « on ne fait pas d'omelette sans casser des œufs ». Cet homme mentait encore.

En se gardant de lui tourner le dos, Merrick se rapprocha anxieusement de Callie qui restait inerte, les yeux clos. Elle respirait faiblement.

Sans cesser de surveiller le prétendu sauveur, il la souleva avec précaution par les épaules pour l'éloigner du précipice. Ah, si Hiram pouvait avoir la bonne idée de surgir entouré d'auxiliaires ! Il remarqua que l'inconnu lui aussi guettait l'arrivée de quelqu'un.

— Que s'est-il passé quand vous l'avez rejointe ? Que disait-elle ?

— Oh, elle était en plein délire, répétant sans relâche qu'un rôdeur étranger avait assassiné des gens gris. Elle s'en voulait de ne pas les avoir aidés...

Merrick le laissa s'enferrer, puis, comme un pêcheur expérimenté laisse un poisson prendre du mou avant de tirer sur la ligne, il l'arrêta d'un coup sec :

— Ça suffit. Callie n'a jamais cru au crime d'un rôdeur, et il n'y a plus de « Gens gris » ni d'« Étranger » depuis qu'elle a mis un nom sur leurs visages. Et ces noms, vous les connaissez aussi bien que moi !

— Si vous le dites. Mais à part vous, qui peut prêter foi aux divagations d'une fille qui a la cervelle en pièces détachées ?

— Une pièce rattachée comme Carolyne Hale ! répondit Merrick. En venant ici, elle savait que Callie était une vraie Hale par le sang, n'est-ce pas ?

Quand on parle du loup..., lut-il dans le regard mauvais du pseudo-infirmier. Il sentit une présence et se troubla en voyant paraître Carolyne, la trousse noire à la main.

Elle était essoufflée, mais paraissait remontée à bloc.

— Les deux seules questions qui se posent, Peter, sont : Depuis quand vous le savez, vous, et surtout pourquoi vous ne me l'avez pas dit ? l'agressa-t-elle d'emblée.

Merrick fit face.

— Depuis hier. Et parce que je n'avais aucune raison de vous en parler.

— Si c'est une Hale, vous aviez les meilleures raisons du monde !

Animés de sentiments divers, tous trois observèrent la jeune femme blanche comme une morte qui gisait sur le sol, la respiration sifflante.

— À votre place, je prierais pour qu'elle en réchappe, dit lentement Merrick à Carolyne.

Elle haussa les épaules.

— Vous n'y êtes pas du tout, Peter. Vous et moi sommes embarqués dans la même galère. Si votre protégée et sa mémoire survivent, je serai ruinée... Si elle survit, mais pas sa mémoire, c'est votre carrière qui le sera... Alors, à moins d'être masochistes...

Elle acheva avec un sourire à faire froid dans le dos :

— ... je ne vois pas très bien quel intérêt nous avons à ce que cette fille s'en tire.

Peter la contempla avec dégoût. Ce monstre n'hésiterait pas une seconde à expédier Callie chez ses ancêtres pour toujours.

— Et que suggérez-vous ? murmura-t-il en craignant de la voir sortir une autre seringue de sa trousse.

— Mais rien du tout. Je fais seulement le bilan du petit

safari-souvenir dans lequel s'est égaré votre cobaye... Elle n'aura eu droit qu'à un aller simple, la pauvre chérie !

— Que les choses soient bien claires, Carolyne : s'il arrive quoi que ce soit à Callie, je veillerai à ce que vous finissiez vos jours derrière les barreaux.

— Alors là, ça m'étonnerait, Peter. Pas quand la justice aura entendu *ma* version.

Immobile dans son coin, Campbell rigolait en douce. La tête du psy valait vraiment le détour ! La Veuve était plus que pénible, mais bon sang ! elle avait des nerfs d'acier.

— « La vérité, monsieur le juge, déclamait Carolyne, la main sur le cœur, c'est que le Dr Merrick s'est "arrangé" pour utiliser sur sa patiente le P 316 mis au point par son ami Guy Hoffman, afin de vérifier in vivo les théories développées dans son livre... S'il savait que c'était très dangereux ? Hélas, monsieur le juge... il faut avouer que sa soif de reconnaissance médiatique et familiale... » Je n'insiste pas : vous voyez le tableau.

— Je vois, oui, articula Peter d'une voix blanche.

— Bref, si elle meurt, *vous* devenez le suspect numéro un. Et, ajouté à vos précédents échecs, ça commence à faire beaucoup...

Merrick était vert. Elle se fit un malin plaisir de compter sous son nez avec ses doigts.

— Quatre malades. Quatre régressions sous hypnose. Quatre suicides... Mon pauvre Peter, vous n'êtes pas près d'obtenir le prix Nobel !

Incapable de prononcer un mot, il avala convulsivement sa salive, cloué sur place par le mépris que lui inspirait cette femme.

Qui ne dit mot consent, interpréta à tort Carolyne.

C'est là qu'elle commit sa seconde erreur. Elle claqua des doigts pour signifier à l'exécuteur des basses œuvres de passer à l'action.

Merrick serrait les poings et s'apprêtait à défendre Callie au péril de sa vie quand la voix du tueur s'éleva avec aigreur :

— « On termine et on s'en va », c'est ça, Caro ? Mais pour qui me prends-tu ? pour un larbin ?

Carolyne pivota vers lui, aussi médusée que révulsée.

— Vous avez perdu la tête ? aboya-t-elle. Mais pour qui vous prenez-vous pour me parler sur ce ton ?

— *C'est votre frère...*

La voix sonna faiblement, mais le ton était assuré, et même catégorique.

Trois paires d'yeux convergèrent vers Callie.

Elle était revenue à elle avant l'arrivée de Carolyne, mais n'avait pas été capable, jusque-là, de prononcer le moindre mot ni de bouger le petit doigt. À présent, elle émergeait du chaos.

Dans le silence stupéfait qui suivit son intervention, elle leva vers la Veuve un regard clair et lucide.

— Oui, votre frère. Frère qui a tué votre fils sur votre ordre !

Carolyne rugit. Avant que Merrick ou Campbell aient eu le temps d'esquisser un geste, elle se jeta sur Callie et l'attrapa par le col pour la traîner vers le bord avec une force insoupçonnée.

Les yeux injectés de sang, elle était tellement dévorée par une soif meurtrière qu'elle ne vit pas arriver le missile qui la percuta, l'expédiant quatre pas plus loin

— Attention ! gémit Callie en voyant Campbell passer à l'attaque.

Ezra se retourna d'un bond et décocha au menton du tueur à gages le plus bel uppercut de sa carrière. Un vrai feu d'artifice.

Bill Jamieson se précipita vers sa fille et la souleva dans ses bras pour l'éloigner du précipice.

Tremblant de tous ses membres, le nœud papillon de travers, Hiram Wellington quitta le volant de la golfette pour apporter les premiers secours à Callie.

À moitié sonné, mais décidément increvable, Campbell portait déjà la main à sa poche revolver quand un pied lui écrasa le poignet.

— Pas de ça ! siffla Jorge en récupérant prestement son arme.

Toute cette scène n'avait duré que quelques secondes à peine.

Accrochée au cou de Bill, prise de vertiges, Callie battit des paupières pour voir Ezra s'approcher de Merrick avec des intentions rien moins qu'amicales.

— Ezra, non ! trouva-t-elle encore la force de crier. Il est de notre côté.

Les poings du policier et les épaules du psy se décrispèrent en même temps. Peter courut rejoindre Hiram dès que celui-ci entreprit d'écouter au stéthoscope le cœur de Callie, que son père avait allongée dans l'herbe.

Sous l'œil affolé de Bill, les deux médecins échangèrent un regard sombre. Elle donnait tous les signes d'une crise cardiaque.

Pas le temps d'hésiter. Hiram lui injecta une dose de phénobarbital.

— Ça devrait la stabiliser, expliqua-t-il à Bill.

Les lèvres de Merrick marmonnèrent quelque chose qui ressemblait à une prière.

Les trois hommes attendirent avec angoisse et espoir. Ou plutôt les cinq, car Ezra et Jorge s'étaient rapprochés, chacun tenant un prisonnier en respect.

Les joues de Callie retrouvèrent enfin un semblant de couleur. Son souffle devint plus régulier.

Elle rouvrit les yeux et se dressa sur un coude pour désigner du doigt les deux assassins.

— Il a tué Wilty. Sur son ordre à elle.

Un filet de sang coulant de sa lèvre inférieure, Delwin Campbell resta impassible, comme indifférent. Carolyne, elle, explosa d'un rire hystérique.

— C'est parfaitement grotesque ! Il y a moins d'une heure, cette malade mentale courait à la chasse aux fantômes dans le parc d'un asile. Mademoiselle entend des voix et fréquente des morts... Il faut dire qu'elle a de qui tenir : sa mère était folle à lier. Aux assises, il y a mieux comme témoin à charge !

Elle crut que le père de Callie allait éclater de rage. Tous la dévisageaient avec ce mépris qu'elle ne supportait pas. Même ce traître de Peter. Même... Hiram ? Ce vieux débris qui ne dirigeait Liberty Park que grâce à ses subventions ! S'il voulait conserver son poste, il avait intérêt à faire machine arrière, et vite !

— L'état psychique de Mlle Jamieson réclame des mesures

draconiennes, appuya-t-elle. Ces messieurs les psychiatres seraient bien inspirés de la faire interner sur-le-champ.

En guise de réponse, Hiram tendit la main en souriant à Callie pour l'aider à se relever. Elle regarda la Veuve en face et dit :

— Avoir fait éliminer votre mari et son frère ne vous a pas suffi, il vous a fallu aussi commanditer l'assassinat de votre propre fils... C'est abject ! Je ne vous pardonnerai jamais la mort de Wilty. Et en voulant me supprimer, vous avez fait tuer ma meilleure amie. Dieu m'est témoin que vous paierez pour tous ces crimes !

Le dos de Carolyne se raidit, mais elle refusa de laisser paraître quoi que ce soit qui s'apparente à de la crainte. Pour les remords, pas de danger : elle n'en avait aucun. Elle croisa les bras et persifla :

— Des promesses, toujours des promesses !

— Je vais commencer par raconter ma vérité qui est *la* vérité à la presse. Le *City*. Le *Times*. Le *Post*... Ils risquent d'être *très* intéressés. Puis je passerai aux chaînes de télévision, aux stations de radio... partout où l'on me tendra un micro. Je dirai quelle mère dénaturée, quel monstre froid vous êtes.

Des yeux de Carolyne ne restaient que deux meurtrières par où s'écoulait du fiel.

— Wilty n'a pas fait grand-chose dans sa vie que j'aie approuvé, sauf vous larguer après vous avoir fait croire qu'il vous aimait !

— Et vous ? contre-attaqua Callie. Il aurait bien voulu vous aimer, mais vous ne lui en avez jamais donné la moindre occasion !

Campbell, pour sa part, aurait bien voulu profiter de l'affrontement direct des deux femmes pour s'échapper, mais ces saletés de poulets veillaient. Deux poignes de fer s'abattirent sur ses épaules à sa première tentative. Cette fois, il aurait bougrement du mal à s'en tirer.

— Oh, non, on ne se sauve pas ! fit Ezra. On a des petites questions à te poser.

— Oui, par exemple, qu'est-ce que ça t'a apporté de balancer Wilty par-dessus bord ? attaqua Jorge.

— Je n'ai balancé personne. Il a sauté.

— L'embêtant, c'est qu'on a relevé tes empreintes sur ses pantoufles et qu'elles étaient bien sagement rangées sur le balcon. Première erreur.

— Je ne parlerai qu'en présence de mon avocat.

— Le pauvre, il a du boulot ! Pendant que j'y pense, tu n'oublieras pas de lui expliquer que nous avons aussi trouvé tes empreintes sur l'installation électrique d'un certain jacuzzi. Deuxième erreur...

Erreur, erreur... ils étaient drôles ! s'énerva Campbell. S'ils croyaient que c'était facile de trafiquer dans le génie un système de pompes. Il avait bien fallu qu'il enlève ses gants pour ce travail de précision !

— Ah, et n'oublions pas l'électrocution de Cole Hale, enchaîna Ezra.

— Hé ?

— Et l'assassinat de Huntington Hale... au cas où il te serait sorti de la tête, ajouta Jorge.

Ça sentait vraiment le roussi, songea Campbell. Pour être cuit, il était cuit... Il s'offrit un baroud d'honneur :

— Pendant que vous y êtes, vous ne voulez pas me coller sur le dos le meurtre de J.F.K. ? Jusqu'à preuve du contraire, je suis innocent ! tonna-t-il.

— Garde ta salive pour le procès, tu en auras besoin.

— Huntington, je ne sais même pas qui c'est ! Quant à Cole, vos collègues m'ont interrogé à l'époque, mais ils ont dû me relâcher parce que j'étais blanc comme neige. Je nie tout en bloc ! Je nie, je nie et je nie.

— Vous mentez.

Tous les regards se tournèrent une fois de plus vers Callie.

— Vous avez avoué le double meurtre de Hunt et Cole Hale.

— Ça, ma belle, ce sera ta parole contre la mienne, et la parole d'une fondue de ton esp...

Les mots moururent sur ses lèvres. Elle venait d'entrouvrir son chemisier pour en tirer un magnétophone miniature qu'elle agita tranquillement en l'air.

— Tout est là, sur la cassette.

337

Jorge, Bill et Ezra émirent un sifflement respectivement d'admiration, de fierté et d'émerveillement pur et simple.

Encadré par ses bourreaux, Campbell dut bien refréner son envie de se jeter sur la poupée blonde pour les mettre en pièces, elle et sa cassette ; Carolyne, qui avait au moins la même envie, ne la refréna pas, elle.

Toutes griffes dehors, elle bondit sauvagement pour s'emparer du précieux enregistrement et l'expédier dans le précipice. Il s'en fallut d'un cheveu qu'elle ne réussisse, mais Callie se serait fait tuer sur place plutôt que de céder, et c'est la Veuve qui roula au sol.

Campbell tenta une dernière fois d'échapper à son destin. À la seconde où Ezra attrapait au vol le magnétophone que Callie lui lançait, il se précipita pour lui arracher son arme de service.

Jorge sauta à son tour sur le tueur, et il s'ensuivit un sévère échange de coups. Campbell était une force de la nature, et sa situation désespérée décuplait sa puissance de frappe. Alvarez vacilla, mais il avait son œil mauvais et il démolit son adversaire d'un seul crochet à la tempe. Campbell tituba et alla s'effondrer aux pieds de Carolyne.

— Victoire du Tank sur le tatoué par K.-O. technique au premier round, applaudit Ezra en connaisseur. Deuxième round...

Il se tourna vers la Veuve, qui s'époussetait les genoux en regardant Campbell avec dégoût, et continua :

— Carolyne Faessler Hale, je vous arrête pour tentative de meurtre et complicité d'assassinat dans les homicides commis par votre frère...

— Je vous en prie ! coupa-t-elle. Un peu de décence. Qui peut croire que ce gorille m'est réellement apparenté ?

— Niez si ça vous chante, riposta Callie, il n'en reste pas moins que Delwin Campbell est le fils de votre mère et d'un de ses amants. Une fois...

— Inspecteur, je refuse d'entendre ces ragots !

— C'est noté, mais figurez-vous que ça m'intéresse. Continue, Callie.

Elle poursuivit, les yeux dans ceux de Carolyne.

— Une fois orphelin, votre grand-mère l'a recueilli

338

Pendant des années, c'est à peine si vous avez daigné reconnaître son existence. Jusqu'au jour où vous avez découvert que votre vie avec Huntington et sa mère n'avait rien du conte de fées attendu. Alors, vous vous êtes subitement souvenue de votre demi-frère et de sa haine viscérale des Hale, responsables de la mort de son père et de sa sœur.

« Vous lui avez offert de l'argent, beaucoup d'argent, pour vous attacher sa loyauté. Et vous lui avez procuré un emploi chez Cole pour qu'il se fasse la main en exécutant d'abord votre beau-frère. Delwin s'est montré tout à fait à la hauteur. Vous n'aviez plus qu'à lui commander de liquider aussi votre mari.

« Votre association secrète fonctionnait à merveille : lui ne demandait qu'à se venger et était ravi d'être, en plus, grassement payé pour un travail qu'il aurait exécuté par pur plaisir ; quant à vous, vous étiez enfin débarrassée de gens que vous détestiez et qui avaient eu le grand tort de se trouver sur votre chemin dans votre quête du pouvoir.

« Après l'élimination de Cole et Hunt, il ne restait plus que Wilty. Aussi longtemps qu'il n'a pas posé de problèmes, il pouvait demeurer en vie. Après tout, il était votre fils. Mais qu'à cela ne tienne, le jour où Wilty a représenté une menace pour votre héritage, vous avez demandé à votre petit frère de reprendre du service…

— On ne vous a jamais appris, dans le journalisme, qu'il fallait faire court, et toujours vérifier ses sources ? siffla Carolyne. Je crains que vous n'ayez de grosses lacunes !

Callie secoua la tête.

— Croyez-vous ? Eh bien, vous vous trompez. J'ai surfé sur le net tout un après-midi pour trouver des informations sur vous. C'est d'ailleurs ce temps passé sur votre arbre généalogique qui a envoyé Paula à la mort à ma place, ajouta-t-elle d'une voix étranglée. En quelque sorte, et bien involontairement, vous m'avez sauvé la vie, madame Hale…

La Veuve se mordit la lèvre et continua à fulminer intérieurement pendant que Callie achevait son récit.

— J'ai fini par découvrir la nécrologie de votre grand-mère maternelle, Évangéline. Et j'ai eu comme une révélation en lisant son nom de famille. C'était justement celui que l'inspecteur Chapin m'avait communiqué par mail : le nom d'un des suspects du meurtre de Cole, l'« individu dangereux » fiché par la police, l'homme au tatouage qui m'avait suivie chez moi, au bar de *L'Onyx*, au lac George... Évangéline *Campbell*. Simple homonymie... ou plus ?

« J'ai terminé la nécro et trouvé le lien qui vous unissait à cet individu dangereux : Évangéline Campbell habitait les hauteurs de Memphis, au bord de la rivière. Elle avait enterré son mari et sa fille – votre mère – et, pour toute famille, elle n'avait plus que deux petits-enfants : Delwin Campbell et Carolyne Faessler Hale.

Campbell émit un gémissement sourd en sortant de son K.-O.

Alvarez l'attrapa immédiatement au collet et lui parla dans l'oreille.

— La prochaine fois que vos deux noms seront accolés, ce sera dans le cadre de votre procès commun. Tu entends, le *serial killer* ? Vous êtes tous les deux en état d'arrestation pour meurtres.

Carolyne regardait son complice se tortiller dans l'herbe à ses pieds comme un insecte nuisible qu'elle aurait volontiers écrasé d'un coup de talon.

Ce ver rampant était son demi-frère, et puis après ? Chaque famille avait sa tare ! Mais il ne serait pas dit qu'ils croupiraient ensemble en prison.

— C'est lui qui a du sang sur les mains, pas moi. Vous avez relevé mes empreintes sur le lieu d'un crime ? Vous avez un document écrit de ma main ordonnant un meurtre ? Avec l'armée d'avocats que je vais m'offrir, aucun tribunal ne pourra jamais me condamner. Désolée, mais ce déchet de la société paiera seul pour ses fautes.

Comme elle pivotait pour mettre la distance qui convenait entre elle et lui, le déchet sauta sur ses pieds, une pierre tranchante à la main. Callie poussa un cri strident. La Veuve se retourna. À la fraction de seconde où l'arme improvisée allait lui ouvrir le crâne, un coup de feu claqua. Campbell et Carolyne s'écroulèrent en même temps.

Ezra rengaina posément son revolver.

Les deux médecins se précipitèrent, mais il les arrêta d'un geste.

— Du calme, je sais viser. Ni l'un ni l'autre ne coupera au procès. Occupez-vous plutôt de Callie !

Le bras de Campbell touché par la balle saignait. Sa sœur bien-aimée était indemne.

Tandis que les deux inspecteurs leur lisaient leurs droits, Peter et Hiram installèrent Callie dans la golfette à côté de son père pour vite la conduire au manoir et, de là, à l'hôpital de la ville. Toutes les émotions accumulées depuis deux jours avaient eu raison de ses nerfs. Pendant qu'Hiram lui administrait un calmant, Peter prit le volant.

Callie pleurait sans pouvoir s'arrêter. Son agression par Devy, les révélations de la galerie des Titans, son cambriolage et la poupée sanglante, sa nuit d'amour avec Ezra, sa séance d'hypnose chez Merrick, la découverte du cadavre de Paula flottant dans le jacuzzi, sa nouvelle régression au mémorial, le P 316 et l'emprise de Grace sur son cerveau, sa course folle entre passé et présent, son affrontement avec Campbell, l'arrivée providentielle d'Ezra et de son père, sa lutte avec Carolyne… tout ça en deux jours ! constata-t-elle avec effarement.

Voyant qu'ils étaient sur le point d'emmener Callie loin de lui, Ezra courut vers elle et lui prit la main avec une émotion non dissimulée.

— Callie, tu ne vas pas m'échapper encore une fois ?

— Il ne faut pas m'en vouloir, répondit-elle d'une toute petite voix en parvenant à peine à esquisser un sourire. Ce n'était pas contre toi… c'est à moi que quelque chose échappait toujours. À présent… à présent, je crois que je vais pouvoir renaître.

— Je t'aime, Callie, murmura Ezra.

Épilogue

Une ambulance conduisit Callie aux urgences de l'hôpital de Saratoga, où on lui fit passer un scanner de la tête, une IRM, un électrocardiogramme, plus toute une batterie de tests et examens qui ne signalèrent rien d'inquiétant. Elle ne souffrait que d'une grande fatigue physique et nerveuse. Les médecins tinrent cependant à la garder quarante-huit heures en observation.

Callie dormit vingt-quatre heures d'affilée. Quand elle rouvrit les yeux, elle eut du mal à croire qu'elle avait fait « deux fois le tour du cadran », comme le lui annonça l'infirmière en riant. Plus incroyable encore, elle avait dormi paisiblement : aucun cauchemar ne l'avait réveillée en sursaut.

Elle comprit que les Gens gris étaient partis, avec leur long cortège de violence et de souffrances. Disparus l'Étranger et le feu orange qui avait incendié ses nuits pendant tant et tant d'années.

Grace et Sarah, Mac et Liberty, et Charles Hale ne la hanteraient plus parce que le mystère de la tragédie de 1887 était résolu. C'était comme si eux aussi pouvaient désormais dormir en paix.

Callie se demanda si le Dr Merrick considérerait son travail avec elle comme un succès. Elle l'espérait de tout cœur. Il l'avait aidée à donner une réalité à des souvenirs ancestraux datant de plus d'un siècle. Il lui avait permis de découvrir un secret de son arbre généalogique qui, autrement, serait resté dans l'ombre... Et, au péril de sa carrière et peut-être même de sa vie, il ne l'avait pas abandonnée dans le danger.

Sur sa table de nuit avait été déposée une grande enveloppe

par un policier venu prendre de ses nouvelles, lui expliqua l'infirmière, mais elle ajouta espièglement qu'elle la lui confisquait jusqu'à la fin de son petit déjeuner. Quand Callie l'ouvrit, elle y découvrit le journal de E. W. de l'année 1900. Depuis le temps qu'elle rêvait de le lire ! Cependant, elle ne l'ouvrit pas avant d'avoir trouvé ce qu'elle espérait au fond de l'enveloppe. Une petite carte avec deux lignes de la main de l'homme qu'elle aimait :

Tu vas voir que tes visions disaient vrai.
Je t'avais bien dit que tu n'étais pas folle !

Le tout couronné d'un cœur.

La visite médicale et les divers examens de contrôle qu'on lui fit encore passer morcelèrent sa lecture, mais Callie ne se sépara pas une seconde du journal, qu'elle dévora jusqu'à la dernière page.

Elle riait à la pensée que « le Vieux », E. W. le titan, E. W. le bigame, celui-là même dont elle avait examiné les photos à la loupe, exploré chaque ligne de manuscrit, le pistant jusque dans ses « années obscures », le traquant au fin fond de sa « descente au purgatoire », le sondant dans ses liens avec les « femmes de sa vie », Liberty, Sarah, Grace... était un de ses ancêtres.

Elle riait en revanche beaucoup moins en se rendant compte qu'elle était aujourd'hui la dernière personne sur Terre à avoir du sang de E. W. Hale dans les veines.

Ce que Wilty avait tant redouté pour lui-même lui tombait dessus : *elle héritait de l'empire Hale.* Le journal, les conclusions de Merrick et l'enquête le confirmeraient. Et surtout, son ADN l'établirait formellement.

Voilà tout ce qu'avait voulu empêcher Carolyne, laquelle n'était pour sa part une Hale que par alliance. Or le journal de 1900 ne transigeait pas sur ce point : l'héritage ne pouvait revenir qu'à un (ou une) Hale par le sang et né(e) d'un mariage régulier. Callie rechercha le passage en question. Quand on savait lire entre les lignes, on reconstituait parfaitement tout le drame qui s'était déroulé cette année-là.

Puisque Winifred s'est montrée assez vénale et cupide pour contaminer l'esprit de nos enfants au point que pour de l'argent un fils en vienne à commettre d'abominables crimes, qu'elle soit punie par où elle a péché : qu'aucun membre de sa progéniture ne puisse disposer librement de ma fortune ! Je vais instituer pour cent ans un trust qui portera mon nom. Il veillera à ce que n'héritent de mes biens que mes descendants légitimes : ceux qui seront nés de mon sang d'un mariage béni par Dieu ou qui auront été légalement adoptés.

Après le suicide de son fils d'une balle dans la tête, le Vieux avait trouvé la lettre laissée par ce dernier derrière lui, et ce qu'il avait lu l'avait poignardé en plein cœur : « *Je soussigné, Charles Hale, sur le point de libérer le monde de ma misérable personne, signe par la présente mon dernier aveu. Pardonne-moi, mon Père, parce que j'ai péché... J'ai commis l'irréparable...* »

Horrifié, E. W. avait tout compris. La mort horrible de Liberty et de Mac, les souffrances de Grace et de Sarah dépassaient ce qu'il avait imaginé. Il y avait vu un châtiment divin pour le punir de la très grande faute qu'il avait commise en fondant un second foyer. Mais il n'avait pas osé soupçonner même une seconde que le démon qui avait déclenché cette apocalypse était son propre fils. Ainsi, Charles était le meurtrier !

Charles, le premier enfant qu'il avait eu avec Winifred, alors que Liberty était sa vraie femme devant la loi, comme elle resterait à jamais sa seule épouse aux yeux de Dieu. Pauvre Liberty, pauvre Mac... assassinés par celui qui n'aurait jamais dû naître !

Callie devinait sans mal la conclusion qu'en avait tirée son ancêtre : les remords avaient mis du temps à étouffer Charles, mais il avait bien fait de se détruire. La colère terrible de E. W. était retombée sur l'engeance maudite de Winifred. C'est elle, estimait-il, qui avait dû flairer le pot aux roses, découvrir que son mari lui cachait une double vie, une autre femme, d'autres enfants, et dresser Charles contre eux...

E. W. ne s'était pas confié à ce sujet dans son journal, mais Callie le sentait. Comme elle soupçonnait que la brusque

345

disparition de Winifrea, moins de deux ans plus tard, ne devait rien au hasard.

Des rumeurs prétendaient que le Vieux avait donné ordre aux médecins de sa femme d'arrêter ses traitements, ou encore qu'il l'avait empoisonnée lui-même... On n'en aurait jamais la certitude, mais Callie n'écartait pas l'idée que E. W. ait fait justice en tuant sa seconde épouse, de même qu'il avait empêché ses enfants d'accéder à son héritage en fondant le Hale Trust.

« *J'ai fait une incroyable découverte*, lui avait écrit Wilty juste avant d'être assassiné. *Quelque chose d'énorme qui m'a lancé sur la piste de moi-même. C'est lié à E. W. Hale : ce qu'il était et ce que ça fait de moi.* » Dieu sait qu'elle avait tourné et retourné cette information dans sa tête ! Or l'énormité tenait en deux mots d'une aveuglante clarté : ce qu'il était : *bigame* ; ce que ça fait de moi : un *usurpateur*.

Les cachets que l'infirmière lui avait donnés engourdissaient peu à peu Callie, mais si son corps flottait dans une sorte d'apesanteur reposante, deux autres petits mots lui plombaient l'esprit. *Hale Trust*...

C'était à elle que le Hale Trust allait remettre les pleins pouvoirs et toutes ces écrasantes responsabilités qui avaient effrayé Wilty. Elle s'entendait encore lui expliquer – pour le rassurer ! – qu'il s'en sortirait très bien, que ce n'était pas si lourd que ça, qu'il saurait bien s'entourer de spécialistes pour le seconder... Quels pieux mensonges ! Aurait-elle assez de cran et les épaules assez larges pour supporter une pareille charge, à laquelle *rien* ne l'avait préparée ? Devrait-elle renoncer à sa carrière de journaliste ? Qui la rassurerait, elle ? Qui serait à ses côtés ?

Callie ferma les yeux, se débattant avec un millier de questions sans réponses. Mais une silhouette, un visage se formèrent alors dans son esprit comme une lumière dans les ténèbres. *Ezra...* Un sourire aux lèvres, elle sombra de nouveau dans un sommeil sans mauvais rêves.

Callie se réveilla peu après, fraîche et dispose, plus détendue qu'elle ne l'avait jamais été. Aucun fantôme n'était venu la harceler – et elle fondit en larmes de gratitude et de désolation à la fois. Elle pensait à sa maman. Pauvre Mara ! Si seulement elle avait trouvé à l'époque un Peter Merrick pour croire en elle et l'aider, elle ne se serait pas sentie si incomprise et rejetée. Elle était morte atrocement seule, sans savoir que ce n'était pas la folie mais un passé bien réel qui la hantait, et persuadée que sa petite fille n'échapperait pas à ce destin.

Le nez de Callie se plissa. Elle reconnaissait une odeur inattendue. Pas celle de l'alcool à quatre-vingt-dix degrés ou de l'éther qui règne dans les hôpitaux, mais un délicieux parfum de... ragoût ! Elle tourna la tête vers la porte de sa chambre, et vit par l'entrebâillement une pochette en papier bien garnie qui s'agitait au bout d'un bras.

Un visage apparut, à l'air tendre et tendu à la fois. En une fraction de seconde, elle lut dans les prunelles d'Ezra qu'il était mort d'inquiétude à son sujet. Parce qu'elle avait encore les yeux rouges ? Les médecins ne l'avaient donc pas rassuré ?

— Qui a une faim de grand méchant loup ? fit-il d'une grosse voix censée cacher son émotion.

Elle émit un rire léger, heureux.

— Moi ! Tire la chevillette et la bobinette cherra.

— Je me suis procuré un repas digne de ce nom au manoir Batcheller. Tu sais, *notre* auberge ! J'ai choisi la même chose que la dernière fois.

— Bœuf bourguignon, bordeaux rouge et pain frais ? Génial !

— Oui, mais attention : tu n'as pas droit au vin à cause des médicaments. Je l'ai pris juste pour que tu puisses trinquer à nos trois arrestations.

— *Trois ?*

— Frank Devy s'est fait coincer ce matin à l'aéroport de Philadelphie. Ton père va respirer, et toi tu ne cours définitivement plus le moindre danger.

Ravi de son scoop, il déplia une serviette de table en tissu et la lui noua en bavoir comme à un bébé.

Callie en profita pour l'enlacer par le cou et lui donner un baiser qui n'était vraiment pas celui d'un bébé.

347

— Waou ! s'exclama-t-il, aux anges. Voilà un excellent hors-d'œuvre...

— Je t'aime, Ezra.

— Ça tombe bien : moi aussi, je t'aime. Et puis d'abord, c'est moi qui l'ai dit le premier !

— Peut-être, mais je suis certaine que c'est moi qui l'ai pensé la première. Seulement, j'étais pieds et poings liés par mes fantômes. C'est fini. Maintenant, ils sont partis.

— Vraiment ? Pour de bon ? Tu en es sûre ? insista-t-il en redevenant subitement grave.

— Pour toujours. Je me sens... libre !

— Tant mieux. Je n'avais pas envie de te partager ! En amour, je suis assez possessif...

— Ça, j'avais cru remarquer...

Il ouvrit un œil rond.

— Tu dis cela à cause de Wilty ou de Merrick ?

Cette fois, c'est elle qui écarquilla les yeux.

— Ah, parce que tu étais jaloux aussi de Peter ?

— Oh, tu ne peux pas savoir ! L'idée qu'il t'avait à sa merci sur son divan...

Callie se sentit fondre de tendresse.

— Dis donc, monsieur Ezradar, ton sixième sens ne t'a pas signalé qu'il n'y a jamais rien eu entre lui et moi ?

Il écarta comiquement les bras d'un geste fataliste.

— Quand l'amour nous tient, même Ezradar ne tourne plus rond ! S'il t'était arrivé malheur, je crois que j'aurais massacré tout le monde ! Carolyne, Campbell et Merrick !

Elle l'embrassa à nouveau.

— C'est une chance que tu ne l'aies pas fait. On aurait eu du mal à se partager un bœuf bourguignon au parloir.

Elle se redressa en s'appuyant sur ses oreillers et le regarda rire avec adoration.

— Tu peux remercier Wilty et Merrick. En me poussant à affronter mes démons, ils m'ont permis de briser la malédiction qui poursuivait ma famille maternelle depuis ce jour terrible de 1887. Ils m'ont affranchie du passé, et fait renaître à la vie.

— Alors, tout est bien qui finit bien ?

348

— Tout commence au contraire : c'est ça, le cadeau qu'ils m'ont fait.

— Un vrai, un merveilleux cadeau.

— Oui... s'il est partagé avec la bonne personne.

— J'espère que tu parles de moi..., murmura Ezra.

Et son regard brûlant traçait une arche de feu vers l'avenir.

Callie eut un lumineux sourire qui ne s'adressait pas seulement à lui. Elle souriait à Liberty et à Mac, à Sarah et à Grace, et à E. W. Hale. Sans eux, elle ne serait pas ce qu'elle était aujourd'hui et ce qu'elle serait demain.

— Cette fois, ton sixième sens ne se trompe pas. Je parle bien de toi.

Remerciements

Avec chaque nouveau livre commence une aventure. Avide exploratrice de domaines qui me sont inconnus, j'ai souvent besoin d'être guidée dans mes recherches. Qu'il s'agisse de conseillers habituels ou nouveaux, tous ont été d'une aide inestimable et méritent mes remerciements.

Merci à mon agent, Peter Lampack, dont les conseils sont toujours avisés et constructifs, même si je n'ai pas toujours envie de les suivre...

Merci à mon éditrice, Jennifer Enderlin, dont la patience n'a d'égal que le talent, pour ses conseils judicieux, ses suggestions toujours inventives et son enthousiasme à toute épreuve.

Merci à Matthew Shear pour m'avoir présentée aux gens de St. Martin's Press et pour son infinie générosité.

Merci au Dr Jane Gibson, du Anderson Cancer Center à Orlando, pour avoir compris que la fiction n'exige rien d'irréfutable, seulement quelque chose du domaine du possible.

Merci à Mike Kiemer, qui a répondu à mes innombrables questions sur l'électricité.

Merci à Fran Halligan, qui m'a aidée par le passé et le fera encore.

Merci à John Del Guidice et à tout le personnel du salon V'Paj pour leurs conseils et leur incroyable efficacité à remonter le moral.

Merci à Annette, ma mère, lectrice appliquée et critique charitable.

Je remercie tout spécialement mon mari, David, pour

l'amour qu'il me porte ; ma fille, Lisa, mon fils, Alex, et ma belle-fille, Loren. Sans eux, rien ne serait possible.

Enfin et surtout, un grand merci à mes amies : certes, elles me soutiennent dans mon travail, mais elles s'assurent que je m'octroie une récréation de temps en temps.

Composition et mise en pages : FACOMPO, Lisieux

Achevé d'imprimer sur les presses de

BUSSIÈRE

GROUPE CPI

à Saint-Amand-Montrond (Cher)
en janvier 2006

N° d'édition : 4012. — N° d'impression : 060310/1.
Dépôt légal : février 2006.

Imprimé en France